新潮文庫

キャリー

スティーヴン・キング
永井　淳訳

新潮社版

3370

キャリー

わたしをそれに巻きこみ――
ついでそこから救いだした
タビーに捧《ささ》げる

第一部　血のいけにえ

ウェストオーヴァー（メイン州）の週刊新聞、《エンタープライズ》一九六六年八月十九日号に載ったニュース記事

石の雨降る

数人の信頼すべき人々の報告によれば、八月十七日に、チェンバレンの町のカーリン・ストリートに突如として石の雨が降ったという。石の雨はもっぱらミセス・マーガレット・ホワイトの家に降り、屋根と二つの雨樋《あまどい》と縦樋に、およそ二十五ドル相当の被害を与えた。ミセス・ホワイトは未亡人で、三歳になる娘のキャリエッタと二人で暮している。

ミセス・ホワイトの談話は得られなかった。

その事件が起きたとき、だれ一人本心からは驚かなかった。うわべはともかく、野

蛮な本能が成長する意識下のレヴェルではだれも驚かなかった。表面的には、全女子生徒がショックを受け、興奮し、恥じ、あるいはホワイトの牝犬《めすいぬ》がまたヘマをやったと単純に喜んだ。なかにはほんとに驚いたといいはるものもいるかもしれないが、むろんそれは嘘《うそ》だった。キャリーは何人かの女の子たちと入学したときからずっと一緒だったので、こういった傾向はそのころから、人間の性質を支配するすべての法則に従って、徐々に、変ることなく、連鎖反応が一大危機に近づくように、着々と積み重なってきたのである。

ただ彼女たちのだれ一人として知らなかったことは、いうまでもなく、キャリー・ホワイトが念動能力《テレキネティック》の持主だということであった。

チェンバレンのバーカー・ストリート・グラマー・スクールのある机に残された落書

キャリー・ホワイトはうんこを食べる。

ロッカー・ルームは叫び声や、その反響や、タイルにはねかえるシャワーのこもった音にみちみちていた。女生徒たちは一時間目のバレーボールをおえたところで、朝の汗はさわやかで生気に溢《あふ》れていた。

　女の子たちはお湯の下で背伸びをしたり、身をくねらせたり、金切声をあげたり、水をかけあったり、白い石鹸《せっけん》を手から手へ渡したりしていた。キャリーはその中にのっそりと立っていた。まるで白鳥の群にまぎれこんだ蛙《かえる》というところだった。首筋と背中と臀《しり》に吹出物が目につくずんぐりした女の子で、濡《ぬ》れた髪の毛はまるでつやがなかった。それは彼女の顔にみすぼらしくへばりつき、彼女はかすかに首うなだれて、体に当ったお湯をはねかえしながら、ただぼんやりと突っ立っていた。彼女は犠牲《いけにえ》の山羊《やぎ》か、クラスじゅうのなぶりものか、鼻つまみのぶちこわし屋の役どころに見えたが、事実その通りの存在だった。いつもみじめな気分で、ユーイン・ハイスクールにもウェストオーヴァーやルーイストンのハイスクールのように、独立した――従って一人だけで使える――シャワーがあればいいのにと思っていた。彼女は仲間の女の子たちの無遠慮な視線にさらされた。いつでもそうだった。

　つぎつぎにシャワーが止まり、女の子たちが外に出てパステル・カラーのシャワー・キャップを脱ぎ、タオルで体を拭《ふ》き、デオドラントをふりかけ、ドアの上の時計に目を向ける。ブラジャーのフックをかけ、パンティをはく。空気中に湯気がたちこめる。一隅で絶えず唸《うな》りをあげているジャクージの気泡風呂《ぶろ》さえなければ、古代エジプトの浴場を思わせるような光景だ。嬌声《きょうせい》や弥次《やじ》が、強い初キューのあとのビリヤードの玉のように、入り乱れてぶつかりあう。

「――トミーがあたしとじゃいやだっていうから――」

「――あたしは姉夫婦と行くわ。二人とも鼻くそをほじる癖があるから、とっても――」

「――放課後にシャワーを浴びて――」

「――あんまり安っぽいんで、シンディとわたしは――」

瘦《や》せた、胸の平べったい体育教師のミス・デジャルダンが入ってきて、ぐるりとひとわたり見まわすと、威勢よくぽんと手を叩《たた》いた。「なにを待ってるの、キャリー？最後の審判？あと五分で始業のベルが鳴るのよ」彼女のショートパンツはまばゆいほど白く、脚の線は丸味に欠け、筋肉質の逞《たくま》しさが目立った。首にはカレッジ時代にアーチェリー競技会でもらった銀の笛がさがっていた。

女の子たちがくすくす笑ったので、キャリーが顔をあげた。その目は熱気と、絶え間なしにはねかえる水音のために、緩慢でうつろだった。

「ううっ？」

キャリーが蛙のようなグロテスクな声を発したので、女の子たちはまたくすくす笑った。スー・スネルが不思議な芸にとりかかる奇術師のような早業で、髪を包んでいたタオルをさっととって、すごい勢いで髪をとかしはじめた。ミス・デジャルダンはキャリーに向かって苛立《いらだ》たしげに手を振りまわすと、シャワー・ルームから出ていった。

キャリーはシャワーを止めた。お湯は滴《しずく》となり、ごぼごぼ音をたてて止まった。

みんながキャリーの脚を伝わって流れ落ちる血を見たのは、彼女がシャワーの下から出てきたときだった。

デーヴィッド・R・コングレス著『あばかれた影——キャリエッタ・ホワイト事件の事実記録と結論』(トゥレーン・ユニヴァーシティ・プレス、一九八一年)(三四ページ)より

キャリー・ホワイトの幼少時にいくつかの念動現象《テレキネシス》が見すごされてきたのは、意志の力だけで物質を動かす能力が極端なストレス状態においてのみ発現するためである、というホワイトとスターンズの結論(共著論文『念動現象、超能力再訪』参

照）に、おそらく反駁《はんばく》の余地はほとんどあるまい。この能力は完全に隠されている。さもなければイカサマの海に氷山の一角をのぞかせながら、数世紀にわたって潜在しつづけるということはとうてい考えられない。

われわれはこの事件を論じる根拠としてごくわずかな伝聞証拠しか持たないが、キャリー・ホワイトの中に巨大なマグニチュードの潜在的念動能力（以下TKと略す）が存在したことを証明するには、それだけで充分である。大いなる悲劇は、われわれすべてがいまや結果論を述べる評論家だということであり……

「せ・い・り！」

最初にはやしたてたのはクリス・ハーゲンセンだった。その声はタイルの壁にぶつかり、はねかえってまた壁にぶつかった。スー・スネルは鼻を鳴らして笑いあえぎながら、憎しみと嫌悪《けんお》と腹立ちと憐《あわ》れみが奇妙に入りまじった感情に襲われた。この子ったら、なにが起きたかも知らずに、ばかみたいに突っ立っている。ああ、たぶん彼女はいつまでも――

「せ・い・り！」

その声は歌となり、呪文《じゅもん》となった。うしろのほうでだれかが（またハーゲンセンらしかったが、騒然たるこだまのなかで、スーにはよくわからなかった）、はめをはずして、しゃがれ声で「タンポン入れてよ！」と叫んでいた。

「せ・い・り！　せ・い・り！　せ・い・り！」

キャリーは女の子たちに囲まれてぼんやり立っていた。その肌を水滴が転がり落ちた。自分がからかわれていることに気づいて（毎度のことだった）、少し当惑していたが、別に驚いたようすもなく、辛抱強い牛のように突っ立っていた。

経血がタイルの床に落ちて十セント貨ほどの大きさに拡《ひろ》がるのを、スーはこみあげる嫌悪感とともに見守った。「しっかりして、キャリー、あんたは生理なのよ！」と、彼女は叫んだ。「早く手当をして！」

「ううっ？」

キャリーはのろのろと周囲を見まわした。髪の毛がヘルメットのように頬にへばりついていた。一方の肩にニキビのかたまりがあった。早くも十六歳の若さで、彼女の目にはかすかな苦痛の痕跡《こんせき》が歴然と刻まれていた。

「彼女、口紅用だと思ってるのよ！」と、突然ルース・ゴーガンがひそかな楽しみを味わうように叫び、それからけたたましく笑った。スーはあとでその言葉を思いだして、その場の状況に当てはめてみたが、いまはそれも混乱の中の無意味な音のひとつにすぎなかった。十六歳、と彼女は考えていた。だから彼女だってなにが起きたかわかってるはずだわ――

なおも血が滴《したた》り落ちた。キャリーは依然としてにぶい当惑の反応を示しながら、周囲のクラスメイトを見まわした。

ヘレン・シャイアーズがくるっとうしろを向いて、吐く真似《まね》をした。

「出血してるわよ！」突然スーが腹立たしげに叫んだ。「出血してるじゃないの、おばかさんね！」

キャリーが下を向いた。

そして悲鳴をあげた。

湿度の高いロッカー・ルームに、悲鳴は高々と響きわたった。

突然、タンポンが一個、彼女の胸に当ってぽとりと足もとに落ちた。赤い花が脱脂綿を染めて、さっと拡がった。やがて嫌悪と侮蔑《ぶべつ》と反感の入りまじった笑いが高まって、とげとげした醜悪なにかに拡がってゆくかに見え、女の子たちは自分のバッグや壁ぎわのこわれた自動販売機から取りだしたタンポンや生理用ナプキンで、彼女を爆撃しはじめた。それらは雪のように飛びかい、「タンポン入れろ、入れろ、入れろ」の一大合唱が始まった。

スーもみんなと一緒になって、タンポンを投げつけながら歌っていた、自分がなにをしているかもよくわからずに——ふと、あるおまじないが心に浮かんで、ネオンのように輝いた。祟らない祟らない決して祟らない——それがなおも心強い輝きを放っているうちに、突然キャリーが泣き叫びながら後ずさり、両手をぐるぐる振りまわし、唸り、喉《のど》を鳴らしはじめた。

女の子たちは、ついに核分裂と爆発が始まったことに気づいて、ぴたりと声をひそめた。あとで思いだすたびに、いつも彼女たちがあのときはほんとにびっくりしたと語るのは、このときのことだった。だが、もう何年も前から、彼女たちはクリスチャン・ユース・キャンプでキャリーのベッドにいたずらをしたり、フラッシュ・ボビー・ピケットに宛《あ》てたキャリーのラヴ・レターをコピーしてみんなで回覧したり、彼女のパンティを隠したり、靴に蛇を入れたり、いつも彼女を仲間はずれにしたりすることに慣れっこになっていた。毎年の自転車旅行では、のろまといわれぐずといわれながら、いつも汗の匂《にお》いをぷんぷんさせて、遅ればせについてくるキャリー、茂みのかげでおしっこをしてツタウルシにかぶれ、そのことがみんなにばれてしまったキャリー（おい、尻《しり》をぽりぽりやってるけど、むずむずするのかい？）、自習室で居眠りして、ビリー・プレストンに髪にバターを塗られたキャリー、つねられたり、廊下で突きだされた脚につまずいて転んだり、机の上の教科書を叩き落とされたり、鞄《かばん》にわいせつな絵はがきを入れられたりするキャリー、教会でお祈りするために不器用にひざまずいたとき、古ぼけたマドラス地のスカートの縫目が、ジッパーにそって、風で折れる枝のような大きな音をたてて破れたキャリー、キックボールをやればいつもボールを蹴《け》りそこない、二年のモダン・ダンスの時間につんのめって前歯を折り、バレーボールではネットにぶつかり、いつも伝線した、あるいは伝線しかけたストッキングをはき、ブラウスの腋《わき》の下に汗のしみを浮かべているキャリー、放課後にダウンタウンのケリー・フルーツ・カンパニーから電話をかけたクリス・ハーゲンセンに、間抜けという言葉はC・A・R・R・I・Eと綴《つづ》ることを知っているかときかれたキャリー。突如として、それらは危険量に達した。長いあいだ捜していた決定的な一撃がついに見つかったのだ。そして核分裂が起きた。

キャリーは陰毛の中央にタンポンを一個くっつけたまま、仲間の新たな沈黙の中で泣き叫び、太い二の腕を交叉《こうさ》させて顔を隠しながら後ずさった。

女の子たちは厳粛に目を輝かせながら見守った。

キャリーは四つの大きなシャワー・ボックスの一つの壁まで後退して、ゆっくりうずくまった。間のびした、絶望的な唸り声がとぎれとぎれに洩《も》れでた。二つの目が、殺されゆく豚の目のように、白っぽく濡れてぐるぐる動いた。

スーがゆっくりと、ためらいがちにいった。「彼女、きっと初めてなのよ――」

ドアが勢いよくあいて、ミス・デジャルダンが何事かととびこんできたのはそのときだった。

『あばかれた影』（四一ページ）より

この問題について書かれた医学者、心理学者の意見は、キャリー・ホワイトの例外的に遅い、精神的外傷をとどめるような初潮が、彼女の潜在的能力の引金となったと考える点で一致している。

キャリーが一九七九年にいたるまで、成熟せる女性の生理を知らなかったとは信じがたい。また、彼女の母親が、娘が十七歳近くになるまで初潮を見ていないにもかかわらず、一度も婦人科医の診察を受けさせなかったということも同様に信じがたい。

にもかかわらず事実は明白である。キャリー・ホワイトは膣口《ちつこう》からの出血に気づいたとき、自分の身になにが起こりつつあるかを理解できなかった。生理の知識が皆無だったのである。

生き残ったクラスメイトの一人、ルース・ゴーガンは、事件の前年にユーイン・ハイスクールのロッカー・ルームで、キャリーがタンポンで口紅を拭《ぬぐ》っているのを見たと述べている。そのときミス・ゴーガンが「いったいなにをしてるの？」とたずねると、ミス・ホワイトが「いけないの？」と問いかえしたので、ミス・ゴーガンは「ううん、いけないことないわ」と答えたという。ルース・ゴーガンは多くの友達にこのことを話したというが（のちに彼女は筆者に、「ちょっと気がきいている」と思ったと打ちあけた）、かりにだれかがあとで、彼女がお化粧に使っていたものの真の用途を教えたとしても、彼女はからかわれているものと思いこんでその説明を信じなかったと推測される。そのような極端な疑い深さが彼女の生活の一面であった……

女生徒たちが二時間目の授業に行き、ベルが鳴りやんだとき（ミス・デジャルダンが名前を記憶する前に数人が奥のドアからこっそり逃げだしていた）、ミス・デジャルダンはヒステリーを鎮静させるための標準的な方法を採用した。すなわちキャリーの頬に平手打ちをくれたのである。おそらく彼女はその行為を楽しんだとは認めないだろうし、キャリーを太った泣虫の女の子とみなしていたことを否定するだろう。教師歴一年目の彼女は、まだすべての生徒は善良であると信じていた。

キャリーは依然として顔をひきつらせながら、ぼんやり彼女を見あげた。

「ミ・ミ・ミス・デ・デ・デ――」

「さあ、立ちなさい」ミス・デジャルダンは冷やかにいった。「立って後始末をするのよ」

「出血で死にそうよ！」と、キャリーは叫び、片手でやみくもにミス・デジャルダンの白いショートパンツにしがみついた。ショートパンツに血の手形がついた。

「わたし……あなたは……」体育教師の顔は当惑と嫌悪で歪《ゆが》んだ。彼女はいきなりキャリーの手を引っぱって立ちあがらせた。「あっちへ行くのよ！」

キャリーはシャワーと十セントのナプキン販売機のある壁のあいだに、肩をすぼめ、乳房を床に向け、両手をだらりとさげて、ぐらぐら揺れながら立っていた。まるでゴリラのような恰好《かっこう》で、表情のない目がぎらぎら光っていた。

「さあ」ミス・デジャルダンは非難めいた意地の悪い口調でいった。「そのナプキンを一枚取りだして……ううん、お金はいいのよ、どうせこわれてるんだから……一枚引きだして……早く、いう通りになさい！　まるで生理をはじめて経験したみたいじゃないの」

「生理?」と、キャリーがいった。

その驚きの表情があまりにも真剣で、愚かにも絶望的な恐怖にみちていたので、無視したり疑ったりはできなかった。リタ・デジャルダンの心の中に、恐しい暗黒の予感が拡がった。それは信じられないこと、ありえないことだった。彼女自身の初潮は十一歳の誕生日の直後で、そのときは階段のてっぺんまで駆けのぼって、「聞いて、ママ、わたしナプキンを使ってるのよ!」と興奮して叫んだものだった。

「キャリー?」と、彼女は呼びかけた。そして相手のほうに近づいた。「ねえ、キャリー?」

キャリーはしりごみした。そのとき隅のソフトボール用のバット棚が大きな音をたてて倒れた。バットがあちこちに転がって、デジャルダンをとびあがらせた。

「キャリー、あなた、はじめてなの?」

だが、もしやという考えが浮かんだいまは、質問するまでもなかった。血はどすぐろく、たいそう粘っこく流れていた。キャリーの両脚はまるで血の川でも渡ってきたように血まみれだった。

「痛いんです」キャリーが呻《うめ》くようにいった。「おなかが……」

「いまにおさまるわ」と、ミス・デジャルダンはいった。憐れみと羞恥心《しゅうちしん》がないまぜになって彼女の落着きを失わせた。「とにかく……まず血を止めなくちゃ。あなた――」

頭上がぱっと明るくなり、続いてフラッシュをたいたような音がして電球が消えた。ミス・デジャルダンは驚いて悲鳴を発した。一瞬

(建物が倒れる)

キャリーの行く先々に災いがつきまとうかのように、彼女が動転するときまってこういう変なことが起きるようだ、という考えが浮かんだ。その考えは浮かんだときと同じように一瞬のうちに消えた。彼女はこわれた販売機からナプキンを一枚引きだして、包みを破った。

「ほら、こんなふうに――」

『あばかれた影』(五四ページ)より

キャリー・ホワイトの母親マーガレット・ホワイトは、一九六三年九月二十一日に、異様としか形容しがたい状況で娘を出産した。事実キャリー・ホワイト事件の

全体像は、注意深い研究者に、他のあらゆる感情を圧倒する感情、すなわちキャリーはかつて世間の注目をひいたいかなる一人っ子にもまして奇妙な一人っ子であったという感慨を抱かせるであろう。

すでに述べたように、ラルフ・ホワイトは一九六三年二月に、ポートランドの住宅団地建築現場で、ワイヤーがはずれて落下した鋼材の下敷きになって死んだ。ミセス・ホワイトは夫の死後チェンバレン郊外のバンガローで独り暮しを続けていた。

ホワイト夫妻のほとんど狂信的ともいえる根本主義派キリスト教信仰のせいで、ミセス・ホワイトには夫との死別後訪ねてくる友達が一人もいなかった。七か月後に分娩《ぶんべん》が始まったときも、彼女の世話をする者はだれもいなかった。

九月二十一日の午後一時三十分ごろ、カーリン・ストリートに住む人々は、ホワイト家から聞えてくる叫び声を聞きつけた。しかし、警察がホワイト家に呼ばれたのは午後六時になってからだった。われわれはここで、この時間的なずれを説明する二つの推測のうちのいずれをとるかという、あまり気の進まない選択に直面する。すなわちミセス・ホワイトの隣人たちは警察とかかりあいになることを望まなかったか、あるいはミセス・ホワイトを毛嫌いしていたので見て見ないふりをしていたという解釈である。当時カーリン・ストリートに住んでいた人々は現在わずか三人しか生き残っていないが、そのうちの一人で、しばしばわたしのインタビューに応じてくれたミセス・ジョージア・マクローリンは、警察を呼ばなかったのは叫び声が〝宗教的陶酔〟と関係があると思ったからだと語っている。

午後六時二十二分に警官が到着するころ、叫び声はとぎれがちになっていた。ミセス・ホワイトは二階のベッドに横たわっており、警官のトーマス・G・ミアトンは最初彼女が強盗に襲われたものと思いこんだ。ベッドは血だらけで、肉切りナイフが床に落ちていたからである。やがて彼は、ミセス・ホワイトの胸のところに、まだ一部胎盤にくるまったままの赤ん坊を発見した。彼女はみずから臍《へそ》の緒《お》をナイフで切ったものらしかった。

ミセス・ホワイトは自分が妊娠していることを知らなかった、あるいは妊娠の意味するところを理解していなかったという仮定は、とうてい想像の及ばぬところで、そのまま信じることはためらわれる。J・W・バンクスンやジョージ・フィールディングといった最近の学者たちは、妊娠という概念が彼女の心の中で打ち消しがたく性交の〝罪〟と結びついていたために、完全に心の中から閉めだされていたのだろうという、より妥当な仮定をおこなっている。彼女はただ単に、そのようなことが自分の身にも起こりうると信じることを拒んでいたのだろう。

われわれの手もとには彼女がウィスコンシン州ケノーシャに住む友達に出した三通の手紙の写しがあるが、それによると、ミセス・ホワイトは妊娠五か月ごろから、自分は〝女性性器の癌《がん》〟にかかっていて、間もなく天国にいる夫のあとを追うものと信じこんでいたことが明らかである……

十五分後にミス・デジャルダンがキャリーを職員室へ連れて行くとき、さいわい廊下にはだれもいなかった。閉ざされたドアの向うでは授業が始まっていた。キャリーの悲鳴はすでにやんでいたが、まだひっきりなしにしゃくりあげていた。デジャルダンは仕方なしに自分でナプキンを当て、濡《ぬ》らしたペーパー・タオルで血を拭い、白いコットンのパンティをはかせてやった。

彼女はだれにでもある生理の現実を二度も説明してやったが、キャリーは両手で耳をおおって泣きじゃくるだけだった。

二人が入ってゆくと、教頭のミスター・モートンがすぐに自分の部屋から出てきた。フランス語Ⅰの授業をサボったために、呼びつけられてお説教されるのを待っていたビリー・デロワとヘンリー・トレナントの二人が、椅子《いす》の上から目をみはった。

「入りたまえ」と、モートンがあわてていった。「さあさあ、急いで」彼はデジャルダンの肩ごしに、彼女のショートパンツについた血の手形に目を丸くしている男子生徒をにらみつけた。「きみたち、なにをじろじろ見てるんだ？」

「血ですよ」とヘンリーが答えて、間のびした驚きの笑いを浮かべた。

「二時間の居残りだ」モートンはぴしゃりときめつけた。それから血の手形に目をやって、二、三度目《ま》ばたきをした。

彼はドアをしめて、ファイル・キャビネットの最上段のひきだしをかきまわし、校内事故の書類を捜しはじめた。

「だいじょうぶなのかね、きみ――？」

「キャリーです」と、デジャルダンが助け船を出した。「キャリー・ホワイトですわ」

モートンはやっと書類用紙を捜しあてた。それには大きなコーヒーのしみがついていた。「その必要はないんです、ミスター・モートン」

「トランポリンで怪我《けが》したのかと思ったよ。それじゃ……いらないんだね？」

「ええ。でもキャリーを早退させるほうがいいと思います。とてもショッキングな経験をしたもんですから」彼女の目くばせには気がついたが、モートンはその意味を測りかねた。

「そうだな、いいだろう、きみがそういうんなら。よろしい」モートンは書類をキャビネットに戻し、ひきだしに親指を突っこんだまま勢いよくしめて、うっと唸《うな》り声を発した。それから優雅にドアのほうを向き、さっとドアをあけて叫んだ。「ミス・フィッシュ、早退連絡書を一枚くれんかね？　キャリー・ライトだ」

「ホワイトですわ」と、ミス・デジャルダンが訂正した。

「そう、ホワイトだった」と、モートンがいいなおした。

ビリー・デロワがくすくす笑った。

「一週間通しの居残りだ！」と、モートンが叫んだ。親指の爪《つめ》の下に血まめができかけていた。それはひどく痛んだ。キャリーの単調な泣声が絶え間なしに続いていた。

ミス・フィッシュが黄色い早退連絡書を持ってくると、モートンは銀のシャープ・ペンシルで自分の頭文字を書きいれ、圧《お》しつぶした親指の痛みに顔をしかめた。

「車で家まで送ろうかね、キャシー？」と、彼はきいた。「必要ならタクシーを呼んであげるよ」

彼女はかぶりを振った。彼は相手の鼻孔のひとつから大きな青いはなぢょうちんが出ているのに気づいて、ぞっとした。モートンは彼女の頭ごしにミス・デジャルダンを見た。

「もうだいじょうぶだと思います」と、彼女はいった。「キャリーの家はカーリン・

ストリートで、ここからすぐですから。新鮮な空気を吸えば元気になるでしょう」モートンはキャリーに黄色い連絡書を渡した。「じゃ、もう帰っていいよ、キャシー」と、彼はやさしくいった。

「それはわたしの名前じゃないわ！」と、突然彼女が叫んだ。

モートンは尻ごみし、ミス・デジャルダンはうしろから殴られでもしたように跳びあがった。モートンの机の上のどっしりした陶器の灰皿（ロダンの『考える人』を模したもので、頭の部分が吸殻受けになっていた）が、彼女の叫び声から身を護《まも》ろうとでもするかのように、だしぬけに絨毯《じゅうたん》の上に落ちた。吸殻とモートンのパイプ煙草《たばこ》の灰が明るいグリーンのナイロン絨毯の上に散乱した。

「いいかね、きみ」モートンはともすれば険しくなる口調を抑えながらいった。「きみが動揺しているのはわかる、だからといってわたしが――」

「やめてください」と、ミス・デジャルダンが静かに口をはさんだ。

モートンは目をぱちくりさせ、それから無愛想にうなずいた。教頭の主な仕事である懲戒的な機能を果すあいだ、彼は愛すべきジョン・ウェイン風のイメージを与えようと試みたのだが、あまり成功しなかった。学校当局（通常青年商工会議所主催の晩《ばん》餐会《さんかい》、PTA総会、在郷軍人会の表彰式などにおいて、校長のヘンリー・グレイルによって代表されるところの）は、彼を〝愛すべきモート〟と呼んでいた。生徒間では彼の役目にふさわしく、〝あの頭のおかしい尻叩《しりたた》きめ〟と呼ばれていた。しかし、ビリー・デロワやヘンリー・トレナントのような生徒がPTAの会合や町の集会で発言する機会は少ないので、どちらかといえば学校当局の評価のほうが優勢だった。

愛すべきモートは、なおもこっそり親指をさすりながら、キャリーに微笑を向けていった。「それじゃきみさえよかったら帰りたまえ、ミス・ライト。それとも少しここで休んで、気持をおちつけるかね？」

「帰ります」と彼女は呟《つぶや》き、立ちあがってミス・デジャルダンを見た。その目は大きく見開かれ、すべてを見通していた。「みんなしてわたしを笑ったんです。ものを投げつけたんです。いつもわたしを笑いものにするんです」

デジャルダンはなす術《すべ》もなく彼女を見守った。

キャリーは部屋から出ていった。

デジャルダンとモートンは、しばし無言で彼女を見送った。やがて、モートンがわざとらしく咳《せき》ばらいをして、用心深くしゃがみ、散らばった吸殻をかきあつめにかかった。

「いったいなにがあったのかね？」

デジャルダンは溜息《ためいき》をついて、ショートパンツの乾きかけた焦茶色《こげちゃいろ》の手形に嫌悪《けんお》の目を向けた。「生理が始まったんです。それもはじめての。シャワーを浴びている最中でした」

モートンがふたたび咳ばらいをした。顔が赤くなった。灰をかきあつめる紙の動きが一段と速くなった。「どうもあの子は、ちょっと——」

「初潮が遅すぎはしないかとおっしゃるんでしょう? その通りです。それだけにショックも大きかったんですわ。ただわからないのは、なぜあの子の母親が……」彼女の声は途中で消え、その考えは一時忘れられた。「自分でもあまりうまく処理できたとは思いませんけど、はじめはなにが起きたのかわからなかったんです。彼女は出血で死ぬと思ったようでした」

彼は目を丸くした。

「おそらく彼女は三十分前まで生理というものを知らなかったんでしょう」

「その小さなブラシをとってもらえんかね、ミス・デジャルダン。そう、それだ」

彼女は柄のところに「チェンバレン金物・材木商会はいかなる御用命も断わりません」と書かれた小さなブラシを手渡した。彼はそれを使って灰を紙に掃きとりはじめた。「掃除機で吸いとらなきゃならんようだな。このパイルというやつは実に厄介だ。それにしても灰皿を机の端に置いたつもりはないんだが。どうして落ちたんだろう」彼は机に頭をぶつけて、あわてて上体を起こした。「この学校にかぎらずどこでもだが、三年生の女生徒が生理を知らないなんて、わたしには信じられんよ、ミス・デジャルダン」

「わたしだって信じられませんよ」と、彼女はいった。「でも彼女の反応を見ていると、そうとしか考えられないんです。それに彼女はいつも仲間うちのいじめられっ子でした」

「うむ」彼は灰と吸殻をくず籠《かご》に捨てて、手の埃《ほこり》をはらった。「やっと思いだしたよ。ホワイト。マーガレット・ホワイトの娘だ。ちがいない。だったらさもありなんという気がしないでもない」彼は机に坐《すわ》って、言訳めいた微笑を浮かべた。「なにしろ数が多いからね。五年もたつと、どの顔もごちゃまぜになってしまうもんだよ。兄弟の名前をとりちがえたりしてね。まったくむずかしいものだ」

「ほんとですわ」

「わたしのように二十年も教師稼業《かぎょう》をやっててごらん」彼は親指の血まめを見ながら、憂鬱《ゆううつ》そうにいった。「どこかで見たことのある生徒がいると思ってよく考えると、教師になりたてのころその子の父親に教えたことを思いだすんだ。ありがたいことにマーガレット・ホワイトはわたしがここにくる前に卒業した。マーガレットは亡《な》くなったミセス・ビセンテに向かって、生徒にダーウィンの進化論の概略を教えた罪で、主はあなたのために地獄の特別席を用意しておくだろうといったそうだ。彼女は在学中に二度停学をくらっている——一度はクラスメイトをバッグで殴ったためだ。そのクラスメイトが煙草を吸っているのを見たのが原因らしい。変った宗教概念だよ。まったく変っている」彼のジョン・ウェイン的な表情が急に消えた。「仲間の女の子たちだが、ほんとに彼女を笑ったのかね？」

「笑ったどころじゃありません。わたしが入ってゆくと、きゃあきゃあ叫びながら生理用のナプキンを投げつけていました。まるで……ピーナッツでも投げつけるみたいに」

「やれやれ」ジョン・ウェインは完全に姿を消した。モートンは顔を真赤にした。

「その連中の名前はわかってるのかね？」

「ええ。ぜんぶはおぼえてないけど、なかには仲間を裏切って密告する者もいるかもしれません。クリスティーン・ハーゲンセンが首謀者のようでした……毎度のことですけど」

「クリスと彼女のモーティマー・スナード（訳注　腹話術師エドガー・バーゲンが使う薄のろ人形の名前）たちか」と、モートンは呟いた。

「そうです。ティナ・ブレイク、レーチェル・スパイス、ヘレン・シャイアーズ、ドナ・ティボードーと妹のメアリー、ライラ・グレース、ジェシカ・アプショー。それにスー・スネル」彼女は眉《まゆ》をひそめた。「スーはそんないたずらをするような子に見えないんですけど。人目に立つようなことはしない子だと思ってましたわ」

「連中と話したかね？」

ミス・デジャルダンは苦笑した。「とにかく彼女たちを外に追いだしたんです。わたしもあわてていたし、キャリーはヒステリーを起こしていたもんですから」

「うむ」モートンは左右の指先を合わせた。「で、これから話すつもりかね？」

「ええ」だが、あまり気乗りしないようすだった。

「あまり気が進まないような口ぶりだが――」

「かもしれません」彼女は憂鬱そうに答えた。「わたしも女ですから、あの子たちの気持がわかるんです。わたしだってキャリーをつかまえて、思いっきり振りまわしてやりたいような気がしましたわ。生理には本能的に女を逆上させるなにかがあるのかもしれません。スー・スネルの態度がいまだに頭にこびりついているんです」

「うむ」モートンは賢明にもうなずいた。女性の心理は理解できなかったし、生理のことで議論する気はさらさらなかった。

「あの子たちにはあした話します」と、彼女は約束して立ちあがった。「叱《しか》るべきところはきちんと叱り、見逃すべきところは見逃します」

「よかろう。処罰は罪にふさわしいようにやってくれ。もしきみの手に負えないと思ったら、その、遠慮なくわたしのところへ――」

「そうしますわ。ところで、彼女をおちつかせようとしているときに、電球が一個切れたんです。おかげで騒ぎがいっそうひどくなって」

「すぐに用務員をやろう。きみはよくやってくれた、礼をいうよ、ミス・デジャルダン。ついでにビリーとヘンリーをよこすように、ミス・フィッシュにいってもらえんかね？」

「はい」彼女は部屋から出ていった。

モートンは椅子にもたれて、この一件を頭のなかからしめだした。きわめつけのサボリ常習犯、ビリー・デロワとヘンリー・トレナントがこそこそ入ってきたとき、彼は待ってましたとばかり二人をにらみつけて、雷を落とす用意をした。授業をサボった生徒への校長のヘンリー・グレイルにもしばしばいっているように、授業をサボった生徒へのお説教が彼の昼食がわりだった。

チェンバレン・ジュニア・ハイスクールのある机に刻まれた落書

バラは赤、スミレは紫、砂糖は甘い、でもキャリー・ホワイトはうんこを食べる。

キャリーはユーイン・アヴェニューを歩いていき、街角の信号を渡ってカーリン・ストリートに入った。うつむいて、なにも考えずに歩いていた。大波のうねりのような下腹部の痛みが襲い、そのたびにキャブレターの故障した車のように、足どりが遅くなったり速くなったりした。彼女は歩道をみつめた。セメントに湿った石英がきらきら輝いていた。チョークで描いた石蹴《いしけ》りの枡《ます》が、雨に洗われて消えかかっていた。チューインガムのかすが靴で踏まれてへばりつき、キャンディの銀紙や包み紙が散らばっていた。みんな憎んでいる。いつまでも憎むことをやめない。舗装の割れ目に一セント貨が落ちこんでいた。彼女はそれを足で蹴った。クリス・ハーゲンセンが血だらけになって、許してくれと泣き叫んでいる。鼠の群が彼女の顔を這いまわる。そら、そら、いい気味だわ。真中を踏んづけられた犬の糞《ふん》。子供が石で叩いて破裂させた黒焦げの紙火薬。煙草の吸殻。クリスの頭を大きな石で叩きつぶせ。あいつらの頭をみんな叩きつぶせ。いい気味だわ。

（心やさしい救世主イエスさま）

それはママのためにも彼女自身のためにもいいことだった。彼女は毎日欠かさずに、狼《おおかみ》の群のなかへ、あざわらい、からかい、指さし、くすくす笑う連中のばか騒ぎのなかへでかけてゆく必要がなくなるのだ。ママは最後の審判の日と（あの星の名前はニガヨモギとなり（訳注　ヨハネ黙示録八－一一）彼女たちはサソリでもって懲《こ》らしめられるだろう（訳注　列王紀上一二－一一））剣を持った天使が訪れるといわなかったかしら？

その日がきょうで、イエスさまが仔羊《こひつじ》と羊飼いの杖《つえ》のかわりに、笑ったり嘲《あざけ》ったりする連中を叩きつぶし、悪を根こそぎにしてその叫び声を止めるための大きな石を両手に持って現われたら――血と正義の恐しいイエスとして現われたら、どんなにか胸がすっとすることだろう。

もしも彼女がイエスの剣となり、片腕となることさえできたら……

彼女は適応すべく努力した。カーリン・ストリートの小さな家の抑圧的な環境を出て、バイブルを小脇《こわき》に抱えてベイカー・ストリート・グラマー・スクールに通いはじめたその日から、たびたびママに向かってささやかな反抗的態度を示し、自分のまわりに描かれた赤い厄《やく》除《よ》けの輪を拭《ぬぐ》い消そうとした。最初の日に学校の食堂で昼食の前にひざまずいたときの、クラスメイトのまなざしと突然の気まずい沈黙を、彼女はいまだにおぼえている。嘲笑《ちょうしょう》はその日に始まって、何年ものあいだこだましつづけたのだった。

赤い厄除けの輪は血そのものに似て――いくらこすっても消えず、きれいにならなかった。ママには内緒だったが、以後二度と人前でひざまずくことをしなかった。それでもなお、彼女にとっても彼らにとっても、最初の記憶は拭い去りがたかった。クリスチャン・ユース・キャンプへの参加のことでは必死になってママを説得し、参加費用は仕立物を引きうけて自分で稼ぎだした。ママはそれを罪悪だときめつけ、メソディストやバプティストや組合教会派のやることだと罵《のの》り、堕落だと非難した。そしてキャリーにキャンプで泳ぐことを厳禁した。だが、キャリーがいいつけにそむいて泳ぎ、水中に沈められても笑っていたにもかかわらず（もっともそのうちに呼吸ができなくなってもいたずらがやまないので、彼女は恐しくなって泣きだした）、お祈り好きのキャリーに対するいやがらせはいっこうにやまず、とうとう彼女は目を真赤に泣きはらして、予定より一週間も早くバスで帰ってきてしまった。停留所まで迎えにきたママは、そのいやな記憶を、ママはなんでも知っていて、ママのいうことは常に正しく、安全と救いは赤い厄除けの輪のなかにしかないことの証拠として、いつまでも大事に胸にしまっておくようにと、きつい口調でいいきかせた。「天国の門は狭いんだからね」と、ママは帰りのタクシーのなかでいい、家へ帰るとキャリーを六時間クローゼットに閉じこめた。

いうまでもなく、ママは彼女がほかの女の子たちと一緒にシャワーを浴びることを禁じていた。キャリーは入浴道具を学校のロッカーに隠しておいて、自分のまわりの輪がほんの少し薄れることを期待しながら、クラスメイトと一緒の恥ずかしい裸の儀式に参加した。

(でもきょうというきょうは)

五歳になるトミー・アーブターが通りのはしで自転車に乗っていた。まっかな練習用の補助輪をつけた二十インチのシュウィンを乗りまわす、小柄できかん気そうな顔をした男の子である。「スクービー・ドゥー、どこにいる?」と小声で歌っていたが、キャリーを見つけると、目を輝かせてべろりと舌をだした。

「やい、お祈りキャリーのばかやろう!」

キャリーは急にくすぶりだした怒りに駆られて、彼をにらみつけた。自転車は補助輪の上でぐらりと揺れて、突然ひっくりかえった。トミーが悲鳴をあげた。自転車が彼を下敷きにしていた。キャリーは笑って通りすぎた。トミーの泣声が甘く快い音楽のように聞えた。

いつでも思い通りにこんなことができたら、さぞいい気持だろうな。

(いまはできたわ)

彼女は自分の家の七軒手前で急に立ちどまって、うつろな目で空《くう》をにらんだ。うしろのほうで、トミーがすりむいた膝《ひざ》を撫《な》でながら、泣き泣き自転車に乗りなおした。キャリーにむかってなにか叫んだが、彼女はそれを無視した。悪口にはなれっこだった。

彼女は心のなかで念じていた

(自転車から落ちろ　ひっくりかえって頭を割れ)

するとなにかが起こったのだ。

わたしの心が……彼女は適当な言葉を捜した。そうだ、曲がったんだわ。その表現は正確ではなかったがたいそう近かった。ダンベルを持ちあげるときの肘《ひじ》に似た、奇妙な心の屈折があった。それでもまだ正確ではなかったが、ほかに適当な例を思いつかなかった。無力な肘。やわらかい赤ん坊の筋肉。

曲がれ。

彼女はだしぬけにミセス・ヨラティの家の大きな見晴らし窓をにらみつけて、念じた。

(意地悪ばばあの窓割れろ)

なにも起こらなかった。ミセス・ヨラティの見晴らし窓は午前九時のさわやかな光のなかで、静かに光っていた。ふたたび下腹部の痛みが襲い、彼女はまた歩きだした。

でも……

電球。それに灰皿。灰皿を忘れちゃだめ。

彼女は肩ごしに
(あの女はママを嫌っている)

振りかえった。ふたたびなにかが曲がったようだった……がその感じは弱々しかった。彼女の思念の流れは、内部のもっと深いところにある水源からどっと水がふきだしたかのように、突然激しく波立ちさわいだ。

窓ガラスがさざ波立つように見えた。だがそれ以上はなにも起こらなかった。目の錯覚かもしれなかった。たぶんそうだろう。

頭は疲労でぼんやりし、頭痛が始まりそうに疼《うず》いていた。目は坐って黙示録を一気に読み通した直後のように熱をもっていた。

彼女は青い鎧戸《よろいど》のある小さな白い家のほうへ歩いていった。憎しみと愛と恐れのいりまじったいつもの感情が、心のなかで渦を巻いていた。バンガローの西側に蔦《つた》がからみつき（近所の人々はこの家をバンガローと呼んでいた。ホワイト家《ハウス》では政治的な冗談のように聞えるし、ママは政治家は一人残らず悪人、罪人であり、いずれはカソリックも含めたすべてのキリスト教信者を銃殺にするような無神論者の赤どもに、国を売りわたしかねない連中だと、常々いっていたからである）、まるで絵のような眺めだったが、キャリーはときどきその蔦が嫌いになることがあった。ときおり、たとえばいまもそうなのだが、蔦は地面からのびてきて彼女の家につかみかかる、太い血管の浮きでたグロテスクな巨人の手のように見えることがあった。彼女は足を引きずりながらわが家に近づいていった。

そうだ、もちろん石ころを忘れちゃいけないわ。

彼女はふたたび立ちどまって、明るい陽ざしのなかでものうげに目《ま》ばたきした。石ころ。ママは決してそのことを口に出さなかった。石の雨が降った日のことをママがいまもおぼえているのかどうか、キャリーにはわからなかった。驚くべきことに彼女自身はまだそのことをはっきり記憶していた。あれはまだ小さな子供のときだった。いくつだったかしら？　三歳？　四歳？　白い水着を着た娘がいて、やがて石が降ってきた。そして石は家のなかにも入りこんだ。そこで記憶が急に鮮明になった。いわばあれ以来ずっと意識の表面のすぐ下にひそんで、一種の精神的開花期を待っていたかのように。

たぶんきょうという日を待っていたのだろう。

ジャック・ゲイヴァー著『キャリー、TKの暗黒の夜明け』（《エスクワイア》一九八〇年九月十二日号）より

エステル・ホーランはサン・ディエゴのこぎれいな郊外地区パリッシュに十二年間住んでおり、外見は典型的なカリフォルニアのミズである。明るいプリントのシフト・ドレスを着て、スモークいりの琥珀色《こはくいろ》のサングラスをかけている。髪は黒い筋のあるブロンドで、ガソリン・キャップにはスマイル・ワッペン、うしろの窓には緑の旗のエコロジー・ステッカーを貼《は》りつけた、栗色《くりいろ》のフォルクスワーゲン・フォーミュラ・ヴィーを乗りまわす。夫はバンク・オブ・アメリカのパリッシュ支店長であり、息子と娘はサザン・カリフォルニア・サン・アンド・ファン・クラウド（訳注　上流階級の子女によって構成される社交リクリエーション・クラブの一種）の正式メンバーで、真黒に陽やけした海岸族である。

手入れのゆきとどいた小さな裏庭には日本製の火鉢が置かれ、ドア・チャイムは『ヘイ・ジュード』のリフレインの一節を奏《かな》でる。

しかしミズ・ホーランの内面のどこかには、いまだにニュー・イングランドの影がつきまとい、キャリー・ホワイトのことを話しはじめるとき、彼女の顔には、南カリフォルニアのケローアクよりはアーカムのラヴクラフトを思わせる奇妙にひきつった表情が浮かぶ。

「もちろん彼女は変っていました」と、彼女はヴァージニア・スリムをもみ消した直後にまた二本目をつけながら、わたしに語ってくれた。「あの一家はみな変っていたんです。ラルフは建築労働者だったけど、近所の人たちの話では、毎日働きに出るときバイブルと三八口径のリヴォルヴァーを持っていったんだそうです。バイブルはコーヒー・ブレイクと昼食のときに読むため、拳銃《けんじゅう》は仕事場で反キリストに会ったときの用心のためですって。わたし、そのバイブルをいまでもおぼえています。拳銃のほうは……どんなだったかしら？　髪はいつもてっぺんを短く刈りこんだクルーカットで、オリーヴ色に陽やけした大男でした。いつもすごくこわい顔をしていて、とても目なんか見られたもんじゃないんです。まるで火のような鋭い目で。彼が道を歩いてくると、みんな反対側へ逃げてしまうし、うしろ姿に舌を出したりもできませんでした。それほど薄気味の悪い人だったんです」

彼女は一息いれて、天井のアメリカ杉まがいの梁材《はりざい》に煙草《たばこ》のけむりを吹きつける。エステル・ホーランは二十歳になるまでカーリン・ストリートに住んで、モットンにあるルーイン・ビジネス・カレッジの昼間クラスに通っていた。しかし石の雨の一件ははっきりおぼえている。

「もしかしたら原因はわたしだったんじゃないかと思うことがよくあるんです。あの家の裏庭とうちの裏庭が隣りあっていて、ミセス・ホワイトが境に生垣を植えたんですけど、まだそれほどのびていませんでした。彼女はわたしが裏庭で〝ショー〟をやっていると、わたしの母親に何度も抗議の電話をよこすんです。でもわたしの水着はとてもお行儀がよくて——近ごろの流行とくらべたらおとなしいもいいところだったんです。古い型の地味なワンピースのジャンセンでしたから。ミセス・ホワイトは恥ずかしくて〝うちの子供〟には見せられないって、何度も文句をいってきました。わたしの母は……はじめは下手《したて》に出ていたけど、なにしろこれがまたすごく気短かな人なんです。マーガレット・ホワイトがなにをいって彼女を怒らせたか知りませんけど——たぶんあんたの娘はバビロンの淫売女《いんばいおんな》だとかなんとかいったんでしょう——母は自分の家の庭でなにをしようと文句をいわれる筋合いはない、やりたければ裸踊りでもなんでも勝手にやるといいかえしました。おまけに彼女のことを底意地の悪いくそばばあと罵ったんです。そのあと二人でさんざんやりあったけど、その日はそれでおさまりました。

「わたしはそのときすぐに日光浴をやめようと思ったんです。ごたごたがいやでしたから。ところがママときたら——いったん怒らせたら手がつけられなくなるんです。ジョーダン・マーシュから小さな白いビキニを買ってきて、どうせ日光浴をするのならなるだけたくさん陽に当るほうがいいってわたしにいうんです。『なんたってこれはうちの庭のプライヴァシーの問題だからね』って」

エステル・ホーランはそのことを思いだしてかすかに笑い、煙草を乱暴にもみ消した。

「わたしは母に逆らって、もうごたごたはいやだし、垣根ごしの戦争の道具に使われるのはごめんだといいました。でもだめでした。ママがかっかしているときに止めようとするのは、くだり坂を走るブレーキのないトラックを止めるようなものなんです。それに、ほんとはまだありました。わたしはホワイト家の人たちがこわかったんです。狂信的な人たちって、からかったりしたらなにをするかわからないでしょう。そりゃ、ラルフ・ホワイトはもう死んでいたけど、マーガレットが例の三八口径を持ち歩いていたらどうなります?

「でも土曜日の午後、わたしは裏庭に毛布を拡《ひろ》げて、全身にサンタン・ローションを塗り、ラジオのトップ・フォーティを聞いていました。ママはその手の番組が嫌いで、ふだんなら癇癪《かんしゃく》を起こす前に少なくとも二度はラジオを止めろとどなるところなんです。だけどその日にかぎって二度も自分からラジオをつけました。おかげでわたしはほんとにバビロンの淫売女みたいな気持になってしまって。

「でもホワイト家からはだれも出てこなかったんです。マーガレットが洗濯物を干しにも出てきません。もっともそれにはわけがあって——彼女は絶対に下着を外に干さないんです。当時まだ三歳だったキャリーの下着でさえ、外には干さないんです。下着類は家のなかと決まっていました。

「わたしはしだいに気が楽になりました。マーガレットはキャリーを連れて、自然のなかで神さまにお祈りをするために公園へでもでかけたのだろうと思ったんです。とにかく、そのうちわたしはあおむけになって、片腕で目をおおって眠ってしまいました。

「やがて目をさましたら、キャリーが目の前に立ってわたしの体を眺めていました」

彼女は言葉を切って、空《くう》をにらみながら顔をしかめる。外ではひっきりなしに車の音がする。テープ・レコーダーのかすかな回転音が休みなしに聞えている。しかしそれらはみなあまりにもうつろいやすい、うわべだけの、より暗い世界――悪夢のはびこる現実の世界をおおう安っぽい寂《さび》にすぎないような気がする。

「キャリーはとてもきれいな女の子でした」エステル・ホーランは新しい煙草に火をつけて、また話しはじめる。「わたしは彼女のハイスクール時代の写真と、《ニューズウィーク》の表紙にのったあのひどいピンぼけ写真を見ましたけど、それを見たとき、いったいあのかわいいキャリーはどこへいってしまったのかしらとびっくりしました。そしてあの女は自分の娘にいったいなにをしたのかしらと思いました。なんだか胸がむかついて、それから彼女が気の毒になりました。ほっぺたはピンク色で、目は明るい茶色で、髪は大人になったら色が濃くなって鼠色《ねずみいろ》に変りそうなブロンドの、あんなにかわいい女の子だったのに。ほんとにかわいいとしか形容のしようがなかったんです。かわいくて明るくて無邪気なキャリー。あのころはまだ母親の病気の影響をあまり深く受けていなかったんです。

「わたしははっと目をさまして、彼女に笑いかけようとしました。ほかにどうしていいかわからなかったんです。なにしろお日さまに当って頭がぼうっとしていましたから。とにかく『こんにちは』っていいました。彼女は小さな黄色い服を着ていて、かわいいけれども、あんな女の子が夏に着る服にしてはひどく長すぎました。すねまで隠れてしまうんですもの。

「彼女は笑いかえしもしません。ただわたしを指さして、『それなあに？』ときいただけでした。

「そういわれて気がついたんですけど、眠ってるあいだにビキニのブラジャーがはずれていたんです。わたしはすぐにつけなおして、『これはおっぱいよ、キャリー』と答えました。

「そしたら彼女がいいました――すごく真面目《まじめ》な顔をして。『あたしもそれほしい』って。

「そこでわたしはいったんです、『いますぐは無理よ、キャリー。そうね……あと八年か九年待たなくっちゃ』って。

「『ううん、あたしはだめ』と、彼女は答えました。『ママがいい子にはできないっていったから』その口調があんな小さな女の子にしてはなんだかおかしいんです、悲しそうなところもあれば毅然《きぜん》としたところもあって。

「わたしはその言葉が信じられなくて、最初に心に浮かんだ考えをそのまま口に出してしまいました。『でも、わたしはいい子よ。あんたのママはおっぱいがないの？』って。

「そしたら彼女はうなだれて、よく聞きとれないような低い声でなにかいいました。で、わたしがもう一度いってごらんというと、彼女は反抗的にわたしを見て、ママはあたしをつくったときに悪い女だったから、それでできてしまったのよと答えたんです。彼女はまるでそれが一つの単語だと信じこんでいるように、おっぱいのことをけがらわしい枕《ダーティピローズ》と呼んでいました。

「わたしはびっくりしてしまってあいた口がふさがりません。どう答えていいかわからなかったんです。黙って顔を見あわせながら、ただひたすらこの悲しそうな顔をした子を抱いて逃げだしたいって、そればかり考えていました。

「ちょうどそのとき、マーガレット・ホワイトが裏口から出てきて、わたしたちを見たんです。

「一瞬彼女は信じられないといった顔をして、目をみはっただけでした。やがて口を開いて叫びだしたんです。それは聞いたこともないほど醜い声でした。沼地の鰐《わに》の声に似ていました。ただの意味のない叫び声です。おかしくなってしまったんじゃないかというような怒りの声。顔を消防車のように赤くし、両手の拳《こぶし》を握りしめて、空にむかってわめいていました。全身がぶるぶる震えています。たぶん発作でも起こしかけているのだろうと思いました。顔がすっかりこわばって、まるでゴシック建築の雨水落しの怪獣みたいなんです。

「わたしはキャリーが気を失うか——その場で死んでしまうんじゃないかと思いました。呼吸ができなくなって、あの小さな顔がコテージ・チーズみたいに青ざめてしまったんです。

「彼女の母親が叫びました。『キャアアアリイイイ!』

「わたしはとびあがって叫びかえしました。『そんなにどならないで! 恥ずかしくないの!』とかなんとか、ばかなことをいったような気がするけど、よくはおぼえてません。キャリーは自分の家のほうに戻りかけて、いったん立ちどまり、また歩きだしました。そして芝生の境目を越える直前に、わたしのほうを振りかえったんですけど、その目つきの……恐しいこと。とうてい口ではいえません。求め、憎み、恐れている目……そして不幸。まるで三歳という年齢で、人生そのものが石のように重く頭にのしかかってきたという顔でした。

「わたしの母親が裏口から顔を出して、キャリーを見たとたんに表情をゆがめました。そしてマーガレットは……ああ、あばずれだとか淫売だとか、祖先の罪が七代あとまで祟《たた》るとかいったようなことを、金切声で口走っていました。わたしの舌はからからに干からびてしまいました。

「一瞬キャリーは両家の庭の境目に立って、体を前後に揺すっていましたが、そのときマーガレット・ホワイトが空を見あげて、まぎれもなく吠えたんです。それから自分を……傷つけ、懲《こ》らしめはじめました。首や頬に爪《つめ》を立てて、みみずばれができるほどかきむしるのです。おまけに着ていた服まで引き裂いてしまいました。

「キャリーが『ママ!』と叫んで、彼女のほうへ駆けだしました。

「ミセス・ホワイトは、どういったらいいか……両手を大きく拡げて、蛙《かえる》みたいにうずくまってしまいました。わたしはてっきり彼女が倒れるものと思って、悲鳴をあげたんです。ところが彼女は笑っていました。笑いながらよだれをたらしているんです。わたしは胸がむかつきました。

「やがて彼女は立ちあがり、キャリーと一緒に家のなかへ入っていきました。ラジオを消すと、彼女の声が聞えてきました。なにをいってるのかぜんぶは聞きとれませんでしたけど、なかでなにが起こっているかはわかりました。お祈りと泣声と悲鳴。頭がおかしくなりそうな音。マーガレットは娘にクローゼットにこもってお祈りをするようにいい、娘は泣き叫びながらいいつけを忘れてごめんなさいと哀願していました。やがてなにも聞えなくなりました。わたしとママは顔を見あわせました。ママのあんなひどい顔は見たことがありません、パパが死んだときだってあんな顔はしませんでした。『あの子は――』といいかけたきり、あとは言葉が続きません。わたしたちは家のなかへ入りました」

彼女は立ちあがって窓ぎわへ行く。黄色い背あきのサンドレスを着た美人。「まるであのことをもう一度経験しなおすようなものです」と、彼女は振りむきもせずにいう。「いま思いだしてもすごく腹が立ちます」彼女は小さく笑って、両肘《りょうひじ》に掌《てのひら》を当てる。

「キャリーはとってもきれいな子でした。写真にはそのおもかげもありませんけど」

外を車が行きかい、わたしは坐《すわ》って彼女の話の続きを待つ。彼女の態度から、わたしはバーを目測し、少し高すぎはしないかと迷う棒高跳びの選手を連想する。

「わたしの母は、わたしが男の子みたいにあばれまわって、イラクサにかぶれたり、自転車から落ちたりしたときにいつもそうするように、ミルクをいれた強いウィスキー・ティーを作ってくれました。あまりおいしいものじゃないけど、わたしたちは台所の隅に向かいあって坐りながらそれを飲みました。母は古いホームドレス、わたしはバビロンの淫売女みたいなビキニを着ていました。わたしは泣きたいような気持でしたけど、映画などと違って、あまりに現実感が強すぎるためにかえって泣けません。いつかニューヨークで、酔っぱらいの老人が青い服を着た小さな女の子の手を引いて歩いているのを見たことがあります。女の子は鼻血を流して泣いていました。老人は首に結核の腫《は》れ物があって、首はまるでゴムチューブのようでした。額の真中に赤い瘤《こぶ》があって、着ている青いサージの上着には長くて白い紐《ひも》がついています。道行く人はみな往《い》ったりきたりしながらこの二人連れを物珍しそうに眺めていました。その光景もひどく現実的でした。

「わたしが母にその話をしようと思って、口を開きかけたとき、また別のことが起こったのです……あなたの知りたいのはそのことだと思います。外でドスンという大きな音がして、食器戸棚のガラスがびりびり震えました。ずっしりした音もさることながら、まるでだれかが屋根の上から鉄の金庫を突きおとしでもしたような感じでした」

彼女は新しい煙草に火をつけて、やつぎばやにすぱすぱやりはじめる。

「窓ぎわに駆けよって外をのぞきましたが、なにも見えません。やがて、わたしが戻りかけたとき、またなにか別のものが落ちてきました。そのものにお日さまがきらきら反射していました。わたしは一瞬大きなガラス球かと思いました。やがてそれがホワイト家の屋根の端に当って砕け散ったのを見ると、ガラスじゃなかったんです。それは大きな氷のかたまりでした。わたしが振りかえってママに知らせようとしたとき、急にそれがばらばら降りはじめたんです。

「ホワイト家の屋根にも、表と裏の芝生にも、地下室に通じる外のドアにも、雨のように降り注いだんです。地下室のドアはブリキの揚蓋《あげぶた》で、それに最初の氷のかたまりがぶつかったとき、教会の鐘のような音をたてました。母もわたしも思わず悲鳴をあげました。まるで雷雨にであった二人の女の子みたいに抱きあってしまいました。

「やがてそれはぴたりとやみました。ホワイトの家ではなんの物音もしません。溶けた氷が水になってスレート板を流れおちるのが、陽に輝いて見えました。厚い大きな氷のかたまりが、屋根や小さな煙突にひっかかっています。それらが陽光にきらきら輝いて、見ていると目が痛くなるほどでした。

「母がもう終ったかとわたしにきいたとき、マーガレットの悲鳴が聞えてきました。その声はわたしたちの耳にとてもはっきり聞えました。今度は恐怖心があるだけに、ある意味で前よりもぞっとするような叫び声でした。やがて彼女が家じゅうのポットや鍋《なべ》を娘に投げつけているような、すさまじい音がしはじめたんです。

「裏口のドアが大きな音をたててあいたりしまったりしました。でもだれも出てきません。また悲鳴が聞えました。母が警察に電話しろというんですけど、わたしはどうにも身動きができません。まるで金縛りにあったようなぐあいでした。カークさんと奥さんのヴァージニアが驚いて芝生に出てきました。スミス夫妻もです。間もなく、通りに住む人で、そのとき家にいた人たちが残らず外に出てきました。はずれに住んでいた、片耳の聞えないミセス・ウォーウィックまで……

「物がぶつかりあい、こわれだしました。壜《びん》、ガラス、なにがなんだかわかりません。やがて横手の窓ガラスが割れて、台所のテーブルがなかば飛びだしてきました。絶対に嘘《うそ》じゃありません。大きなマホガニーのテーブルで、ついたてが一緒に飛んできたところを見ると、重さが三百ポンドはあったにちがいありません。女一人の力で――いくら大女でも――どうしてそんなものが投げられるでしょうか？」

わたしは彼女が暗になにかを仄《ほの》めかしているのかと質問する。

「いいえ、ただ事実を話しているだけです」彼女は急に気を悪くして、答える。

「別に信じていただけなくても――」

彼女は一瞬息をつめたように見え、それから平静な口調にかえって続ける。

「それから五分間ばかりはなにも起こりませんでした。雨樋《あまどい》から水がたれているだけです。ホワイト家の芝生は一面氷だらけでした。それはどんどん溶けていました」

彼女は切れぎれに小さく笑って、煙草《たばこ》を灰皿に押しつける。

「無理もありません。なにしろ八月ですもの」

彼女はソファにうつろな視線を向け、やがてふっと目をそらす。

「それから石が降りはじめたんです。雲ひとつない空からだしぬけに。まるで爆弾みたいにひゅうっと空気を引き裂いて。母が、『まあ、なんてこと！』と叫んで、両手を頭の上にあげました。でもわたしは動けません。じっと見守るだけで、身動きもできないんです。どのみち動くことはなかったんです、石はホワイト家の敷地にだけ降ったんですから。

「そのひとつが縦樋に当って、芝生に倒しました。ほかの石は屋根を突き抜けて、屋根裏に入りこみました。屋根は石がぶつかるたびにばりばりっと音をたて、埃《ほこり》がぱっと舞いあがるのです。地べたに直接降った石はあらゆるものを震動させました。その震動が足の裏まで伝わってくるんです。

「うちの陶器がかちかちと鳴り、ウェールズ製のすてきな食器戸棚がびりびり震え、母のティーカップが床に落ちてこわれました。

「ホワイト家の裏庭に降った石は、そこに大きな穴をいくつもあけました。ミセス・ホワイトが町はずれの廃品回収を傭《やと》って、手押車で石を片づけさせたとき、通りのはずれに住むジェリー・スミスが一ドルやって石のかけらをもらいました。それをボストン大学の研究室で調べてもらったところ、ありきたりの花崗岩《かこうがん》とまったく変りないという話でした。

「おしまいごろに降った石のひとつは、裏庭にあったテーブルに命中して、ばらばらにこわしてしまったんです。

「でも、ホワイト家の敷地の外にあるものには、ただの一個も石が当りませんでした」

彼女は話を中断してわたしのほうを振りかえる、とその顔は恐しい記憶のために心なしかやつれて見える。一見無造作だがよく見ると凝ったもじゃもじゃのヘアスタイルを、片手が無意識のうちにもてあそぶ。「地元の新聞にはあまり詳しくのりませんでした。ビリー・ハリスが――チェンバレンのニュースを担当した記者ですけど――やってきたころは、彼女は屋根の修理をおえていたし、近所の人たちから石が屋根を突き抜けたと聞かされても、彼はかつがれているんじゃないかと疑《うたぐ》ったのでしょう。

「いまでもだれ一人そのことを信じようとしません。あなたも、あなたがこれから書く記事を読む人たちも、みなそれを笑いとばし、わたしのことを日光浴のしすぎで頭がおかしくなった女と片づけたがるでしょう。でもそれは実際に起こったのです。あの近所にはそれを自分の目で見た人がたくさんいたし、それは鼻血を流した女の子の手を引いていた酔っぱらいと同じように現実だったのです。それから例の大事件でしょう。あれを笑いとばすことはだれにもできません。あまりに多くの人間があの事件で死んでいます。

「しかも、あれはもはやホワイト家の敷地内だけの出来事ではありませんでした」

彼女は微笑を浮かべたが、そこにはひとかけらのユーモアも感じられない。彼女はいう。「ラルフ・ホワイトは保険に入っていたので、マーガレットは彼が死んだとき多額の保険金を手に入れました……倍額保障でしたから。それから家屋にも保険がかかっていたんですけど、そっちのほうからは一セントももらいませんでした。石の雨による被害は神の意志だというわけで。因果応報とでもいうのかしら?」

彼女は小さな笑い声をたてる、がそこにもユーモアは認められない……

キャリー・ホワイト所有のユーイン・ハイスクールの
ノートの一ページに、くりかえし記されていた言葉

人々はみな思った／あの赤ちゃんは決して祝福されないだろう／自分がほかの人間と同じであることをついに彼女が理解するまでは……


キャリーは家のなかに入ってドアをしめた。明るい陽光が消え、かわって褐色の影と、涼気と、息づまるようなタルカム・パウダーの匂《にお》いが拡《ひろ》がった。聞える物音は居間のブラック・フォレストかっこう時計の振子の音だけだった。それはママがグリーン・スタンプで手に入れたかっこう時計だった。いつか、六年生のころ、キャリーはグリーン・スタンプは罪深くないのかとママに質問しかけたことがあったが、結局質問するだけの勇気がなかった。

彼女は廊下を歩いていって、クローゼットにコートをかけた。コートかけの上の発光絵具の絵は、台所のテーブルに坐った家族の頭上を不気味に漂うイエスを描いたものだった。絵の下には（これも発光絵具で）《見えざる客》と題が書かれていた。

彼女は居間に入って、色褪《いろあ》せ、すりきれかかった絨毯《じゅうたん》の中央に立った。それから目

を閉じて、闇《やみ》のなかを小さな点がいくつも飛びすぎるのを見守った。こめかみのうしろでむかつくような頭痛が疼《うず》いていた。

ひとりぼっち。

ママはチェンバレン・センターにあるブルー・リボン・ランドリーで、高速プレス兼折りたたみ機械を扱っていた。キャリーが五歳のときから、父親の事故死の補償金と保険金がなくなりかけたころから、ずっとそこで働いていた。勤務時間は午前七時三十分から午後四時までだった。ランドリーの人々は神の存在を信じていなかった。キャリーは何度その話を聞かされたか知れなかった。主任のエルトン・モットがとりわけ頑固な無神論者だった。サタンはエルトン——彼はブルー・リボン・ランドリーでそう呼ばれていた——のために地獄の特等席を用意している、とママは語った。

ひとりぼっち。

彼女は目をあけた。居間には背もたれのまっすぐな二つの椅子《いす》があった。スタンドのついた裁縫台があって、夜ママが飾りナプキンをかがり、キリストの再臨について語るのを聞きながら、キャリーはときおりそこでドレスを縫った。ブラック・フォレストかっこう時計は反対側の壁にかかっていた。

宗教画がたくさんかかっていたが、キャリーがいちばん好きなのは彼女の椅子の上の壁の絵だった。それはイエスがリヴァーサイド・ゴルフ・コースを思わせるなだらかな緑の丘で、羊の群を導いている絵だった。ほかは両替商を寺院から追いかえすイエスとか、黄金の仔牛《こうし》の崇拝者たちに銘板を投げうつモーゼとか、イエスの脇腹《わきばら》の傷に手を触れる懐疑主義者トマスとか（子供のころのキャリーはどれほどかその恐しさに惹《ひ》きつけられ、悪夢にうなされたことか！）、溺《おぼ》れ苦しむ罪人《つみびと》たちの上を漂うノアの方舟《はこぶね》とか、ソドムとゴモラの大火を逃れるロトとその家族とか、どれもみなその絵の持つ穏かさには欠けていた。

小さなサイドテーブルに、スタンドと山のようなパンフレットがのっていた。いちばん上のパンフレットには、一人の罪人が（顔に浮かぶ苦痛の表情から、彼の精神状態は明らかであった）大きな岩の下に這《は》いこもうとする絵が描かれ、《その日は岩といえども彼を隠すことができない！》という題が添えられていた。

しかし文字通り居間を支配しているのは、反対側の壁にかけられた高さ四フィートはたっぷりあろうという巨大な石膏《せっこう》の磔刑像《たっけいぞう》だった。それはママが通信販売で特別にセント・ルイスから取りよせたものだった。磔《はりつけ》にされたイエスは、筋肉は苦痛でよじれ、口は呻《うめ》き声で歪《ゆが》んだグロテスクな姿で凍りついていた。茨《いばら》の王冠はこめかみと額に真紅の血を滴《したた》らせていた。目は上を向いて、目尻《めじり》を吊《つ》りあげた中世的苦悶《くもん》の表情を表わしていた。両手も血にまみれ、両足は小さな石膏の台に釘《くぎ》づけにされていた。この像もまたはてしない悪夢をキャリーにもたらし、その夢のなかでは不具になったキリストが槌《つち》と釘を持ち、彼女に十字架を持ってついてこいと命じながら、夢の廊下をどこまでも追いかけてくるのだった。最近はそれらの夢がより不可解で、より不吉なものに変っていた。キリストの目的は彼女を殺すことではなく、もっと恐しいなにかだと思えるようになっていた。

ひとりぼっち。

脚と下腹部と局部の痛みはいくぶんやわらいでいた。もう出血多量で死ぬような気はしなかった。月経期間《メンストルエーション》というあの言葉、それが急に理にかなった、避けがたいもののように思われた。それは彼女の月のも《タイム・オブ・ザ・マンス》のだった。彼女は居間の重々しい静寂のなかで、奇妙な、病的な笑い声を発した。まるでクイズ番組の名前みたいだった。あなたもタイム・オブ・ザ・マンスでバミューダへの招待旅行を射とめることができます。石の雨の記憶と同じように、生理の知識もまた以前からずっと彼女の意識のなかに閉じこめられていて、表面に出るときを待っていたかのようだった。

彼女は向きを変えて、重い足どりで階段をあがった。バスルームの木の床は白っぽくなるまで磨きこまれており（清潔は敬虔《けいけん》に近い）、鉤爪《かぎづめ》型の脚のついた浴槽が置かれていた。クロームの蛇口の下の磁器の肌に赤錆《あかさび》がこびりつき、シャワー用の蛇口はついていなかった。ママにいわせれば、シャワーは罪深いものだった。

キャリーは浴室に入って、タオル・キャビネットを開き、中身の配列を乱さないように注意しながら、覚悟をきめてなかを捜しはじめた。ママの目は鋭かった。

青い箱はいちばん奥の、もう使われていない古タオルのかげにあった。箱の側面には、長い薄衣《うすぎぬ》のガウンをまとった女性のおぼろげなシルエットが描かれていた。

彼女は箱のなかからナプキンを一枚とりだして、物珍しげに眺めた。いつか街角で――ハンドバッグに入れてこっそり持ち歩いていた口紅を、人目もはばからずこのナプキンで拭《ぬぐ》ったことがあった。いま彼女は、そのとき道行く人々が示した冷やかすような、驚いたような表情を、ありありと思いだした（あるいは思いだしたような気がした）。顔が火照《ほて》った。あれは彼女に注意をうながす表情だったのだ。屈辱は無気力な怒りに変った。

彼女は自分の狭い寝室に入った。そこにも宗教画はたくさん飾られていたが、仔羊の絵が多く、神の怒りを描いた絵は少なかった。化粧台の上にユーイン・ハイスクールのペナントがピンで留められていた。化粧台にはバイブルと、暗闇のなかでも光り輝くプラスティックのイエス像がのっていた。

彼女は着ているものを脱いだ――まずブラウス、つぎに膝《ひざ》まで隠れる大嫌いなスカート、スリップ、ガードル、パンティ、ガーター・ベルト、ストッキング。野暮ったい衣類や、それらにくっついたボタンやゴムを、情けなさそうな表情で眺めた。学校の図書館には《セヴンティーン》のバック・ナンバーが山のように積まれており、彼女はしばしばバカみたいな顔をしてさりげない表情を顔に貼《は》りつけながら、それらのページをめくった。短い刺戟《しげき》的なスカートや、パンティ・ストッキングや、柄もののフリルの下着をつけたモデルたちは、たいそうのびのびしていた。もちろんママはそういう恰好《かっこう》を、お気に入りの一語でふしだらときめつけるにちがいない（彼女にはママのいいそうなことが手にとるようにわかった）。だが自分がそんな恰好をしたらひどく恥ずかしいだろうということも、キャリーにはわかっていた。裸で、邪悪で、露出の罪で黒々と塗りこめられ、微風が太腿《ふともも》のうしろをみだらになぶって、肉欲をかきたてる。しかも彼女がどんな気持でいるかを彼らが見抜いてしまうことも、キャリーにはわかっていた。彼らはいつでも見抜いてしまう。そして彼女を困らせ、道化の役割へと無理やり引きずりこんでしまうのだ。それが彼らのやり口だった。

彼女は自分もこの家を出れば変りうることを知っていた。

（でもどう変るの）

彼女のウェストが太いのは、ときおりひどくみじめな、空っぽな、うんざりした気分になり、そのぽっかりあいた風穴をふさぐためには、ただひたすら食べることに専念するしかないからだった——だがその割にウェストは太くなかった。いくら食べてもある程度以上は太らない体質だった。脚にいたってはきれいだといってもいい、スー・スネルやヴィッキー・ハンスコムにも負けないほどきれいだ、と自分でも思っていた。彼女は変れるはずだし

(でもどう変るの　どう変るの　どう変るの)

チョコレートを食べるのをやめればニキビが消えることもわかっていた。それは証明ずみだった。髪をきれいに整えることもできる。パンティ・ストッキングやブルーやグリーンのタイツを買うこともできる。バタリックやシンプリシティの型紙を使って、ミニ・スカートやドレスを自分で作ることもできる。バスや汽車の切符代程度のお金で。わたしにだってできる、できる、できる——

、、、生きることが。

彼女は厚ぼったいコットンのブラジャーをはずして、足もとに落とした。乳房は象《ぞう》牙《げ》色《いろ》で、上を向き、なめらかだった。乳首は薄いコーヒー色だった。両手で乳房を撫《な》でると、かすかなおののきが全身を貫いた。悪いこと、いけないことだわ、それは。

ママはそこになにかがあるといっていた。そのなにかは、危険な、大昔からある、口にするのも忌《いま》わしいことだった。それは人を意志薄弱にする。だから気をつけなさい、とママはいった。それは夜やってくる。そして駐車場や酒場でおこなわれている忌わしいことにあなたの心を向けさせるのよ。

だが、まだ朝の九時二十分だというのに、キャリーはそのなにかが自分を訪れたと思った。ふたたび両手で乳房

(けがらわしい枕《まくら》)

を撫でた。肌はひんやりしていたが、乳首は火照って固く、片方をつまんでひねると、全身の力が抜けて体が溶けてしまいそうな気がした。そう、これがママのいってたなにかなんだわ。

パンティには点々と血がついていた。

突然、彼女は大声あげて泣き叫び、そのなにかを自分の体から引きだし、叩《たた》きつけて殺してしまわなければならないと感じた。

ミス・デジャルダンが当ててくれたナプキンはもうくしゃくしゃになっていたので、注意深く新しいのととりかえた。自分も悪いが、彼らも悪いという思いが、自分自身と彼らに対する憎しみがあった。よい人間はママだけだった。ママは悪魔と戦って相

手を打ち負かした。キャリーはその光景を夢のなかで見たことがあった。ママは悪魔を玄関から帚《ほうき》で追いだし、悪魔はカーリン・ストリートの舗道を蹄《ひづめ》で蹴《け》って赤い火花を散らしながら、夜の闇のなかへ逃れ去った。

ママは体のなかのなにかを引きずりだしたから清らかになった。

キャリーはママを憎んだ。

彼女はドアの内側にかけた小さな鏡のなかの、自分の顔にちらと目をとめた。緑色のプラスティックの枠に入った、髪を梳《す》くぐらいの役にしかたたない鏡だった。

彼女は自分の平凡で間抜けで鈍重な顔や、気の抜けたような目や、赤くてかてか光ったニキビや、黒ニキビが嫌いだった。なによりも自分の顔が嫌いだった。

鏡に映った顔が突然ぎざぎざにひび割れた。鏡は床に落ちて足もとで砕け散り、あとに残ったプラスティックの枠だけが、盲《めし》いた片目のように彼女をみつめていた。

『オギルヴィ心霊現象事典』より

テレキネシスとは精神力によって物体を動かしたり、変化を生ぜしめたりする能力である。この現象は危急の時や緊迫した状況で現われるという信頼すべき報告がある。たとえば固定された人体とか倒壊したビルの破片の手前で、自動車が突然宙に浮いたという例がそれである。

この現象はしばしばいたずら好きな妖精《ようせい》、ポルターガイストの仕業と混同される。ポルターガイストは実在の疑わしい霊的存在であるのに反して、テレキネシスは精神の経験的機能、おそらくは電気化学的性質のものと考えられることに留意する必要がある……


愛しあったあと、トミー・ロスの一九六三年型フォードのバックシートでゆっくり服装の乱れをなおしながら、スー・スネルはふたたびキャリー・ホワイトのことを考えている自分に気がついた。

今日の金曜日の夜、トミーが（足首までズボンをおろしっぱなしにしたまま、うしろの窓の外を眺めながら物思いにふけっている。その恰好《こっけい》は滑稽だが奇妙にかわいらしかった）彼女をボウリングに誘いだしたのである。もちろん、それはおたがいに諒《りょう》解《かい》ずみの口実だった。はじめから二人の頭には寝ることしかなかった。

彼女は十月以来（いまは五月）トミーとステディな仲であり、恋人同士になったのはわずか二週間前からだった。二週間に七回。今夜がその七回目だった。まだ仕掛花火があがったり、バンドが『星条旗よ永遠なれ』を演奏したりといった気配はなかったが、前より少しはましだった。

最初はひどく痛んだ。仲間のヘレン・シャイアーズもジーン・ゴールトもともにそれ《イット》を経験していて、はじめ一分間ほど痛いのを我慢すれば——ペニシリン注射みたいなもので——あとは目の前がバラ色になると保証していた。しかしスーの場合、はじめは鍬《くわ》の柄で穴を拡げられるような感じだった。トミーはあとでにやにや笑いながら、コンドームのつけ方がまずかったと白状した。

今夜は快感らしきものを感じはじめてからやっと二度目だったが、それももう終ってしまった。トミーはできるだけこらえていたが、終るときは……それこそあっという間《ま》だった。かすかなぬくもりを得るためにむきになって手をこするようなものだった。

終ったあとは無気力と憂鬱《ゆううつ》が襲ってきて、そのために彼女の思いはキャリーに向かった。自責の波がすべての感情的防備をといた彼女をとらえ、トミーがブリックヤード・ヒルの夜景から向きなおったとき、彼女は泣いていた。

「おい」と、彼はびっくりして呼びかけた。「なあ、どうしたんだ?」そして不器用に彼女を抱いた。

「なんでもないの」と、彼女は依然として泣きながらいった。「あなたのせいじゃないわ。わたし、今日あまりよくないことをしちゃったの。いまそのことを考えていたのよ」

「なにをしたんだ？」彼は彼女の首のうしろをやさしく撫でた。

そこでいつの間にか午前中の事件を話しはじめたが、話しているのが自分の声だとは思えないほどだった。そのことを虚心に考えてみると、トミーに抱かれた主な理由は、彼を

（愛しているから？　それとも彼に首ったけだから？　どっちにしても結果は同じこと）

であり、いま自分をこの立場――意地の悪いシャワー・ルームのいたずらの仲間――に置くことは、決して男の子を惹《ひ》きつけるための効果的な方法とはいえないことに気がついた。それにトミーはいうまでもなく人気者だった。彼女自身生まれたときからの人気者だったから、自分と同じような人気者の男の子と出会って恋をすることは、ほとんど既定の事実のように思えた。彼らがハイスクールの「春の舞踏会」のキングとクイーンに選ばれることはほぼ確実で、最高学年ではすでに二人を卒業記念アルバムのための学年代表カップルに選んでいた。彼らはハイスクールの異性関係という移ろ

いやすい空に輝くゆるぎない星であり、自他ともに認めるロミオとジュリエットであった。そして彼女は、アメリカ合衆国のすべての郊外の白人ハイスクールに、自分たちのようなカップルがかならず一組はいることに思い当って、突然いやな気分になった。そして彼女が長いあいだ憧《あこが》れてきたもの——地位、安全、身分といった感覚——を手にいれてみると、そこには影のような不安がつきまとっていることがわかった。それは予想とはちがっていた。彼らの光り輝く暖かい輪のまわりでは、どすぐろいものがひしめいていた。たとえばトミーにファックさせたのは

（どうしてもそんな下品ないい方をしなきゃならないの　ええいまはそんな気分なの）

ただ単に彼が人気者だからという意識。二人が一緒に歩いているとよく似合うとか、ショー・ウィンドーに映った自分たちの姿を見て、ほら、似合いのカップルよ、などと考えたりする事実。彼女は確信していた

（あるいはただたんに望んでいた）

自分はそれほど意志が弱くない、両親や友達や自分自身の身勝手な期待におとなしく応《こた》えるような性格じゃないと。ところがあのシャワー事件のとき、彼女はみんなと一緒になって陽気に騒ぎたてた。彼女のいちばん嫌いな言葉は〝大勢順応〟だった。そ

の言葉が喚起するみすぼらしいイメージは、たとえば髪につけたヘア・カーラーであり、亭主がどこかの名もない会社で汗水たらして働いているあいだに、テレビのホーム・ドラマを見ながら洗濯物にアイロンをかける長い午後であり、PTAへの加入や、収入が五桁《けた》に達してからのカントリー・クラブであり、どうにもならなくなるまで未練がましく未婚婦人のサイズにしがみついているための、そして夜中の二時におむつを汚して泣きわめくいやらしい小さな他人どもの侵入を防ぐための、丸い黄色の容器に入った無数の錠剤であり、クリーン・コーナーズから黒人をしめだすためのエチケットを武器とする必死の戦いであり、プラカードと陳情書と、愛嬌《あいきょう》たっぷりの、いささかなげやりな微笑を武器として、テリー・スミス（一九七五年度ミス・ポテト・ブロッサム）やヴィッキー・ジョーンズ（女性連盟副会長）と歩調を合わせることなどだった。

キャリー、いまいましいキャリー、みんな彼女のせいだわ。昨日までのスーなら、自分たちの明るい場所のまわりをぐるぐる回る遠い足音を聞いただけだったろうが、今夜は自分自身の愚劣で安っぽい告白を聞きながら、それらのイメージのすべてと、闇《やみ》のなかで懐中電燈《でんとう》のように光る二つの黄色い目をありありと見ていた。

彼女はすでに舞踏会《プロム》用のガウンを買っていた。それはブルーの美しいガウンだった。

「なるほど」彼女が話しおえると、トミーがいった。「いい話じゃないな。だいいちきみらしくないよ」彼が真剣な顔をしたので、彼女は冷えびえとした恐怖に襲われた。やがて彼がほほえむと――彼の微笑はとてもすてきだった――いくぶん闇が後退した。「ぼくはいつか気を失って倒れているやつのあばら骨を蹴とばしたことがある。その話をしたっけ？」

彼女は首を振った。

「じゃ話してやろう」彼は記憶をたどりながら鼻の頭をこすった。最初にコンドームのつけ方を間違えたと告白したときのように、頰がかすかに痙攣《けいれん》した。「そいつはダニー・パトリックという名前だった。ぼくは六年生のとき、そいつにこっぴどく殴られたんだ。ぼくはそいつを憎んでいたが、こわくて手出しができなかった。でもいつかは借りを返してやろうと思っていたんだ。わかるだろう、この気持？」

彼女はよくわからなかったが、とにかくうなずいた。

「それから一年ほどたって、ダニーはまずい相手に目をつけた。ピート・テーバーさ。ピートは体が小さいけど腕力がすごかった。ダニーは彼にいいがかりをつけた。原因はビー玉かなにかだったと思うけど、とうとうピーターが怒ってやつを殴り倒したんだ。ケネディ・ジュニア・ハイの校庭でさ。ダニーは倒れた拍子に頭を打ってのびちまった。みんな逃げだしたよ。てっきり死んだと思ったのさ。ぼくも逃げたけど、その前にあばら骨を思いっきり蹴とばしてやった。あとでひどく気が咎《とが》めたよ。きみは彼女に謝るつもりかい？」

スーは不意をつかれて弱々しく反撃しただけだった。「あなたは謝ったの？」

「ぼくが？　冗談じゃないよ。骨折して牽引《けんいん》治療を受けるはめになるのはいやだったからな。しかしそれとこれとは大違いだぜ、スージー」

「どう違うの？」

「きみはもう七年生じゃないってことさ。それにぼくの場合は、ちゃちな理由にせよ、とにかく理由があった。あの気の毒な間抜けな女の子がきみになにをしたっていうんだい？」

彼女は答えなかった。答えられなかったからである。キャリーとはこれまでせいぜい百語ぐらいしか言葉をかわしたことがなく、しかもそのうちの三、四十がきょうに集中していた。チェンバレン・ジュニア・ハイを卒業してから、二人が顔を合わせるのは体育の時間だけだった。キャリーは商業課程に進み、もちろんスーは進学課程だったからである。

彼女は突然自分をいやらしい人間だと思った。

その思いに耐えられなくなって、彼に八つ当りした。「あなたはいつからそんな偉そうな口をきくようになったの？ わたしと寝てからなの？」

彼女は相手の顔から笑いが消えたのに気づいて、急に気の毒になった。

「よけいなことをいったらしいな」と彼はいい、ズボンを引きあげた。

「あなたが悪いんじゃないわ、わたしがいけないのよ」彼女は彼の腕に手をかけた。「わたし、自分のしたことが恥ずかしいのよ、わかるでしょう？」

「わかってるさ。だけど忠告なんかすべきじゃなかった。だいたい忠告なんてぼくの柄じゃないんだ」

「トミー、あなた……自分に人気があるのをいやだと思ったことある？」

「ぼくが？」彼は驚きの表情を浮かべた。「つまりフットボールの選手とか学級委員長とか、そういったことかい？」

「ええ」

「それはないな。だってそんなの大したことじゃないもの。ハイスクールなんてどうってことないさ。そりゃあ、そのときは大事件だと思うけど、卒業しちゃえばビールで酔っぱらいでもしないかぎり、だれも偉いなんて思いやしないよ。うちの兄貴や兄貴の仲間たちなんかも、みんなそんなふうだぜ」

それでも彼女の気持はおさまらないどころか、逆にいっそう不安がつのった。ユーイン・ハイスクール出身の規格品のスージー、月並なかでもとびっきり月並な女。プラスティックの袋に入れて永久にたんすにしまいこまれるプロムのガウン。

うっすらと曇った車の窓に、夜の闇が押しよせた。

「ぼくなんかたぶん親父《おやじ》の駐車場で働くことになるのさ」と、彼はいった。「金曜と土曜の夜はアンクル・ビリーズかザ・キャヴァリアーでビールを飲みながらおしゃべりをする。土曜の午後にサンダーズのやつが投げた棒球をひっぱたいて、ドーチェスターを逆転してやったなんて話をね。口うるさい女房を持って、いつも一年前のモデルに乗り、民主党に投票する――」

「やめてよ」彼女は突然口いっぱいに拡《ひろ》がった暗く甘い恐怖を感じて叫んだ。そして彼を引きよせた。「愛して。今夜は頭がどうかしてるわ。愛して。お願い、愛して」

そこで彼は彼女を愛した。今度はそれまでと違っていた。はじめていくらか余裕ができたような感じで、あのうんざりするような荒っぽいピストン運動にかわって、ひたすら奥へ奥へと進む甘美な摩擦があった。彼は二度も喘《あえ》ぎながら動きを止めなければならず、たかぶりを抑えてからふたたび攻撃を開始すると

（彼はわたしを抱くまで童貞だったし　自分でもそういった　わたしは嘘《うそ》だと思いた

かった）

彼女の息づかいがきれぎれに乱れ、やがて叫び声を洩《も》らしながら彼の背中にしがみつき、どうにも止まらなくなり、汗を流し、いやな記憶はすっかり洗い流され、すべての細胞がそれぞれのクライマックスを迎えるように思われ、肉体には太陽の光が、心には音楽が満ちあふれ、後頭部の心の檻《おり》のなかでは無数の蝶《ちょう》が羽搏《はばた》いた。

そのあと、帰り道で、彼は一緒に春の舞踏会へ行ってくれるかと正式に彼女を誘った。彼女は承知した。彼はキャリーのことをどうするか決心がついたかとたずねた。彼女はまだ決心がつかないと答えた。彼はあまり気にするなといったが、彼女はそうは思わなかった。それはとても重大なことのような気がしはじめていた。

ディーン・D・L・マクガッフィン著『テレキネシス――その分析と余波』（『科学年鑑』一九八一年版所収）より

もちろん現代の科学者のなかには、キャリー・ホワイト事件の底にひそむ恐るべき意味を否認する人々が――残念ながらデューク大学の一派がその急先鋒《きゅうせんぽう》である――いまだに存在する。原子爆弾は効力がないと信ずるフラットランズ・ソサエティや薔薇《ばら》十字会やコーリイズ・オブ・アリゾナなどと同じで、これらの不幸な人々は、譬《たと》えは悪いが、砂のなかに頭を突っこんで現実を回避しているだけである。

もちろん彼らの驚きや、非難の声や、怒りに満ちた手紙や、学会における論争などは、理解できなくはない。テレキネシスという概念そのものが、降霊板や霊媒やテーブルを叩《たた》く音や空中に浮く宝冠といった恐怖映画まがいの道具立てとともに、科学界にとっては口に苦い薬であった。しかし彼らの立場は理解できても、その科学的無責任を許す口実にはならないのである。

ホワイト事件の結果は重大かつ困難な疑問を投げかける。自然界はかくあるべしというわれわれの秩序だった概念を、地震が襲ったのである。ホワイト委員会が提示したかくも明白なる証拠を目前にしながら、ジェラルド・リュポネほどの著名な物理学者がなおもすべてはペテンでありイカサマだと主張するのを、あなたは非難できるであろうか？　なぜなら、もしもキャリー・ホワイトが真実ならば、ニュートンの法則はいったいどうなるか？……

二人は、キャリーとママは、居間に坐《すわ》って、ウェブコア蓄音器（ママはそれをヴィクトローラ、とくに上機嫌のときは単にヴィクと呼んでいた）で、テネシー・アーニー・フォードの歌う『レット・ザ・ローワー・ライト・ビー・バーニング』を聴いていた。キャリーはミシンの前に坐って、足を踏み動かしながら、新しいドレスの袖《そで》の部分を縫っていた。ママは石膏《せっこう》の十字架の下に坐って飾りナプキンをかがりながら、お気にいりの歌に合わせて足で拍子をとっている。この曲の歌詞をはじめ、ほかにも無数の歌詞を書いているP・P・ブリス氏は、ママにいわせれば、神がこの地上でおこなった御業《みわざ》の輝かしい実例のひとつだった。彼はかつて船乗りにして罪人であり(この二つの言葉はママの辞書では同義語だった)、度しがたい瀆神者《とくしんしゃ》であり、全能の神を笑う者だった。やがて海上を大時化《おおしけ》が襲い、船が転覆の危険にさらされたとき、P・P・ブリス氏は彼を迎えるべく海底に口をあけた地獄の光景を見て、おのれの罪に病んだ膝《ひざ》を折ってひざまずき、神に祈った。P・P・ブリス氏は、わたしの命をお救いくださったら、余生をあなたに捧《ささ》げますと、神に誓った。もちろん、嵐《あらし》はただちにしずまった。

父なる神の慈悲は
その燈台から永遠に光り輝く、
だがわれらに与えたもうは

岸辺を照らす光……

P・P・ブリス氏の歌詞はどれもみな海を航海する味わいを持っていた。

縫いかけのドレスはたいそう美しく、色は濃いワイン・カラーで——ママはそれ以上赤に近い色を許しそうになかった——袖はたっぷりふくらんでいた。彼女は縫物に専念しようと努めたが、もちろん心はよそに飛んでいた。

頭上の明りはぎらぎらと強烈な黄色い光を投げかけ、小さな埃《ほこり》っぽいフラシ天のソファにはもちろんだれも坐っていない（キャリーはボーイ・フレンドを招いてそこに坐らせたためしがない）。そして反対側の壁には二つの影、すなわち十字架にかけられたイエスと、その下に坐ったママの影がうつっている。

学校からランドリーにいるママに電話がいき、彼女は正午に帰宅した。キャリーは歩道を近づいてくるママの姿を認めて、下腹部が震えるのを感じた。

ママは大女で、いつも帽子をかぶっていた。最近脚が太くなりだし、足はいつも靴から溢《あふ》れそうに見えた。彼女は黒い毛皮の襟《えり》のついた黒い布のコートを着ていた。目は青で、遠近両用の縁なし眼鏡の奥で拡大されて見えた。外出するときはいつも手提げ鞄《かばん》を手放さず、そのなかには小銭入れと、札入れと（両方とも黒）、表紙に金文字で自分の名前を型捺《かたお》しした大きな欽定訳聖書《きんていやく》（これも黒）と、ゴムバンドでくったパンフレットの束が入っていた。パンフレットはたいていオレンジ色で、印刷は汚なかった。

キャリーは、ママとパパ・ラルフがかつてバプティストだったが、バプティストは反キリストの手先をつとめていると確信するようになって教会を捨てたことを、漠然と知っていた。それ以来礼拝はいつも自宅でおこなわれるようになった。ママは毎週、日、火、金曜日に礼拝をおこなった。それらは聖なる日と呼ばれていた。ママが牧師であり、キャリーが信者だった。礼拝は二時間から三時間にわたっておこなわれた。

ママはドアをあけて、足音荒く入ってきた。彼女とキャリーは一瞬玄関ホールでわずかな距離をおいて、射合《うちあ》いの前のガンファイターのようににらみあった。それはあとになって考えてみると、実際よりもはるかに長かったように思える

（恐怖　ママの目に浮かんだのはあれはほんとに恐怖だったのだろうか）

いつもの一瞬だった。

ママはうしろのドアをしめた。「おまえは女になったんだよ」と、彼女は低い声でいった。

キャリーは自分の顔がひきつり歪《ゆが》むのを感じたが、どうすることもできなかった。

「なぜ教えてくれなかったの？」と、彼女は泣きながらいった。「ああ、ママ、とってもこわかったのよ！　女の子たちはみんな面白がってものを投げつけるし——」

ママは彼女のほうに歩みよってきたが、やがて片手が目にもとまらぬ速さでしなやかに一閃《せん》した。ランドリーの仕事で硬くなった、筋肉質の、力強い手だった。手の甲が顎《あご》に当り、キャリーはホールと居間のあいだの敷居に倒れて、大声で泣きだした。

「そして神はアダムの肋骨《あばらぼね》からイヴを造られた」と、ママはいった。彼女の目は縁なし眼鏡の奥で異様に大きく見えた。キャリーは足で蹴《け》られて悲鳴をあげた。「立ちなさい、女よ。なかに入って一緒にお祈りをするのよ。わたしたち女の弱くて、よこしまで、罪深い魂のために、イエスさまにお祈りするのよ」

「ママ——」

すすり泣きが極限まで高まった。しずまっていたヒステリーの発作が、また始まったのだった。彼女は立ちあがれなかった。顔に髪を振り乱し、大きなしゃがれ声でしゃくりあげながら、かろうじて居間へ這《は》っていった。ママはひっきりなしに足の横で彼女を蹴った。そうやって二人は居間を横切り、かつては小さな寝室だった礼拝室のほうへ進んでいった。

「そしてイヴは弱く——さあ、いいなさい、女。いいなさい！」

「いやよ、ママ、助けて――」

「そしてイヴは弱く、ワタリガラスを地上に放った」と、ママは続けた。「ワタリガラスは罪と呼ばれ、最初の罪は交接だった。主は呪《のろ》いによってイヴを罰した、その呪いは血の呪いだった。アダムとイヴはエデンの園から地上に追放され、やがてイヴは子供をみごもったことを知った」

足がキャリーのお尻《しり》を蹴った。キャリーの鼻が木の床をこすった。母と娘は礼拝室の入口にさしかかっていた。刺繡《ししゅう》入りの絹のテーブル掛けにおおわれたテーブルの上に、十字架が置かれていた。十字架の両側に白いろうそくがあった。そのうしろにはおきまりのイエスと十二使徒の絵が数枚あって、その右手が最悪の場所、恐怖の根源、あらゆる希望と神の意志への抵抗――そしてママの意志への抵抗も――が消滅する洞《どう》窟《くつ》だった。クローゼットのドアが意地悪くあいていた。クローゼットのなかには、常時つけっぱなしのぞっとするような青い電球の下に、ジョナサン・エドワーズの有名な説教、《怒れる神の手のなかの罪人たち》を描いたデローの絵が飾られていた。

「第二の呪いは出産の呪いで、イヴは汗と血のなかでカインを生んだ」

ママはなかば立ちなかば這っているキャリーを祭壇の前に引きずっていき、そこでともにひざまずいた。ママがキャリーの手首をしっかりと握った。

「いまだ交接の罪を悔いていなかったイヴは、カインに続いてアベルを生んだ。そこで主はイヴに第三の呪いをくだした。それは殺人の呪いだった。カインは立って岩でアベルを打ち殺した。それでもなおイヴは罪を悔いることなく、イヴの娘たちもまた悔いなかったので、狡猾《こうかつ》な蛇はイヴの上に売春と疫病《えきびょう》の王国を築いた」

「ママ！」と、彼女は叫んだ。「お願いママ、聞いて！　わたしのせいじゃないのよ！」

「頭をさげなさい」と、ママはいった。「一緒に祈るのよ」

「どうして教えてくれなかったの！」

ママはキャリーの首のうしろに手をおき、十一年間重い洗濯物の袋を持ちあげ、濡《ぬ》れたシーツの山をトラックに積む仕事で発達した筋肉の力をその手にこめた。キャリーの目玉のとびでた顔ががくんと前にのめり、額が祭壇にぶつかって痣《あざ》ができ、ろうそくが揺れ動いた。

「さあ一緒に祈りなさい」と、ママは低い声で容赦なく命令した。

キャリーはすすり泣き、鼻を鳴らしながら、頭をさげた。あやうく落ちかかった鼻水を、彼女は
（ママがわたしをここで泣かせるたびに五セントずつもらえるんならいいんだけど）

手の甲で拭《ぬぐ》った。

「おお、主よ」ママは昂然《こうぜん》と顔をあげて、堂々と呼びかけた。「わたしのかたわらにひざまずくこの罪深い女が、おのれの日常の罪に気づくようお導きください。もしも彼女が潔白であれば、血の呪いは訪れなかったであろうことをお教えください。彼女はみだらな妄想を抱くという罪を犯したかもしれません。ラジオのロックンロールを聴いたかもしれません。反キリストに誘惑されたかもしれません。これはあなたの慈悲深い復讐《ふくしゅう》の手がおこなった御業《みわざ》であることを、彼女にお示しください、そして――」

「いや！　放して！」

彼女は立ちあがろうとしてもがいたが、ママの鉄の手枷《てかせ》のように力強く無情な手が、彼女をおさえつけてひざまずかせた。

「――彼女が永遠の地獄の劫火《ごうか》に焼かれる苦しみを避けようとするならば、今後は脇《わき》目《め》もふらずにまっすぐ歩まなければならないという教えであることを。アーメン」

彼女は眼鏡の奥のぎらぎら光る拡大された目を娘に向けた。「さあ、クローゼットに入りなさい」

「いやよ！」彼女は恐怖のために息苦しさを感じた。

「クローゼットに行きなさい。そしてひそかにお祈りし、罪の許しを乞《こ》いなさい」

「わたしは罪なんか犯してないわ、ママ。罪を犯したのはあんたよ。あんたが教えてくれなかったから、みんながわたしを笑ったのよ」

ふたたび彼女は、ママの目のなかに、一瞬夏の稲妻のようにすばやく、音もなく浮かんだ恐怖を認めたように思った。ママは彼女をクローゼットの青い光のほうへ力ずくで引きたてた。

「神に祈ればおまえの罪は洗い清められるかもしれないよ」

「ママ、放して」

「祈りなさい、女よ」

「また石を降らせるわよ、ママ」

ママはたじろいだ。

一瞬呼吸までが喉《のど》につかえるかと思われた。やがて彼女の手がキャリーの首をしめつけ、キャリーは目の前に赤く毒々しい斑点《はんてん》を見て頭のなかがぼうっとなり、意識が薄れかけた。

ママの拡大された目が彼女の前でゆらゆら揺れた。

「おまえは悪魔の申し子だよ」と、彼女は囁《ささや》いた。「なぜわたしはこれほどまでに呪われてしまったのかしら？」

キャリーの動揺した心は、苦痛と屈辱と恐怖と憎悪《ぞうお》と不安を表現できるほど大きななにかを必死で捜し求めた。彼女の全生涯がこのみじめな、打ちのめされた反抗の一点に収斂《しゅうれん》したかのようだった。目は狂人のようにとびだし、唾《つば》のいっぱいたまった口が大きく開かれた。

「ユー・ファック！」と、彼女は叫んだ。

ママは火傷《やけど》をした猫のような唸《うな》り声をたてた。「なんという罪深いことを！」と、彼女は叫んだ。「ああ、罰あたりな！」彼女はキャリーの背中や首や頭を殴りはじめた。キャリーはよろめきながら、狭いクローゼットの青い光のなかに引きずりこまれた。

「ユー・ファック！」と、キャリーが叫んだ。

（それごらん　すっかりばれちゃってるんだから　だってファックしなきゃわたしが生まれてくるはずがないわ）

彼女は頭からクローゼットのなかに突きとばされ、正面の壁にぶつかって、なかば意識を失いながら床に倒れた。ドアが音をたててしまり、鍵《かぎ》がかかった。

彼女はママの怒れる神と二人きりでとりのこされた。

青い光が、泣き叫ぶ人々の群を雲の底の火の淵《ふち》に投げこむ、ひげをはやした巨大なエホバの絵を照らしていた。その下では、黒焦《くろこ》げの恐しい姿をした人々が地獄の炎のなかでもがき苦しみ、片手に三叉戟《みつまたほこ》を持った悪魔が炎の色をした巨大な王座に坐っていた。体は人間のそれだが、槍《やり》の穂先のようなしっぽとジャッカルの頭を持っていた。

きょうは絶対に音をあげないから、

だが、もちろん彼女は音をあげた。六時間頑張ったすえ、ついにママを呼び、ドアをあけて外へ出してくれと泣きながら頼んだ。おしっこがどうにも我慢できなくなったのだ。悪魔はジャッカルの口をゆがめて彼女に笑いかけ、その真赤な目は女の血の秘密をすべて見通していた。

キャリーが叫びだしてから一時間後に、ママは彼女をクローゼットから出した。キャリーは夢中でバスルームに走った。

それから三時間たったいま、罪を悔いた人間のようにミシンの前に首うなだれて坐りながら、ようやくママの目に浮かんだ恐怖の色を思いだした。彼女にはその理由がわかるような気がした。

ママが彼女をまる一日クローゼットに閉じこめておいたことがそれまでに何度かあり——たとえばシューバーズ均一雑貨店で四十九セントの指輪を盗んだときとか、枕《まくら》の下に隠しておいたフラッシュ・ボビー・ピケットの写真が見つかったときなど——一度などキャリーは空腹と自分の排泄物《はいせつぶつ》の悪臭で気を失ってしまったことさえあった。しかしきょうのようにママに口答えをしたことなど、ただの一度もなかった。ところがきょうはみだらな言葉まで口にした。それなのに、ママは彼女が泣きだすといくらもたたないうちに外へ出してくれた。

ドレスが縫いあがった。彼女は踏み板から足をどかし、ドレスを持ちあげて出来ばえを眺めた。長くてみっともないドレスだった。彼女は気にいらなかった。

彼女はママがクローゼットから出してくれた理由を知っていた。

「ママ、もう寝ていい？」

「いいとも」ママは飾りナプキンから顔もあげずに答えた。

キャリーは腕にドレスをかけた。それからミシンに目を向けた。とたんに踏み板がひとりでに動いた。針が上下に動きはじめ、電燈《でんとう》の光にきらめいた。ボビンが唸り、サイド・ホイールが回りだした。

ママが驚いてはっと顔をあげた。飾りナプキンの縁の輪になった模様は、たいそう手がこんでいながら、きわめて精緻《せいち》かつ均一なものだったが、突然それがばらばらに型崩れした。

「糸屑《いとくず》を掃除しただけよ」と、キャリーが小声でいった。
「寝なさい」と、ママがそっけなくいった。その目にまた恐怖がよみがえっていた。
「はい
（ママはわたしがクローゼットのドアの蝶番《ちょうつがい》をこわすことをおそれたんだわ）
ママ」
（こわす気ならこわせたのよ　こわせたのよ　こわせたのよ）

『あばかれた影』（五八ページ）より

マーガレット・ホワイトは、チェンバレンと境界を接し、チェンバレンのジュニア・ハイスクールとシニア・ハイスクールに学童を送りこんでいる小さな町モットンで生まれ育った。両親はたいそう裕福に暮していて、モットンの町をはずれたすぐのところに、ザ・ジョリー・ロードハウスという名のナイトクラブを経営して、大いに繁昌していた。マーガレットの父のジョン・ブライアムは、一九五九年の夏に酒場で起きた射合いで死んだ。
当時三十歳近かったマーガレット・ブライアムは、根本主義派の祈禱《きとう》集会に出席しはじめた。母親は新しい男（ハロルド・アリスンという男で、のち正式に結婚した）と関係ができ、二人してマーガレットを家から追いだそうとした――マーガレットは母親のジューディスとハロルド・アリスンが罪深い生活を送っていると信じ、しばしばその考えを口にしていたからである。ジューディス・ブライアムは自分の娘が生涯独身を通すものと予想していた。近く継父となるべき男のより辛辣《しんらつ》な表現を借りるならば、「マーガレットはタンクローリーのけつのほうみたいなご面相で、体のほうもそれといい勝負だった」彼はまた彼女を「狂信派」とも呼んでいた。

マーガレットは伝道集会でラルフ・ホワイトと知りあう一九六〇年まで、生家にとどまった。その年の九月にモットンのブライアム家を出て、チェンバレン・センターの小さなアパートに移り住んだ。

マーガレット・ブライアムとラルフ・ホワイトの交際期間は、一九六二年三月二十三日の結婚で終った。そして一九六二年四月三日から、マーガレット・ホワイトはウェストオーヴァー医師会病院に数日間入院した。

「いや、彼女はどこが悪いのかおれたちには話さなかったよ」と、ハロルド・アリスンは語っている。「一度だけ見舞いに行ったとき、あの女はたとえおれたちが正式に結婚していても、姦通《かんつう》を犯しているから、きっと地獄に堕《お》ちるといいやがってね。神さまがおれたちの額に目に見えない烙印《らくいん》を捺《お》したのが、あいつにはちゃんと見えるというんだよ。まるで鶏小舎《とりごや》のコウモリみたいな、おかしな振舞いをしてたな。おふくろはやさしく話しかけて、どこが悪いか聞きだそうとした。ところがあの女はヒステリーを起こして、剣を持った天使が酒場の駐車場に現われて、ふしだらな人間を切り殺すとかなんとかわめきだしたんで、おれたちはさっさと逃げだしたんだ」

しかしながらジューディス・アリスンには、少なくとも娘の病気について心当りがあったようである。彼女の見たところでは、マーガレットは流産で入院していたのだった。もしそれが事実だとすれば、彼女は結婚前に妊娠したことになる。この点が確認できれば、キャリーの母親の性格に興味深い照明が当てられるだろう。

一九六二年八月十九日付の母親あての長いヒステリックな手紙のなかで、マーガレットは自分とラルフが「交接の呪《のろ》い」を免れて、罪のない生活を送っていると述べている。そしてハロルドとジューディスにも「邪悪のすみか」を閉ざし、自分たちと同じ生活を送ることをすすめている。「それこそ」と、マーガレットは手紙の終り近くで断言する。「あなたとあの男が、きたるべき血の雨を避けることのできるただ一（原文のまま）の方法なのです。ラルフとわたしは、マリアとヨゼフのように、おたがいの肉を知りたいとも汚そうとも（原文のまま）思いません。それでも子供が生まれるなら、それは神からの授かりものです」

もちろん、彼女がその年のうちにキャリーをみごもったことは、暦が示す通りである……


女子生徒は月曜日一時間目の体育にそなえて、ばか騒ぎをしたり弥次《やじ》をとばしたりすることもなく、黙々と着替えをしていた。ミス・デジャルダンがロッカー・ルームのドアを勢いよくあけて入ってきたときも、それほど驚いた者はいなかった。彼女の銀の笛が小さな乳房のあいだにぶらさがり、ショートパンツは金曜日と同じものだとしても、キャリーの血の手形は痕跡《こんせき》すらとどめていなかった。

女の子たちは彼女のほうを見ないようにしながら、黙々と着替えを続けた。

「あなた方はもう卒業まぢかでしょう？」ミス・デジャルダンはやさしい声でいった。「あと何日あるの？　一か月？　それからその前に春の舞踏会があるわね。もうみんな相手も決まり、ガウンもできあがっているんでしょう。スー、あなたの相手はトミー・ロスよね。ヘレンはロイ・エヴァーツ。クリス、あなたなら選りどり見どりだと思うけど、その幸運な男の子はだれなの？」

「ビリー・ノーランです」クリス・ハーゲンセンはむっつりした顔で答えた。

「まあ、彼は運がいいのね。ところでパーティの贈物はなんにする予定なの、血のついたコーテックス？　それとも使いおわったトイレット・ペーパーなんてのはどう？　最近のあなたはそういうものがお気にいりらしいから」

クリスは赤くなった。「わたしはもう行きます。そんな話は聞く必要ありません」

デジャルダンは週末のあいだずっと、キャリーのイメージを頭からしめだすことができなかった。泣き叫びながら濡れたナプキンを陰毛の中央にくっつけていたキャリー——それに自分自身の胸のむかつくような、怒りに満ちた反応も、ずっと頭にこびりついていた。

そしていま、クリスが脇を通り抜けて外へとびだそうとしたとき、彼女は両手をのばして、内側のドアの横に並んでいるでこぼこの、オリーヴ色のロッカーの列に、クリスを突きとばした。クリスの目がショックと驚きで大きく見ひらかれた。やがてある種の猛《たけ》り狂った怒りの表情が顔に拡《ひろ》がった。

「ひどいわ、殴るなんて！」と、彼女は叫んだ。「あなたはきっとくびよ！　いまに見てらっしゃい！」

ほかの女の子たちは尻《しり》ごみし、息をのんで床に視線を落とした。もうどうにもおさまりがつかなくなっていた。スーはメアリー・ティボードーとドナ・ティボードーが手をとりあっているのを、横目でちらと見た。

「わたしはくびになっても構わないのよ、クリス」と、デジャルダンがいった。「もしあなたが――ほかのだれでもそうだけど――いまわたしが教師風を吹かしていると思ったら大きなまちがいよ。わたしはただ、金曜日にあなた方が汚《シッティ》いことをしたことを反省してもらいたいだけ。あれはひどく汚いことだったのよ」

クリス・ハーゲンセンは床に向かって薄笑いを浮かべていた。ほかの者は情けない顔をして、体育教師の顔だけは見ないようにしていた。スーは自分がシャワーの仕切り――犯行現場――をみつめているのに気づいて、あわてて目をそらした。教師が汚《シッティ》いなどという言葉を口にするのを聞いたのは、みんなはじめてだった。

「キャリーにも感情があることを、一度でも考えた人は一人もいないの？　だいたいあなた方はじっくり物を考えることがあるの？　スーは？　ファーンは？　ヘレンは？　ジェシカは？　どうなの、みんな？　あなた方は彼女を醜いと思っている。だけど醜いのはあなた方のほうよ。わたしは金曜日の朝この目でちゃんと見たわ」

クリス・ハーゲンセンが、わたしの父は弁護士なんだから、と呟《つぶや》いた。

「おだまり！」と、デジャルダンが彼女の目の前で叫んだ。クリスはあわてて尻ごみしたために、うしろのロッカーに頭をぶっつけた。彼女は泣きながら頭をさすった。「もう一度生意気な口をきいたら」と、デジャルダンが低く抑えた声でいった。「今度は壁に叩《たた》きつけてやるから。どう、これがただのおどしじゃないってことの証拠が見たい？」

クリスは頭がおかしくなった女を相手にしていると思ったらしく、もうなにもいわなかった。

デジャルダンは両手を腰に当てた。「あなた方に対する学校当局の処罰が決まったわ。残念ながらわたしの罰じゃないけど。わたしは三日間の登校停止とプロムへの出席禁止を考えていたのに」

数人の女の子たちが顔を見あわせて、不満そうになにか呟いた。

「それなら効果覿面《てきめん》だったはずよ。ただ残念なことに、ユーインの学校当局者は男性だけなので、あなた方のやったことがどんなにひどいことか、よくわからなかったらしいわ。結局、罰は一週間の居残りだけよ」

いっせいに安堵《あんど》の溜息《ためいき》が洩《も》れた。

「ただし、居残りの監督はわたしよ。体育館でね。へとへとになるまで絞ってやるわ」

「わたしは行かないわ」と、クリスがいった。唇が一直線に結ばれていた。

「それはあなたの自由よ、クリス。ほかの人もどうぞご自由に。そのかわり居残りをさぼった罰は、三日間の登校停止とプロムへの出席禁止よ。わかった？」

だれ一人発言する者はなかった。

「よろしい。着替えをなさい。そしてわたしのいったことをよく考えてみるのね」

彼女は出ていった。

女の子たちはショックを受けて、かなり長い間完全に沈黙したままだった。やがてクリス・ハーゲンセンが、ヒステリックな金切声を張りあげていった。

「あいつ、このままじゃ済まさないわ！」彼女は手当りしだいにロッカーのドアをあけて、ゴム底の運動靴をとりだすと、部屋のなかに投げだした。「きっと仕返ししてやる！　ちきしょう！　ちきしょう！　いまに見てろ！　みんなで団結すれば――」

「やめなさいよ、クリス」と、スーがいった。そして自分の声の大人っぽい無気力な響きにショックを受けた。「おだまりよ」

「まだ終っちゃいないわ」クリス・ハーゲンセンはスカートのジッパーを乱暴に引きさげ、恰好《かっこう》よく裾《すそ》のほつれたグリーンの体育用ショートパンツに手をのばしながらいった。「まだまだ先があるわ」

確かに彼女のいう通りだった。

『あばかれた影』(六〇―六一ページ)より

本書の著者の意見では、キャリー・ホワイト事件の調査をおこなった――科学雑誌のためであれ一般ジャーナリズムのためであれ――人々の大多数が、キャリー・ホワイトの幼少時におけるテレキネシス現象の、比較的無益な探索に誤れる力点を置いている。いささか強引な類推をおこなうならば、これは強姦犯人の少年時代における マスターベーションの経験を調べて、時間を浪費するようなものである。

いわゆる石の雨事件は、この意味で調査者の注意を本筋からそらす役目をしている。多くの調査者は、一度その種の事件が起きたからには、かならず同種の事件がふたたび起きているにちがいないと信じるあやまちを犯した。ふたたび類推をおこなうならば、これは二百年前に巨大な隕石《いんせき》が落下したからという理由で、クレイター・レイク国立公園へ流星観測班を派遣するようなものである。

著者の知るかぎりでは、キャリーの幼少時にほかにもTK現象があったという記録は存在しない。もしもキャリーが一人っ子でなかったなら、少なくともいくつかのより小さな事件に関する口頭の証言ぐらいはあったかもしれない。

アンドリア・コリンツの場合には（詳細は付録Ⅱを参照）、屋根に登った罰としてお尻をぶったところ、「薬箱の蓋《ふた》がひとりでにあいて、薬壜《くすりびん》が床に落ちたりバスルームのなかを飛びかったり、ドアが激しくあいたりしまったりし、この現象のクライマックスには、重量三百ポンドのステレオ・キャビネットがひっくりかえり、レコードが居間のいたるところを飛びまわって、部屋にいた人間を急降下爆撃したり壁に激突したりした」と報告されている。

ここで重要なのは、《ライフ》誌一九五五年九月四日号に引用されているように、この報告がアンドリアの兄弟の一人によっておこなわれていることである。《ライフ》はどうひいき目に見ても、きわめて学問的な、非の打ちどころのない雑誌とはいえないが、ほかにも多数の文書による報告があり、兄弟による証言の信憑性《しんぴょう》は確かなものだとわたしは考えている。

キャリー・ホワイトの場合は、あのクライマックスともいうべき最後の大事件の前にあったと思われるプロローグの唯一《ゆいいつ》の目撃者は、母親のマーガレット・ホワイトであり、もちろん彼女は死亡している……

ユーイン・ハイスクールの校長ヘンリー・グレイルは、週のはじめからクリス・ハーゲンセンの父親の来校を予想していたが、彼がやっと姿を現わしたのは金曜日——つまり娘のクリスが恐るべきミス・デジャルダンの居残りの罰をすっぽかした翌日だった。

「なにかね、ミス・フィッシュ？」彼は校長室の窓からハーゲンセンの姿を見ていたにもかかわらず、インターフォンを通して型通りにたずねた。むろんハーゲンセンの顔は地元の新聞にたびたびのる写真で知っていた。

「ジョン・ハーゲンセンがお目にかかりたいそうです」

「どうぞ、部屋へ通してくれたまえ」なんてこった、フィッシュのやつ、あんなにおどおどしなくたってよさそうなもんじゃないか。

グレイルにはペーパー・クリップを曲げたり、ナプキンをちぎったり、書類の隅っこを折りまげたりする、自分でもどうにもならない癖があった。この町で第一級の法律家であるジョン・ハーゲンセンを迎えうつに当って、彼は大量の弾薬——頑丈なクリップ一箱——を机上のブロッターの中央に用意した。

ハーゲンセンは長身の、堂々たる風采《ふうさい》の男で、身のこなしは自信に満ち、よく動く生き生きとした表情は、社会的影響力において他より一歩先んじているという自負を物語っていた。

彼は茶色の地に緑と金色の糸が目立たない程度に混ぜ織りされたサヴィル・ロウ製のスーツを着ており、それにくらべると、地元の店で買ったグレイルの既製服はひどく見劣りした。ブリーフケースは薄手の本革で、まばゆいステンレス・スチールの縁どりがしてあった。彼の微笑は一点非のうちどころがなく、キャップをかぶせた歯をずらりとのぞかせた——暖まったシチュー鍋《なべ》のなかのバターのように、女性陪審員の心を溶かしてしまう微笑である。彼の握手はメジャー・リーグ級で——力強く、暖かく、長い握手だった。

「グレイルさん。あなたのお時間を少々いただきたいのですが」

「教育熱心な父兄の訪問はいつでも歓迎しますよ」グレイルは冷やかな微笑を浮かべながらいった。「毎年十月に父兄参観日を設けているのもそのためですからね」

「そうでしょうとも」ハーゲンセンはほほえんだ。「あなたもお忙しいでしょうし、わたしも四十五分後に裁判所へ行かなくてはなりません。そこで、さっそく用件を申しあげましょうかな？」

「結構ですとも」グレイルはクリップの箱に手を突っこんで、一本目のクリップを曲げはじめた。「その用件とはお嬢さんのクリスティーンに対する懲戒処分に関することだと思いますが。その問題に関する学校側の方針がすでに決定していることはご存知でしょうな。あなたも法律にたずさわっておられる方だから、当然規則を曲げることはできないと――」

ハーゲンセンは苛立《いらだ》たしげに手を振った。「あなたはどうやら思いちがいをなさっているようですな、グレイルさん。わたしがお邪魔したのは、娘が体育教師のミス・デジャルダンに乱暴されたからですよ。おまけにひどい悪口を浴びせられたそうです。ミス・デジャルダンはわたしの娘を『汚い《シッティ》』といったそうですな」

グレイルは内心溜息を洩らした。「そのことならミス・デジャルダンをきびしく叱《しか》っておきましたよ」

ジョン・ハーゲンセンの微笑が三十度がた冷えた。「叱ったぐらいでは充分とはいえませんな。確か彼女は、教師歴一年の若い先生でしたな?」

「そうです。きわめて優秀な教師です」

「ほう、あなたの優秀な教師の定義には、生徒をロッカーに突きとばしたり、船乗りのような乱暴な言葉を口にする能力も含まれていると見えますな?」

グレイルは防戦につとめた。「あなたは弁護士ですから、この州が学校に『親がわりの《イン・ロコ・パレンティス》』資格を認めていることはご存知でしょう――もちろんそれには大きな責任が伴いますが、われわれは生徒が学校にいるあいだ、親の権利を父兄にかわって行使しているのです。もしご存知なかったら、モノンドック合同学区対クレインプール訴訟の判例を調べてみることをおすすめしますよ。あるいは——」

「もちろんそのことは知っていますよ」と、ハーゲンセンがいった。「それからあなた方学校当局者が好んで持ちだすクレインプール事件やフリック事件は、暴行または侮辱にはなんの関係もないことも知っています。ところがここに第四学区対デーヴィッド訴訟の判例がある。ご存知ですかな？」

グレイルはそれを知っていた。第四学区の合同ハイスクールの教頭ジョージ・クレイマーは、彼のポーカー仲間だった。だがジョージはその後あまりポーカーをやっていない。生徒の髪を切った事件の責任をとって学校をやめたあと、保険会社で働いている。学区は結局七千ドルの損害賠償を支払わされた。ひと鋏《はさみ》およそ千ドルという高くついた代償だった。

グレイルは二つ目のクリップにとりかかった。

「判例を持ちだすのはおたがいにやめましょう、グレイルさん。われわれは忙しい人間です。いろいろ不愉快な思いをするのは願いさげにしたいし、必要以上に騒ぎたてるつもりもありません。娘はいま家にいるし、月曜日と火曜日も登校しません。それで三日間の登校停止は終りです。これは目をつむりましょう」彼はまた面倒くさそうに手を振った。

「わたしの要求はこうです」と、ハーゲンセンは言葉を続けた。「第一に、娘にプロムのチケットを渡すこと。女の子にとって、最終学年のプロムは大切なものだし、クリスもひじょうに落胆しております。第二に、デジャルダンの契約を更新しないこと。これはわたし自身の要求です。わたしが学区を訴える気になれば、おそらく彼女の解雇と高額の賠償金の両方をかちとれるでしょう。しかしわたしはそこまで執念深くありませんからな」

「すると、わたしが要求に応じなければ訴訟に訴えるというわけですな？」

「その前に学校委員会の公聴会が開かれることになると思うが、それは手続き上の問題にすぎません。さよう、最終的には訴訟ということになるでしょうな。あなたにとっては迷惑なことです」

三つ目のペーパー・クリップが曲げられた。

「暴行および侮辱を受けた、という理由ですな？」

「それが中心になるでしょう」

「ハーゲンセンさん、あなたのお嬢さんと、およそ十人の彼女の取巻きが、初潮を経験した女の子に生理用ナプキンを投げつけたことを、あなたはご存知ですかな？　出血多量で死ぬかもしれないとおびえていた女の子にですよ」

だれかが遠くはなれた部屋で話している声でも聞いたように、ハーゲンセンはかすかに眉《まゆ》をひそめた。「そういうことはこの際問題にならんと思いますがね。わたしのいいたいのは、そのあとで――」

「まあ聞いてください」と、グレイルはいった。「あなたのおっしゃりたいことはひとまずおいといて。この女の子は、名前はキャリエッタ・ホワイトといいますが、『間抜け』と罵《ののし》られ、『タンポン入れろ』とはやしたてられて、さまざまの卑猥《ひわい》な身ぶりでからかわれたのです。彼女は今週ずっと学校を休んでおります。どうです、これも暴行および侮辱といえませんか？　わたしにはそう思えるんですがね」

「わたしはここに坐《すわ》って、真偽のほどの疑わしい話やあなたの校長訓話を聞くつもりなどありませんよ、グレイルさん。わたしは自分の娘をよく知っています――」

「これをごらんください」グレイルはブロッターの横にある針金の書類かごに手をのばして、ピンクのカードの束を机の上に投げだした。「おそらくあなたは、これらのカードに示されているお嬢さんの姿を、ご自分で考えている半分もご存知ないでしょう。もしご存知だったら、そろそろきびしい躾《しつけ》が必要だということに気がついているころでしょうから。お嬢さんがだれかを大怪我《おおけが》させないうちに、きびしく叱っておく必要がありますよ」

「あなたはまさか――」

「ユーインに四年在学」と、グレイルが相手を無視して続けた。「一九七九年六月、つまり来月卒業の予定。知能指数百四十。平均点八十三。にもかかわらず、オバーリンに合格。おそらくだれかの――たぶんあなただと思いますが、ハーゲンセンさん――精力的な裏面工作があったんでしょうな。居残り罰七十四回。うち二十回は仲間はずれの生徒をいじめた罰であることもつけくわえておきましょう。いわゆる余計者たちですな。クリスの取巻きは彼らをモーティマー・スナードたちと呼んでいるそうです。連中は仲間はずれの生徒をいじめるのが楽しくて仕方がないんですよ。彼女はその居残り罰のうち五十一回をすっぽかしています。チェンバレン・ジュニア・ハイでは、ある女生徒の靴のなかに爆竹を仕掛けて登校停止……カードの注によれば、そのいたずらでアーマ・スウォープという女の子はあやうく足の指を二本なくすところだったそうです。アーマ・スウォープは口唇裂だったようです。これがあなたのお嬢さんなんですよ、ハーゲンセンさん。どうです、なにかご意見はありますか？」

「ええ」ハーゲンセンは立ちあがって答えた。「わたしの意見は、いずれあなたと法廷でお会いするだろうということです。そしてわたしが勝てば、あなたはせいぜい運がよくて、百科事典の戸別訪問販売の仕事ぐらいしかありつけないでしょうな」

グレイルも憤然として立ちあがり、二人の男は机をはさんでにらみあった。

「よろしい、受けて立ちましょう」と、グレイルがいった。

彼はハーゲンセンの顔にうかんだかすかな驚きの表情を認め、手を組んで、相手をノック・アウトせんばかりの意気ごみでいった――それがだめでも、せめてＴＫＯ勝ちぐらいはして、ミス・デジャルダンの首をつなぎ、この上品ぶった男の鼻をあかしてやるつもりだった。

「あなたはこの問題における『親がわり《イン・ロコ・パレンティス》』の精神の意味がわかっておいでないようですな、ハーゲンセンさん。あなたのお嬢さんを保護するこの傘は、キャリー・ホワイトをも同時に保護しているんですよ。あなたが暴行および侮辱を理由に損害賠償を要求する訴訟を起こすなら、すかさずわれわれも同じ理由でキャリー・ホワイトにかわってあなたを訴えることになりますぞ」

ハーゲンセンはぽかんと口をあけたが、やがてその口をとじた。「そういうちゃちなトリックが功を奏すると思ったら間違いだぞ、この――」

「もぐり弁護士め？　そういいたいんでしょう？」グレイルは苦笑した。「出口はご存知でしょう、ハーゲンセンさん。お嬢さんに対する処罰は撤回しません。それでも問題にするつもりなら、どうぞ自由におやりください」

ハーゲンセンはぎくしゃくした足どりで出口のほうへ行き、なにかいい残したことでもあるかのように立ちどまったが、やがて腹いせに叩《たた》きつけるようにドアをしめて出ていった。

グレイルは溜息《ためいき》をついた。クリス・ハーゲンセンはそのかたくなな性格のゆえに、みずからを窮地に追いこんだ形だった。

一分後にA・P・モートンが入ってきた。「どうなりました？」

「いまにわかるさ、モーティ」と、グレイルが答えた。そして顔をしかめながら、ねじ曲げられたペーパー・クリップの山を眺めた。「とにかく彼はクリップ七個分頑張ったよ。これはまあ記録だな」

「彼は訴訟に持ちこむ気ですか？」

「わからんね。そのときはわれわれのほうも訴えるといったら、だいぶ動揺したようだったよ」

「そうでしょうとも」モートンはグレイルの机の上の電話に目を向けた。「そろそろこの問題を教育長に話しておくほうがよくはないですか？」

「そうだな」グレイルは受話器をとりあげた。「失業保険料をちゃんと払いこんでおいてよかったよ」

「わたしも」と、モートンが忠義顔をしていった。

『あばかれた影』（付録Ⅲ）より

キャリー・ホワイトは七学年のときに、詩の宿題につぎの短詩を提出した。七学年の国語でキャリーを担当したエドウィン・キング氏は、つぎのように語っている。「わたしはなぜこの詩を保存しておいたのかわかりません。キャリー・ホワイトは優秀な生徒として記憶に残っているわけでもないし、この詩がとくにすぐれていたというわけでもありません。彼女はたいそうおとなしい子で、授業中にも手をあげて答えたことは一度もなかったようです。でもこの詩にはなにか訴えるものがあったのでしょう」

イエスは壁から見守っている

けれどその顔は石のように冷たい

もしも彼女がいうように
イエスがわたしを愛しているのなら
なぜわたしはこんなに孤独なのだろう?

この短い詩が書かれた紙の余白は、まるで踊っているように見える無数の十字架像で飾られていた……

月曜日の午後、トミーは野球の練習に行き、スーはセンターにあるケリー・フルーツ・カンパニーで彼を待っていた。ドイル保安官が大規模な麻薬の手入れのあとで遊戯場を閉鎖して以来、だらしなく拡《ひろ》がったチェンバレンの町に残されたハイスクール生徒の溜《たま》り場といえば、まずこのケリーの店ぐらいのものだった。経営者はヒューバート・ケリーという太った気むずかしい男で、髪を黒く染め、電子ペースメーカーのおかげでいまにも感電死しそうだと、いつも泣言ばかりいっていた。

そこは食料雑貨店とソーダ・ファウンテンとガソリン・スタンドを兼業していて——店の前には店主のヒューバートがガソリン・スタンドを買収したとき、取換える手間を惜しんでいまも使っている、錆《さ》びついたジェニー・ガソリン・ポンプがあった。また、ビール、安ワイン、ポルノ本、それにムラッド、キング・サーノ、マーヴェル・ストレイツといったぱっとしない銘柄の煙草《たばこ》も売っていた。カウンターは本物の大理石でできていて、運悪く友達が見つからず、どこかへ行って酔っぱらうあてもない子供たちのために、四つか五つのテーブル席があった。店の奥のほう、エロ本の書架の脇《わき》には、いつも三つ目のボールでティルトするピンボール・マシンがあって、ランプが点《つ》いたり消えたりしていた。

スーは店に入ったとたんにクリス・ハーゲンセンの姿を認めた。彼女は奥のボックス席に坐っていた。彼女の目下《もっか》の恋人、ビリー・ノーランが、マガジン・ラックから《ポピュラー・メカニックス》の最新号を手にとってぱらぱらめくっていた。クリスのような人気者の金持の娘が、なぜ髪をポマードで撫《な》でつけ、黒い皮のジャケットを着て、排気管の音をわざと大きくしたシヴォレーのロード・マシーンを乗りまわす、一九五〇年代からやってきた見知らぬタイム・トラヴェラーのようなビリー・ノーランに魅力を感じるのか、スーには理解できなかった。

「スー！」と、クリスが呼びかけた。「こっちにきてよ！」

反感が紙の蛇のように喉《のど》までこみあげてきたにもかかわらず、スーは片手をあげて合図をした。クリスを見るのは、傾いた戸口を通して、キャリー・ホワイトが両手で頭を抱えてうずくまっている場所を見るのに似ていた。自分の偽善的態度（手を振ってうなずくという動作にそれは示されている）を不可解と感じ、不愉快に思うはめになりそうだった。なぜそしらぬ顔でいられないのか？

「十セントのルート・ビア」と、彼女はヒューービーに注文した。ヒューービーは本物の生ルート・ビアを売っていて、それを一八九〇年代の大きな曇りガラスのジョッキで客に出していた。彼女は大きなジョッキを傾けながら、ペーパー・バックの小説を読んでトミーが現われるのを待つつもりだった――ルート・ビアを飲むと顔が真赤になるけれども、その味が好きだった。しかし、きょうはとくに飲みたいとも思わなかったし、またそのことが別に意外でもなかった。

「心臓のぐあいはどう、ヒューービー？」と、彼女はきいた。

「おまえさんたちは」ヒューービーはテーブル・ナイフでスーのビールの泡をかきとり、またジョッキをいっぱいに満たしながら答えた。「なんにもわかっちゃいないのさ。今朝も電気かみそりのプラグをさしこんだら、百十ヴォルトの電気がこのペースメーカーのなかを流れやがってね。おまえさんたち子供にはどんなもんかわかるまいな？」

「たぶんね」

「わかるはずがないさ。おれのこのくたびれた心臓がいつまで耐えられるか？　ま、おれが農場でも買って、例の都市改造計画とやらをやっている阿呆《あほう》どもがこの店を駐車場に変えてしまうときがくれば、おまえさんたちにもわかるだろう。ほい、十セントだよ」

彼女は大理石のカウンターに十セント貨をさしだした。

「おんぼろ血管のなかを五千万ヴォルトの電気が通ってるんだぜ」と、ヒュービーは暗い顔でいい、胸ポケットの小さなふくらみを眺めた。

彼女はクリスのテーブルに歩みよって、用心深くあいた席に腰かけた。クリスはグリーンのヘアバンドで黒い髪をしばり、ぴんと上を向いた乳房を引きたたせるぴったりしたバスク・ブラウスを着て、きわだった美しさを見せていた。

「元気、クリス？」

「すごく元気よ」クリスはいささか陽気すぎる口調で答えた。「ニュース、聞いた？　わたし、プロムから閉めだされたのよ。そのかわりグレイルのやつ、きっと失業だわ」

スーはもちろんそのニュースを聞いていた。ユーインの生徒で知らない者はいなかった。

「パパがあいつらを訴えるのよ」と、クリスは続けた。それから肩ごしに、「ビリイイイイ！　こっちへきてスーにあいさつしてよ」

彼は読んでいた雑誌をおき、サイド・ヒッチのギャリソン・ベルトに親指をひっかけ、先細りのジーンズのふくらんだ股間《こかん》のほうに残りの指をぶらさげながら、ぶらぶら近づいてきた。スーはなんとも非現実的な気分に襲われ、両手で顔をおおって狂ったように笑いだしたい衝動を必死にこらえた。

「ハーイ、スー」と、ビリーがいった。彼はクリスの隣りに腰をおろして、すかさず彼女の肩を揉《も》みはじめた。その顔はまったく無表情だった。まるで牛肉の切身でも調べているようだった。

「とにかく、わたしはプロムをぶちこわしてやるつもりよ」と、クリスがいった。

「抗議の意味で」

「その考え、正しいかしら？」スーは心底から驚いて質問した。

「さあ」クリスは面倒くさそうに答えた。「そんなことわからないわ」突然竜巻でも起こったように、彼女の顔が怒りで歪《ゆが》んだ。「キャリー・ホワイトのやつ！　聖人ぶった顔して、いまいましいったらないわ！」

「いやなことはじき忘れるわ」と、スーがいった。

「あんた達もわたしと一緒に帰ってくれたらよかったのに……ねえ、スー、なぜそうしてくれなかったの？　そうすればこっちの勝ちだったのよ。あんたまで学校側の手先だとは思わなかったわ」

スーは顔が火照《ほて》ってくるのを感じた。「ほかの人はどうだか知らないけど、わたしはだれの手先でもないわ。自分が悪かったと思ったから罰を受けたまでよ。だってわたしたちはひどいことやったんだもの。わたしの意見はこれでおしまい」

「嘘《うそ》おっしゃい。キャリーのやつは、自分と母親以外の人間はみな地獄へ堕《お》ちるといいふらして歩いているのに、それでもあんたは彼女の肩を持つ気なの？　いっそあのナプキンをあいつの口に押しこんで黙らせるべきだったのよ」

「それもいいわ。じゃまたね、クリス」スーは立ちあがってボックス席から出た。

「まさかジャンヌ・ダルクを気どろうってんじゃないわね！　自分だってみんなと一緒にタンポンを投げつけてたくせに」

「ええ」スーは震えながら立ちどまった。「でもわたしは途中でよしたわ」

「ほんと、ごりっぱなこと。ビールを持ってってよ。わたしがさわったら黄金に変っちゃうかもしれなくってよ」

スーはビールを取りに戻らなかった。くるりと背を向けて、なかばよろめきながら店を出た。すっかり気が転倒してしまって、涙も出なければ腹も立たなかった。彼女は協調性に富んだ娘で、つかみあいにせよ口論にせよ、けんかをしたのは小学校時代の髪の引っぱりあい以来これがはじめてだった。それに原則を積極的に支持したのもまた、生まれてはじめての経験だった。

もちろんクリスの攻撃は彼女のいちばん痛いところを突いていた。彼女は偽善者になろうとしている、それは免れがたいことのように思えた。そして心の奥底には、ミス・デジャルダンの居残り授業で柔軟体操をやり、汗だくになって体育館でランニングをした理由は、高潔さとはまったく無縁だといういまわしい自覚があった。要するにハイスクール最後の春の舞踏会から閉めだされたくないというだけのことだった。いかなる犠牲を払ってもそれだけは避けたかった。

トミーの姿はどこにも見えなかった。

彼女は学校のほうへ戻りはじめた。胸がむかついていた。女子学生クラブのメンバー。よい子のスージー。結婚する相手としか寝ない優等生——もちろんその結婚は新聞の日曜版に載る。そして子供は二人。子供たちが少しでも本音をさらけだして、桃色遊戯にふけったり、けんかをしたり、ボスのご機嫌とりを拒んだりしたときは、こっぴどく叱《しか》りつける。

春の舞踏会。ブルーのガウン。午後いっぱい冷蔵庫に入れておいたコサージ。白のディナー・ジャケットを着て、サッシュ・ベルトをしめ、黒ズボンに黒靴をはいたトミー。居間のソファのそばでポーズをとって、コダック・スターフラッシュやポラロイド・ビッグ・ショットで両親にとってもらう写真。体育館の殺風景な大梁《おおはり》をおおい隠すクレープ・ペーパー。二組のバンド、ひとつはロックでひとつはムード・ミュージック。余計者はおことわり。モーティマー・スナードはご遠慮ください。将来のカントリー・クラブのメンバー、クリーン・コーナーズの住人だけどうぞ。しまいには涙が溢《あふ》れだし、彼女は夢中で走りだした。

『あばかれた影』（六〇ページ）より

つぎにかかげるのはクリス・ハーゲンセンからドナ・ケロッグにあてた手紙の抜《ばっ》萃《すい》である。ケロッグは一九七八年の秋に、チェンバレンからロード・アイランド州プロヴィデンスへ引越した。クリス・ハーゲンセンの数少ない親友の一人であり、なんでも打ち明ける仲だったと思われる。手紙の消印は一九七九年五月十七日となっている。

「そんなわけでわたしはプロムから閉めだされてしまったけど、うちの父は気が弱いもんだから、彼らを訴えるつもりはないといってるの。だけど彼らもこのままじゃすまないわ。まだどうするかはっきり決めてはいないけど、みんながびっくり仰天するようなことが持ちあがることだけは保証するわ……」


きょうは十七日だった。五月十七日。彼女は長い白のナイトガウンを着ると、すぐにカレンダーのその日付を×印で消した。毎日そうやって太い黒のフェルト・ペンで日付を消しながら、それは人生に対するきわめて不真面目《ふまじめ》な態度かもしれないと思う。だがそんなことはどうでもよかった。唯一《ゆいいつ》の関心事は、ママの命令であしたから登校し、クラスの全員と顔を合わせなければならなくなるということだった。

彼女は窓ぎわの小さなボストン・ロッキング・チェア（おこづかいで買った）に坐《すわ》って、目をつむり、クラスメイトや頭のなかのもろもろの考えを一掃した。それは帚《ほうき》で床を掃くのに似ていた。意識下という絨毯《じゅうたん》をはがして、その下の塵《ちり》を一掃するようなものだった。グッド・バイ。

彼女は目をあけた。そして机の上のヘアブラシに目を向けた。

曲がれ。

彼女はヘアブラシを持ちあげようとしていた。それは重かった。弱々しい腕でバーベルを持ちあげるのに似ていた。おお。彼女は唸《うな》った。

ヘアブラシは机のはしに移動し、重力の法則に従って下に落ちるはずの地点を通りすぎてもなお、見えない糸で吊《つ》るされているように宙に浮いた。キャリーの目は糸のように細くなっていた。こめかみがずきずきと脈打っていた。医者ならいまの彼女の生理状態に大きな関心を持ったことだろう。それは理窟《りくつ》では考えられない現象だった。呼吸は一分間十六回に低下し、血圧は百九十／百にあがっていた。脈搏《みゃくはく》は百四十——これは離陸時の巨大な重力負荷を受けた宇宙飛行士のそれよりも速かった。体温は三十四・六度までさがっていた。全身がどこから生じてどこへ行くともしれない燃えるエネルギーの塊だった。脳波をとれば、もはや波ともいえない、大きく揺れるギザギザの曲線を描くα波が現われていたことだろう。

彼女は用心深くヘアブラシをおろした。よかった。ゆうべは床に落としてしまった。

彼女はふたたび目をつむって、椅子《いす》を揺り動かした。肉体の機能が正常に復しはじめた。呼吸もほとんど胸をはずませるまでに速くなった。ロッキング・チェアがかすかに軋《きし》んだ。だが不快ではなかった。むしろ心がなごんだ。揺れろ、揺れろ。頭のなかをすっきりさせろ。

「キャリー」少し心配そうな母親の声が階下から聞えてきた。(ミキサーのスイッチを入れるとラジオに雑音が入るように　いつもこうして邪魔が入る)

「お祈りはもうすんだの、キャリー？」

「いまやってるところよ」と、彼女は答えた。

嘘ではなかった。彼女は確かにいま祈っていた。

彼女は小さなソファ・ベッドに目をこらした。

曲がれ。

ひどく重い。大きくて、なかなか持ちあがらない。

ベッドはぐらぐら揺れ、やがて一端が三インチほど持ちあがった。

それはどすんと音をたてて落ちた。彼女は口もとにかすかな笑いを浮かべて、ママが大きな声で叱るのを待った。だが彼女は叱らなかった。そこでキャリーは立ちあがり、ベッドに近づいて、冷たいシーツのあいだに体を滑りこませた。こうして練習をしたあとはいつでもそうなのだが、頭がずきずき痛んでめまいがした。心臓は激しく動悸《どうき》を打った。

彼女は手をのばして明りを消し、ベッドに横たわった。枕《まくら》はなかった。ママは枕を使うことを許さなかった。

彼女は、小悪魔や悪魔の使いや魔女たちが

（わたしは魔女でママは悪魔の淫売《いんばい》なのかしら）

夜の闇《やみ》のなかを飛びまわって、ミルクを酸《す》っぱくしたり、バターの攪拌器《かくはんき》をひっくりかえしたり、作物を枯らしたりし、一方では彼らがドアに魔除《まよ》けの印を描いた家のなかで、身を寄せあってじっと息を殺している光景を思い描いた。

彼女は目をつむって眠り、巨大な生きた石が闇を貫いてママや彼らを追いかける夢を見た。彼らは必死で逃げ、隠れようとした。しかし岩は彼らを隠さず、枯木も避難所を与えなかった。

スーザン・スネル著『わたしの名はスーザン・スネル』（ニューヨーク、サイモン・アンド・シュスター、一九八六年）i―ivページより

プロムの夜、チェンバレンの町で起こったことについて、だれ一人理解していないことがひとつあります。新聞も、デューク・ユニヴァーシティの学者たちも、デ

ーヴィッド・コングレスも――もっとも彼の著書『あばかれた影』は、この事件について書かれた多少ともましな本としては唯一のものですが――ましてやわたしを手頃な犠牲《いけにえ》の山羊《やぎ》として利用したホワイト委員会も、ついにそのことを理解しませんでした。

それはもっとも基本的な事実、すなわちわたしたちはみな子供だったという事実です。

キャリーは十七歳でした。クリス・ハーゲンセンもわたしも十七歳、トミー・ロスは十八歳、ビリー・ノーランは（おそらく試験のときにカンニングすることを知らなかったんでしょうけど、九学年で一年足踏みしたために）十九歳でした……ハイティーンともなれば、小さな子供たちよりは社会的に容認される行動をしますが、それでもなお判断を誤ったり、行きすぎたり、物事を見くびったりといった失敗は免れません。

このまえがきに続く冒頭の部分で、わたしは自分のなかのそういった傾向をできるだけ明らかにしなければなりません。でもこれからお話ししようとする問題が、あの舞踏会《プロム・ナイト》の夜とわたしとのかかわりあいの根底にあったことは確かで、もしも自分の潔白を証明しようとするならば、わたしはまずとても心痛む光景を思いだすことから始めなければなりません……

わたしは前にもこの話をしました。とりわけキャリー委員会で話して、委員会のメンバーを驚かせたときのことはよく知られております。四百人が死に、町全体が廃墟《はいきょ》と化した事件のあとでは、その事実、つまりわたしたちが子供だったという事実は、いとも簡単に忘れ去られてしまうのです。わたしたちは子供でした。それぞれ全力を尽そうと努力していた子供だったのです……

「きみは頭がどうかしちゃったんだよ」

彼はたったいま聞いたことを信じたくないというように、彼女にむかってまばたきをした。二人は彼の家にいた。テレビがついていたが、二人とも見向きもしなかった。彼の母親は向かいのミセス・クラインの家へ行って留守だったし、父親は地下の工作室で鳥籠《とりかご》を作っていた。

スーは落ちつかないようすだったが、決心は固かった。「絶対にそうしてほしいのよ、トミー」

「しかし、ぼくは気がすすまないな。こんな頭がおかしくなりそうな話は聞いたこともないぜ。まるでだれかと賭《かけ》でもしてるみたいだよ」

彼女の顔がこわばった。「そうなの？　こないだの晩偉そうな口をきいたのは、たしかあなただと思うけど。でも自分のお金を賭けろっていわれると、その大きな口が――」

「ちょっと待ってくれよ」彼は気を悪くしたようすもなく、にやにや笑っていた。「いやだとはいってないぜ。少なくともまだいってないよ」

「あなたは――」

「まあ待ってったら。ぼくにしゃべらせてくれよ。きみはぼくがキャリー・ホワイトを春の舞踏会に誘うことを望んでいる。それはわかったさ。でもわからないことが二つある」

「いってみて」彼女は身を乗りだした。

「第一に、そんなことをしてなんになるんだ？　第二に、ぼくが誘えば彼女が承知すると思った理由は？」

「承知するに決まってるわ！　だって――」彼女は口ごもった。「あなたは……みんなに好かれているし、それに――」

「みんなに好かれてるからって、キャリーにも好かれるっていう保証はないぜ」

「あなたに誘われたら断われないわ」

「どうしてさ？」

そう問いつめられて、彼女は反抗的な、それでいて誇らしげな表情を浮かべた。

「あなたを見るときのキャリーの目つきでわかるわ。彼女はあなたに夢中なのよ。ユーインの女生徒の半分と同じようにね」

彼は目を丸くした。

「とにかくこれだけはたしかよ」スーは防戦口調でいった。「彼女は絶対にいやといえないわ」

「かりにそうだとしても」と、ロスがいった。「もうひとつの質問のほうはどうなんだ？」

「そんなことをしてなんになるかってこと？　それは……彼女を殻のなかから引きだすことになるわ、もちろん。彼女を……」スーはいいよどんだ。

「仲間に引きいれるっていうのかい？　よせよ、スー。自分だってそんなこと信じちゃいないくせに」

「わかったわ。あなたのいう通りかもしれない。だけど、それが彼女への埋めあわせになるかもしれないという気持は嘘《うそ》じゃないわ」

「シャワー・ルームの一件のかい？」

「それだけじゃないわ。それで借りがすっかり返せるんならいいんだけど、グラマー・スクールのころから、キャリーはかぞえきれないほど意地悪されてきたのよ。わたしだっていつもじゃないけど、何度かは一緒になって彼女をいじめたわ。キャリーとしょっちゅう顔を合わせていたら、きっともっともっといじめてたと思うわ。なんていうか……気晴らしにはもってこいなのよ。女の子ってそういうことならいくらでも意地悪くなれるのよ、男の子にはわかんないだろうけど。そりゃあ男の子だって少しはキャリーをいじめるけど、すぐに忘れてしまう。ところが女の子ときたら……いつまでたってもやめようとしない、わたしなんかいつから始まったかもうおぼえてないぐらいよ。もしわたしがキャリーだったら、恥ずかしくて人前に顔なんか出せないと思う。大きな岩を見つけてその下に隠れてしまいたいぐらいよ」

「それはきみたちが子供だったからさ」と、彼はいった。「子供は自分のやってることがよくわからないんだよ。自分の反応が現実に他人を傷つけているなんてことに気がつきゃしないんだ。つまりその、感情移入ってやつができないんだよ。わかった?」

彼女はトミー・ロスの言葉が自分のうちに呼びおこした考えを、言葉で表現しようと努めていた。なぜならそれがもっとも重要なことで、山々の上に空が拡《ひろ》がるように、シャワー・ルーム事件の上にそれが拡がっているように思えたからである。

「でも自分の行動が現実に他人を傷つけていることに気づかないのは、なにも子供ばかりじゃないわ！　人間はいつまでたってもよくはならない、ただ利口になるだけよ。利口になると、蠅《はえ》をつかまえて羽をむしりとることをやめないけれども、羽をむしりとるためのもっとましな口実を考えだすようになるわ。多くの子供たちがキャリー・ホワイトはかわいそうだっていうけど――そのほとんどは女の子よ、お笑いぐさだわ――それじゃ毎日毎秒キャリー・ホワイトであることがどういうことかわかってるかっていえば、そんな子はきっと一人もいやしないわ。彼らにはそんなことどうだっていいのよ」

「きみはどうなんだ？」

「わからないのよ！」と、彼女は叫んだ。「だけど、だれかが本気で……なにか意味のある行動で、彼女に同情しなきゃいけないわ」

「わかったよ。彼女を誘ってみよう」

「ほんと？」彼女の声にはむしろ意外そうな響きがあった。彼が承知するとは思っていなかったのだ。

「ああ。しかし彼女はうんといわないと思うな。きみはぼくの人気を買いかぶってるよ。人気なんていいかげんなもんさ。きみは一時の熱狂にとりつかれているんだよ」

「ありがとう」と、彼女はいった。そこには自分を責めさいなむ異端審問官に感謝するような、奇妙な響きがあった。

「愛してるよ」と、彼がいった。

彼女は驚いて彼の顔を見た。彼が愛しているといったのはそれがはじめてだった。


『わたしの名はスーザン・スネル』（六ページ）より

わたしがトミー・ロスにキャリーを春の舞踏会へ誘ってくれと頼んだことを、意外に思わない人が――大部分は男性ですが――大勢います。その人たちはむしろ彼がキャリーと一緒にプロムへ行ったことに驚くのですが、これは男性一般が同性のなかに愛他主義の精神をあまり期待していないことのあらわれなのでしょう。

トミーはわたしを愛していたから、わたしがそれを望んだから、彼女と一緒に行ったのです。どうして彼がきみを愛しているとわかったのか、と懐疑派はいうでしょう。その答えは、本人がそういったからです。もしもトミー・ロスを知っていたら、わたしならずともその言葉だけで充分だと思ったことでしょう……

彼は木曜日の昼食後にキャリーを誘ったが、気がつくと最初のアイスクリーム・パーティにでかける前の子供のようにそわそわしていた。

彼女は五時間目の自習室で四列はなれたところに坐《すわ》っており、休み時間になると彼は人ごみをかきわけてそばに近づいていった。教卓では、そろそろ太りはじめた長身のミスター・スティーヴンズが、ぼんやりした顔で答案を折りたたんで、みすぼらしい茶色の書類鞄《しょるいかばん》にしまいかけていた。

「キャリー」

「ううっ？」

彼女はだれかに殴られるとでも思ったらしく、びくっとして読んでいた本から顔をあげた。その日は曇っていて、天井にはめこまれた蛍光燈《けいこうとう》の列が、彼女の青白い顔をいちだんと青白く見せていた。しかし彼ははじめて（彼女の顔をじっくり見たのはそのときがはじめてだったから）彼女が不快感を与える顔をしていないことに気づいた。うりざね顔というよりは丸顔で、目は下に傷痕《きずあと》のような影を落とすかと思われるほど黒かった。髪は濃いブロンドで、やや硬く、彼女には似合わない束髪に結われていた。唇はみずみずしいといえるほどにふっくらしていて、歯は真白だった。スタイルは全体として印象が薄かった。だぶだぶのセーターが申しわけ程度に胸のふくらみを示していた。スカートは色あいこそ派手だがひどい代物《しろもの》だった。一九五八年にはやった、裾《すそ》が脛《すね》の中ほどまで達する、Aラインの、なんとも奇妙で不《ぶ》恰好《かっこう》なやつである。ふくらはぎは逞《たくま》しくふっくらして（それを混色織りのニー・ソックスで隠そうとする試みは、ちぐはぐな感じを与えるばかりで成功していなかった）形が整っていた。

彼女は不安ともなんともつかぬ表情で、彼のほうを見かえしていた。彼にはそのあいまいな表情の意味がわかりすぎるほどよくわかった。スーのいう通りだった。一瞬彼の心を、はたしてこれでキャリーに親切にしてやることになるのだろうか、むしろ事態をますます悪化させるだけではないのか、という疑問がよぎった。

「舞踏会の相手がまだ決まってないんなら、ぼくと一緒に行ってくれないか？」

彼女は目をぱちくりさせた。すると不思議なことが起こった。それはおそらく一秒間たらずの出来事だったろう、だがあとになって、夢や既視感《デジャ・ヴュ》（訳注　心理学用語で、未体験のものをすでに体験したかのように感じる錯覚をいう）と同じように、彼は容易にそれを思いうかべることができた。めまいに襲われたのである。もはや精神が肉体をコントロールしていないかのような感覚――酒を飲みすぎて吐きたくなったときに経験する、あのみじめな、自分で自分をコントロールできないような感覚に似ていた。

やがてそれは消えた。

「えっ？　なんていったの？」

少なくとも彼女は怒っていなかった。彼はキャリーが一瞬怒り狂い、それからすばやく殻のなかに閉じこもってしまうだろうと予想していた。だが彼女は怒らなかった。ただ彼のいったことの意味が理解できないようだった。前の時間の生徒が引きあげて、つぎの時間の生徒が入ってくるまでのあいだ、彼らは二人だけで自習室にとり残された。

「春の舞踏会だよ」と、彼は少し震えながらいった。「来週の金曜日のことをこんな間ぎわにいいだしたりして悪いけど――」

「かつがれるのはいやよ」彼女は小声でいって、うなだれた。そして一瞬ためらってから、彼の脇《わき》を通り抜けた。だが立ちどまって振りかえった。突然彼は、彼女のなかにおかしがたい威厳を認めた。それは彼女自身気づいているのかどうか疑わしいほど、自然ににじみでた威厳だった。「わたしをいつまでも騙《だま》しつづけられると思っているの？　あなたが一緒に行く相手がだれか、わたしちゃんと知ってるのよ」

「ぼくは行きたくない相手とは一緒に行かないよ」トミーは辛抱強くいった。「きみを誘ったのは、きみに一緒に行ってもらいたいからさ」結局のところ、彼はこの言葉が嘘ではないことに気がついた。スーが償いのジェスチャーを示そうとして、彼を通じて間接にそうしていることになるからだった。

六時間目の生徒が自習室にやってきて、興味津々《しんしん》で二人のほうを眺めていた。デール・アルマンがトミーの知らない男の子になにか耳打ちし、二人はくすくす笑いだした。

「行こう」と、トミーがいった。二人は廊下へ出た。

二人が肩を並べて第四校舎への途中まできたとき——彼の教室は反対の方向だったから、そうなったのはおそらく偶然だったろう——彼女がほとんど聞きとれないような声でいった。「行きたいわ。とっても」

彼はその言葉をそのまま承諾の返事と受けとるほど鈍感ではなかったので、ふたたび疑いにとりつかれた。しかし、手がかりがつかめたことは確かだった。「そんなら行こうよ。なにも心配ないさ。おたがいに。うまくゆくよ」

「でもだめよ」と、彼女はいった。突然の物思わしげな表情は、美しさと間違えられる可能性があった。「きっと恐しいことになるわ」

「ぼくはチケットを持ってないんだ」と、彼は聞いていなかったように続けた。「チケットが買えるのはきょうまでなんだよ」

「おい、トミー、そっちは方角がちがうぜ！」と、ブレント・ギリアンが叫んだ。

彼女は立ちどまった。「授業に遅れるわ」

「いいだろう？」

「ええ」彼女は仕方がないというように怒って答えた。「わかってるくせに」

「そんなことないよ」彼はいった。「だけどもうわかった。七時半に迎えに行くよ」

「いいわ」と、彼女は囁《ささや》いた。「ありがとう」彼女はいまにも気を失いそうに見えた。

それから、いよいよ不安な気持で、彼は彼女の手を握った。


『あばかれた影』（七四―七六ページ）より

おそらくキャリー・ホワイト事件のなかで、ユーイン・ハイスクールの春の舞踏会におけるキャリーの不運なエスコート、トーマス・エヴァレット・ロスによって演じられた役割ほど、誤解され、あとからいろいろと理窟《りくつ》をつけられ、謎《なぞ》に包まれた部分はないだろう。モートン・クラッチバーケンは、昨年開催された心霊現象に関する全国共同討議の席上、そのセンセーショナルな発言のなかで、二十世紀に起きた最も驚くべき二つの事件は、一九六三年のジョン・F・ケネディ暗殺と、一九七九年五月にメイン州チェンバレンを襲った大惨事であると述べている。クラッチバーケンの指摘によれば、二つの事件はともにマス・メディアによって市民のあいだに浸透し、ともになにかが終る一方で、別のなにかがいいにせよ悪いにせよ取返しのつかない形で始まったという驚くべき事実を、声を大にして告げたのだった。あえて比較するならば、トミー・ロスはリー・ハーヴェイ・オズワルドの役割——すなわち悲劇の引金を引く役割を演じたのである。ただ残る疑問は、彼がオズワルドのようになにもかも知りながら引金を引いたのか、あるいは知らずにそうしたのかということである。

スーザン・スネルは、彼女自身認めているように、ロスにエスコートされて恒例のプロムに出席することになっていた。彼女はシャワー・ルーム事件の償いをするために、ロスにキャリーを誘うよう頼んだと主張している。この主張を否定する人々は、最近ではハーヴァードのジョージ・ジェロームがその代表格だが、これをきわめてロマンティックな事実の歪曲《わいきょく》、あるいは真赤な嘘だときめつける。ジェロームは、ハイスクール世代の青年たちが、なにかの——とりわけグループからはじきだされてきたクラスメイトに対する意地悪の——〝償い〟をしなければならないと感じることは、まずほとんどありえないと力説する。

「もし彼ら青春期の男女の性質にも、群れのなかでいじめられている弱い鳥の誇りと体面を、そのような高貴な自己犠牲によって救ってやるような一面があるとすれば、それはそれですばらしいことである」と、ジェロームは《アトランティック・マンスリー》の最新号で述べている。「だが事実はそうではない。弱い鳥は仲間によって屈辱の底からやさしく助け起こされるのではなく、むしろすばやく、情容赦なく殺されてしまうのである」

むろんジェロームの説は――少なくとも鳥に関するかぎり――完全に正しいし、疑いもなく彼の雄弁は〝悪ふざけ〟説優勢の大きな根拠となっている。ホワイト委員会はこの〝悪ふざけ〟説に接近したが、最終的にはそれを採用しなかった。この説はロスとクリス・ハーゲンセンが（一〇一―一一〇ページ参照）、キャリー・ホワイトを春の舞踏会に誘いだし、衆人環視のなかで彼女に決定的な屈辱を与えるというあいまいな共同謀議の中心人物であったと仮定する。さらにこの説をとる人々の何人かは（大部分は犯罪小説作家である）スー・スネルもまたこの共同謀議に積極的に加わったと主張する。これは謎に包まれたトミー・ロス像に、情緒不安定な一人の少女を操って極端なストレス状態に追いこむというたちの悪いいたずらをした男、という最悪の照明を当てることになる。

本書の著者は、トミー・ロスの性格と照らしあわせて、その説をとらない。そもそもトミー・ロスの人間像は、彼をグループのボス的存在で、あまり頭のよくないスポーツマンと規定した彼の非難者たちに、ほとんど見すごされている。トミー・ロスに奉《たてまつ》られた〝うすのろ〟という形容が、これら非難者の意見を端的に示している。

ロスが平均以上の能力を持つスポーツマンであったことは事実である。彼のもっとも得意とするスポーツは野球で、二年のときからユーイン・チームのレギュラーだった。ボストン・レッドソックスの監督であるディック・オコーナーは、もしロスが生きていればプロ球団から多額の契約金を提示されただろうと語っている。しかしロスは同時に学業成績もきわめて優秀であり（〝うすのろ〟のイメージとは相容《あいい》れない）、両親の語るところによれば、プロ球界入りは大学を卒業してからでも遅くないと考えていた。なお大学では英語学を専攻して学位をとる計画だったという。彼の関心は詩作にも向いており、死の六か月前に書いた詩が《エヴァリーフ》という高級な〝リトル・マガジン〟に掲載されている。本書の付録Vにこの詩を転載した。

生き残ったクラスメイトもまた彼を高く評価しているが、このことは重要である。

新聞雑誌等で〝舞踏会の夜《プロム・ナイト》〟と称されるようになった事件の生き残りは、わずか十二人をかぞえるにすぎない。出席しなかった生徒たちは、三年と四年のあまり人気のない者がほとんどであった。これらの〝余計者〟たちがロスを親しみのもてる気のいいやつとして記憶しているとすれば（彼らの多くは、ロスを〝すごくいいやつ〟と呼んだ）、ジェローム教授の説も揺らぎだすのではないだろうか？

彼の学業成績は――州の法律によって、その写しをここに発表することは禁じられている――クラスメイトの思い出や、親戚《しんせき》、隣人、教師などの意見とつきあわせてみると、一人のまれに見る若者の姿を描きだす。これはジェローム教授描くところの、徒党を組んで行動したがる陰険で不良がかった若者のイメージとはまったく相反する事実である。明らかに彼は、だれよりも先にキャリー・ホワイトを誘うだけの、周囲の悪口に対する寛容と、グループからの独立心を持ちあわせていた。要するに、トミー・ロスはまれに見る人物、すなわち社会的意識を持った青年だったと思われる。

ここで彼を聖人にまつりあげるつもりはない。またわたしはほかのいかなる意図も持っていない。しかし厳密な調査の結果、彼が学校の庭にたむろして、心なくも弱いめんどりいびりに加わるおんどりのような人間ではなかったことを知って、わたしは満足している……
彼女はベッドに横たわって
（こわくない　彼女なんかこわくない）
片腕で目をおおった。土曜日の夜だった。いま考えているようなドレスを作るとしたら、遅くも
（ママなんかこわくない）
あしたにはとりかかる必要があった。布地はすでにウェストオーヴァーのジョンズで買ってあった。その重い、皺《しわ》の寄った、豊かなビロードの手ざわりが彼女を驚かせた。値段もびっくりするほど高かったし、店の広さや、明るい春の装《よそお》いで店内を歩きまわりながら布地の品定めをするシックな婦人たちにも、気おくれを感じた。そこでは不思議な雰囲気がこだましあい、彼女がいつも布地を買っているチェンバレンのウルワースとはまるで別世界の感があった。
気おくれを感じたけれども断念はしなかった。なぜなら、その気になれば店内の人間が悲鳴をあげて外へ逃げだすように仕向けることもできたからである。マネキン人形を倒し、店内の備品を床に落とし、巻かれた布地をほどいて空中に飛ばすこともで

きる。彼女がその気になれば、寺院のなかのサムソンのように、彼らの頭上に破壊の雨を降らすことができるのだ。

（こわくなんかない）

買物の包みは地下室の乾燥棚に隠されており、彼女はそれを持ちだすつもりだった。今夜。

彼女は目をあけた。

曲がれ。

机が空中に浮きあがり、ほんの少し震動したかと思うと、やがてほとんど天井につきそうになるまで持ちあがった。彼女はそれを下におろした。また持ちあげた。そしてふたたびおろした。つぎは自分の体重をのせたままのベッドを持ちあげた。上へ。下へ。上へ。下へ。それはエレベーターに似ていた。

疲れはほとんど感じなかった。ほんの少し疲れたが、大したことはなかった。二週間前にはほとんど失われていた能力が、いまいちどきに花開いていた。しかもその能力が向上するスピードは――

とにかく恐しいほどだった。

そしていま、彼女が望んだとも思えないのに――ちょうど生理の知識がそうだった

――さながら心のダムが決潰《けっかい》して不思議な水がどっと溢《あふ》れだすように、無数の記憶がよみがえっていた。それらはあいまいに歪《ゆが》んだ幼少時の記憶だったにもかかわらず、みなきわめてリアルだった。壁の絵をぴょんぴょん踊らせたこと、部屋のはずれから水道の蛇口をゆるめたこと、ママが早くなんとかしなさいといい
（キャリー　窓をしめなさい　雨が降ってきそうよ）
突然家じゅうの窓という窓が大きな音をたててしまったこと、ミス・マクファーティのフォルクスワーゲンのタイヤのヴァルブをゆるめて、四輪とも一度に空気を抜いてしまったこと、石が――
（！！！！！ノー　ノー　ノー　ノー！！！！！）
――だが毎月の出血を否定できないと同じように、いまやその記憶を否定することはできず、しかもその記憶だけはほかの記憶とちがってあいまいではなかった。それはジグザグに走る稲妻のように荒々しく輝いていた。あの女の子
（ママやめて　息ができないわ　おお　喉《のど》が　おお　ママごめんなさい　見たの悪かった　ママ　おお　舌が　口から血が）
あのかわいそうな女の子
（このあばずれ　おお　どうしてやるか見ててごらん）

あのかわいそうな女の子は体の半分をクローゼットの中に、半分を外に出して倒れ、あらゆるものの前で黒い星がちらちら踊っているのを見、はるかかなたのやさしい唸《うな》りのような音を聞き、唇のあいだから腫《は》れあがった舌をだらりとのぞかせ、ママに絞めあげられた首が赤く腫れあがってすりむけ、やがてママが戻ってきて、パパ・ラルフの長い肉切りナイフを右手に持って彼女のほうに戻ってきて

（剔《く》りぬいてやる　よこしまな肉欲のしるしを剔りぬいてやる　おお　わたしにはちゃんとわかっている　その目だ　その目を剔りぬいてしまわなきゃ）

ママの顔は歪んで痙攣《けいれん》し、顎《あご》にはよだれがたれ、左手にパパ・ラルフのバイブルを持って

（あの淫《みだ》らな裸をもう二度と見られないようにしてやる）

そのときなにかが曲がった、そう**曲**がったのだ、なにか形の定まらない巨大なもの、いまの彼女にはなく、今後もあるとは思えない力の源が、そしてなにかが屋根の上に落ち、ママが悲鳴をあげてパパ・ラルフのバイブルを取りおとした、いい気味だった、やがてまたどすんどすんと音がして、家のなかの家具が激しく動きだし、ママはナイフを投げだして床にひざまずき、両手を高々とあげて体をぐらぐらさせながら祈りはじめた、そのあいだに椅子《いす》がすごい勢いで廊下を滑っていき、二階のベッドがひっく

りかえり、食堂のテーブルが窓から外にとびだしそうになり、やがてママの目が異様に大きくふくれあがって、あの女の子に指を突きつけ
（おまえだ　悪魔の子　魔女　小悪魔　おまえの仕業だ）

それから石が降ってきて、神さまが足踏みでもするようにばりばりどすんと屋根が鳴りだすと、ママは気絶し——

やがて彼女自身も気絶した。それから先はなにも記憶がなかった。ママはそのことを一言も口に出さなかった。肉切りナイフはひきだしにしまいこまれた。ママが首の大きなどすぐろい傷に繃帯《ほうたい》を巻いてくれたので、どうしてそんな怪我《けが》をしたのかとママに質問したような気がするのだが、ママは固く口を閉ざしてなにも語らなかった。それは徐々に忘れられた。記憶の目は夢のなかでしか開かなかった。もはや壁の絵が踊りだすことも、窓がひとりでにしまることもなかった。キャリーはもうそのころのことをおぼえていなかった。ついいましがたまでは。

彼女はベッドに横たわって、天井を見あげながら汗をかいていた。

「キャリー！　ごはんよ！」

「ありがとう
（こわくなんかないわ）

ママ」

彼女は起きあがって、濃紺のヘアバンドで髪を束ねた。それから階下へ降りていった。

『あばかれた影』（五九ページ）より

キャリーのいわゆる〝超能力〟はどの程度明白だったのか、またマーガレット・ホワイトは、その極端なキリスト教的倫理で、それをどう考えていたのだろうか。おそらくわれわれには知るよしもないだろう。しかしミセス・ホワイトの反応はきわめて激しいものであったろうと思わずにはいられない……

「パイに手をつけてないじゃないの、キャリー」ママはコンスタント・コメント紅茶を飲みながら熟読していたパンフレットから視線をあげた。「うちで作ったパイなのよ」

「ニキビが出ていやなんだもの、ママ」

「ニキビは神さまがおまえを懲《こ》らしめたしるしなんだよ。だから食べなさい」

「ママ？」

「なに？」

キャリーは思いきっていった。「来週の金曜日に、トミー・ロスから春の舞踏会に招待されたんだけど――」

パンフレットはもう眼中になかった。ママは自分の耳が信じられないといった表情で、彼女をみつめていた。鼻孔がガラガラ蛇の乾いた音を聞きつけた馬のそれのように拡《ひろ》がった。

キャリーは喉につかえたものを嚥《の》みくだそうとしたが
（こわくなんかない　いいえ　やっぱりこわいわ）

あまりうまくいかなかった。

「――彼はすてきな男の子よ。うちまで迎えにきてママにあいさつし――」

「だめよ」

「――十一時までに送りとどけるって約束したわ。わたし――」

「だめ、だめ、だめ！」

「――承知したわ。ねえ、わかってよママ、わたしだってそろそろ……みんなに溶けこむように努力しなきゃ。わたしはママとは違うわ。わたしは変り者なの……つまり、みんなに変り者だと思われているのよ。だけどそんなのいやだわ。手遅れにならないうちに、なんとかまともな人間になりたい――」

ミセス・ホワイトはキャリーの顔に紅茶を浴びせかけた。

紅茶はなまぬるかった。しかし火傷《やけど》するほど熱かったとしても、キャリーはそれ以上急に黙りはしなかったろう。彼女は凍りついたように微動もせず、琥珀色《こはくいろ》の液体が顎と頬から白いブラウスに滴《したた》って、じわじわと拡がった。それはねばねばして、シナモンの香りがした。

ミセス・ホワイトは震えながら坐《すわ》っていた。ますます拡がりつづける鼻孔を除いて、顔は凍りついたように無表情だった。突然、彼女はさっとのけぞって、天井めがけて叫んだ。

「神さま！　神さま！　神さま！」一音節ごとに顎が激しくぶつかりあった。

キャリーは身じろぎもせずに坐っていた。

ミセス・ホワイトが立ちあがって、テーブルをまわった。両手の指が鳥の爪《つめ》のように曲がってぶるぶる震えていた。顔には憐《あわ》れみと憎しみのいりまじった半狂人の表情があった。

「クローゼットよ」と、彼女はいった。「クローゼットに入って祈りなさい」

「いやよ、ママ」

「男。そう、つぎは男と決まってる。血を流したあとは、男どもが追いかけてくる。犬のように鼻をくんくんさせ、歯をむきだし、よだれをたらしながら、匂《にお》いをかぎに寄ってくるんだよ。あの……匂い！」

彼女は片腕を大きく振りまわした。平手がキャリーの頬に当った音は

（おお　神さま　こわい）

キャリー

空気を切り裂く革ベルトの音に似ていた。キャリーは上半身をぐらつかせながらも、じっと坐ったままだった。頬がはじめ白くなり、やがて血のように赤くなった。

「それが目じるしよ」と、ミセス・ホワイトはいった。目は大きく見開かれていたが、うつろだった。彼女はせわしなく、切れぎれに息を吸いこんだ。鳥の爪のような手でキャリーの肩につかみかかって、彼女を椅子から立たせながら、まるで自分自身に話しかけているかのようだった。

「わたしは見た。そう。でも、わたしは、決して、しなかった、彼さえいなければ。彼が、わたしを、抱いて……」彼女は言葉を切って、定まらぬ視線を天井に向けた。

キャリーはこわくなった。ママはわが身を滅ぼしかねない重大な秘密を打ち明けようとして悩んでいるように見えた。

「ママ――」

「車で。彼らがおまえを車でどこへ連れてゆくか、わたしにはわかっている。町はずれ。酒場。ウィスキー。鼻をくんくんさせて……ああ、彼らはお前の匂いをかぎつけるんだよ！」彼女の声は絶叫に近くなった。首の筋が突っぱり、頭がなにかを捜し求めるように上にむかって輪を描いた。

「ママ、やめて」

その言葉が彼女をある種のおぼろげな現実に引き戻したようだった。唇を根源的な驚きでひきつらせながら、彼女は新しい世界のなかで古い方角を手探りするかのように動きを止めた。

「クローゼットよ」と、彼女は呟《つぶや》くようにいった。「クローゼットに入って祈りなさい」

「いやよ」

ママは手をあげて打とうとした。

「いや！」

手が空中でぴたりと止まった。ママは手がまだそこにあって無事であることを確かめるように、目をあげた。

突然パイの鍋《なべ》がテーブルの三脚台から浮きあがって、部屋のなかを飛んでいき、居間のドアの横に衝突して、コケモモのよだれを撒《ま》き散らした。

「わたしはトミーと行くわよ、ママ！」

ママの逆さになったティーカップが宙に浮き、彼女の頭のそばを通りすぎてストーヴの上で割れた。ママは金切声を発してひざまずき、両手で頭をおおった。

「悪魔の子」と、彼女は呻《うめ》いた。「悪魔の子、サタンの申し子――」

「ママ、立ってよ」

「色欲と放蕩《ほうとう》、肉の渇き――」

「立ってよ！」

ママの言葉は声にならなかったが、なおも捕虜のように両手を頭の上にあげながら立ちあがった。唇が動いていた。キャリーには主の祈りを唱えているように見えた。

「ママと争いたくないのよ」と、キャリーがいった。その声は口からでたとたんに消えいりそうになった。彼女は消えそうな声をふるいたたせた。「わたしはただ自分の生活をさせてもらいたいだけよ。わたし……ママの生活なんか嫌いだわ」彼女は恐しくなって口をつぐんだ。ついに最悪の冒瀆《ぼうとく》を口にしてしまった。それは淫らな言葉より千倍も悪質だった。

「魔女」と、ママは囁《ささや》いた。「聖書のなかに、『なんじ魔女を生かすなかれ』という言葉があるわ。おまえのお父さんは主のお仕事を――」

「その話はしたくないわ」と、キャリーがいった。ママが父親の話を持ちだすたびに、彼女はいつも動揺した。「わたしはただ、いろんなことが変ろうとしていることを、ママにわかってもらいたいだけなのよ」彼女の目がきらりと光った。「彼らにもわからせなきゃ」

だがママはまたひとりごとを呟いていた。

喉に拍子抜けした感じと下腹に混乱した感情の不快なわだかまりを感じながら、キャリーは割りきれない気持で地下室へドレスの布地を取りに降りていった。

地下室はクローゼットよりましだった。青い光に照らされ、汗と彼女自身の罪の匂いでむんむんするクローゼットよりは、どんなものでもましだった。なんでも。すべてが。

彼女は布地の包みを胸に抱きしめて立ち、目をつむって、地下室の蜘蛛《くも》の巣におおわれた裸電球の弱々しい光をしめだした。トミー・ロスが自分を愛していないことは知っていた。これは奇妙な償いの一種であり、彼女にはそのことが理解できたし、それに応《こた》えてもよいという気持があった。なにしろ物心ついたときから償いという概念には馴《な》れ親しんできた。

彼はなにも心配はない――うまくゆくといった。彼女もうまくやるつもりだった。彼らはなにも始めないほうがいい。なにもしないにかぎる。彼女にはこの思いがけない贈物の主が光の王なのか闇《やみ》の王なのかわからなかったが、いまはどちらでも構わないと考えるようになり、あたかも長いあいだの重荷を肩からおろしたように、ほとんど口ではいえないほどの安心感に浸っていた。

階上ではママが祈りつづけていた。それは主の祈りではなかった。申命記《しんめいき》のなかの悪魔《あくま》祓《ばら》いの祈禱《きとう》だった。

『わたしの名はスーザン・スネル』（二三ページ）より
とうとう事件に関する映画まで作られました。わたしは去る四月にその映画を見ました。見終って外に出たとき、吐き気をもよおしました。アメリカ人はなにか大事件が起きるたびに、それを赤ん坊の靴のように金箔《きんぱく》で飾りたてずにいられません（訳注　子供が最初にはいた靴を金箔で飾って記念にとっておく風習がある）、そうしてはじめて忘れることができるのです。しかしキャリー・ホワイトを忘れることは、おそらくだれもが考える以上に大きな誤りでしょう……

月曜日の朝、グレイル校長と教頭のピート・モートンは、校長室でコーヒーを飲んでいた。

「ハーゲンセンはまだなにもいってきませんか？」と、モートンがきいた。その唇はジョン・ウェイン風に歪《ゆが》んでいたが、口端にやや不安そうな影がちらついていた。

「まるで音沙汰《おとさた》なしだね。それからクリスティーンは、父親がわれわれの職を奪ってセールスマンに転職させるといいふらすのをやめたようだな」グレイルは不機嫌な顔でふうふうコーヒーをさました。

「あまりうれしそうじゃないですね」

「うれしくないさ。キャリー・ホワイトがプロムに出席することを知ってるかね？」

モーティは目をぱちくりさせた。「相手はだれです？　鉤鼻《かぎばな》ですか？」鉤鼻というのは、これもユーインのはみだし者の一人であるフレディ・ホルトのことだった。体重が水に漬けても百ポンドしかなさそうな少年で、ざっと見たところではそのうちの六十ポンドを鼻が占めていると思いたくなるような顔をしていた。

「いや」と、グレイルが答えた。「トミー・ロスだよ」

モーティはコーヒーを気管に吸いこんで、激しくむせた。

「わたしもきみと同じ気分だよ」と、グレイルがいった。

「彼のガール・フレンドはどうしたんです？　例のスネルの娘は？」

「これはどうやら彼女の指金《さしがね》らしいよ。わたしが彼女と話した感じでは、キャリーの一件でひどく気が咎《とが》めているようだった。いま彼女は飾りつけ委員会に加わって、最高学年のプロムに出席しなくたってなんでもないという顔で、喜々として働いているよ」

「ほう」モーティは賢明にも意見を控えた。

「それからハーゲンセンだが――彼はだれかと話してみて、われわれがその気になればキャリー・ホワイトのために訴訟を起こすこともできると気がついたに違いない。で、損得を秤《はかり》にかけてみたんだろうな。むしろ気がかりは娘のほうだよ」

「金曜の晩になにか騒ぎが起きると思いますか？」

「わからんね。クリスの仲間が大勢出席することになっている。それに彼女はあの厄介者のビリー・ノーランとつきあっているようだが、ビリーにも仲間がたくさんいる。妊婦をおどかして威張っているような連中だ。噂《うわさ》では、彼はクリス・ハーゲンセンのいいなりだそうだ」

「なにか具体的な心当りでもあるんですか？」

グレイルは苛立《いらだ》たしげなジェスチャーを示した。「心当り？　そんなものはないよ。しかしわたしも永年教師をやっているから、どうも雲行きが怪しいということは勘でわかるんだ。七六年のスタッドラーとの試合をおぼえているかね？」

モーティはうなずいた。ユーイン対スタッドラーの試合の記憶は、三年ぐらいではとうてい消えないだろう。ブルース・トレヴァーは合格点すれすれの生徒だが、すばらしいバスケットボール選手だった。コーチのゲインズは彼を嫌っていたが、トレヴァーのおかげでユーインは十年ぶりに地区対抗トーナメントに出場できそうだった。ところが彼はスタッドラー・ボブキャッツ相手の最終予選試合の一週間前に、ユーイン・チームから切られた。予告されていた定期ロッカー検査で、トレヴァーの公民の教科書の奥から一キロのマリファナが発見されたのである。ユーインは一〇四対四八で試合に負けた。しかし得点をおぼえている者は一人もいなかった。おぼえているのは第四ピリオドに試合を中断させた騒ぎのことだけだった。不当にチームからはずされたと主張するブルース・トレヴァーに率いられたこの騒動は、入院者四人を出して終った。うち一人は救急箱で頭を殴られたスタッドラーのコーチだった。

「どうもいやな予感がするんだよ」と、グレイルがいった。「虫の知らせというやつだな。だれかが腐ったリンゴかなにかを持ちこみそうな気がする」
「あなたは予知能力があるのかもしれませんよ」と、モートンがいった。

『あばかれた影』（九二―九三ページ）より

TK現象が劣性遺伝であることはいまや定説となっている――だが男性のみにあらわれる血友病のような病気とは正反対である。かつて〝帝王病〟と呼ばれたこの病気の場合、遺伝子は女性においては劣性で、それを持っていてもなんら弊害はない。しかしながら男性の子孫は〝出血性素因者〟である。この病気は患者の男性が劣性遺伝子を持つ女性と結婚したときにのみ発生する。この結婚から生まれた子供が男であれば血友病の息子になるし、女であれば遺伝子を保有する娘となる。ここで強調しておかねばならないのは、血友病遺伝子はその遺伝体質の一部として男性のなかに劣性的に保有されているのかもしれないということである。しかしもしその男性が同じ悪性遺伝子を持つ女性と結婚した場合、生まれる子供は男なら血友病患者となる。

近親結婚がひんぱんにおこなわれる王族間では、いったん家系のなかに入りこんだ遺伝子が子孫に伝わる確率がきわめて高い——すなわち血友病が帝王病と呼ばれるゆえんである。血友病は今世紀のはじめごろアパラチア地方でも無視できない発生率を示したし、近親相姦《そうかん》や本いとこ同士の結婚が珍しくない文化のなかにも一般に認められる。

ＴＫ現象の場合は、逆に男性が遺伝子の保有者であると考えられる。つまりＴＫ遺伝子は男性において劣性であり、女性において優性であると考えられる。ラルフ・ホワイトはＴＫ遺伝子を保有していたらしい。マーガレット・ブライアムもまた偶然に同じ遺伝子を保有していたと思われるが、彼女が娘に似たＴＫ能力を持っていたという証言が見当らないところを見ると、それは劣性であったと断定してもよいだろう。目下マーガレット・ブライアムの祖母、サディ・コクランに関する調査がおこなわれている——というのは、血友病と同じ優性／劣性のパターンがＴＫにも当てはまると仮定するならば、ミセス・コクランはＴＫ能力を持っていたと思われるからである。

ホワイト夫妻の子供がかりに男であったなら、彼もまた単なる遺伝子の保有者にすぎなかったであろう。その場合突然変異は彼とともに終っていた可能性が強い。ラルフ・ホワイトの側にもマーガレット・ブライアムの側にも、この仮定の息子の結婚相手にふさわしい年齢のいとこはいなかったからである。またTK遺伝子を持つほかの女性と出会って結婚する確率も低いといわねばならない。この問題に取組んでいるどの研究チームも、まだTK遺伝子の分離に成功していない。

メイン州の大虐殺《だいぎゃくさつ》を考えれば、この遺伝子の分離が医学に課せられた緊急課題のひとつであることを何人《なんぴと》も否定しないだろう。血友病患者または血友病遺伝子は、血小板の不足した男性を生む。TK能力者またはTK遺伝子は、ほとんど意のままに破壊する能力を持った危険な女性《タイフォイド・メアリーズ》を生む……


水曜日の午後。

スーザンとほかの十四人の生徒——春の舞踏会の飾りつけ委員会——が、金曜日の晩に二つのバンド・スタンドのバックにさげる巨大な壁画を製作していた。壁画のテーマは「ヴェニスの春」だった（いったいだれがこんな安っぽいテーマを選んだのかしら、とスーは首をかしげた。彼女はユーインに四年間在学して、二つのプロムに出席したが、いまだによくわからなかった。だいたい、なぜくだらないテーマが必要なのかしら？　もっとあっさりやればいいのに）。ユーインでいちばん絵の上手な生徒、ジョージ・チズマーが、夕暮れの運河をゆくゴンドラと、大きな麦藁《むぎわら》の中折れ帽をかぶって櫓《ろ》を漕《こ》ぐゴンドリエと、ピンクや赤やオレンジ色で華麗に染めあげた空と水をチョークで描いた、小さな下絵を作っていた。美しい絵であることは疑いなかった。彼はその下絵をもとにして、巨大な十四×二十フィートのキャンヴァスに輪郭だけ描き、さまざまな色のチョークを塗りわけられるように区分けして番号をふっていた。委員会のメンバーは、大きな塗り絵の本の大きなページの上を這《は》いまわる子供たちのように、辛抱強く色を塗っていた。そうはいっても、今年はいままでにない最高のプロムになりそうだわと、スーはピンクのチョークの粉だらけになった手と腕を眺めながら思った。

彼女の隣りで、キャンヴァスの上にぺたんと坐《すわ》っていたヘレン・シャイアーズが上体を起こして背伸びをし、背骨がぽきっと鳴ると呻き声を洩《も》らした。それから額に垂れさがった髪の毛を手の甲でかきあげると、額にピンク色のしみがついた。

「いったいわたし、なんだってこんな仕事を引き受ける気になったのかしら?」

「あなただって楽しい舞踏会にしたいでしょう?」スーは飾りつけ委員会のオールドミス委員長(ミス口ひげ《ムスタシュ》には似合いの肩書だ)、ミス・ギアの声色を真似《まね》ていった。

「それはそうだけど、どうして茶菓委員会か余興委員会にしなかったかと思ってさ。体を使わないで頭を使う仕事のほうがよかったわ。こう見えても頭を使うのは得意なのよ。それに、あなたときたら――」彼女はあわてて口をつぐんだ。

「出席もしないくせにっていうんでしょう?」スーは肩をすくめてまたチョークを手にとった。指がひどい書痙《しょけい》にかかっていた。「出席はしないけど、やっぱり成功させたいもの」そして恥ずかしそうにつけくわえた。「それにトミーが出席するわ」

二人はしばらく無言で仕事を続けたが、やがてヘレンがまた手を休めた。近くにはほかにだれもいなかった。いちばん近いのが壁画の反対側の端でゴンドラの竜骨に色を塗っているホリー・マーシャルだった。

「そのことだけど、質問していいかしら、スー?」と、ついにヘレンがきいた。「みんな寄るとさわるとその噂ばかりしてるわよ」

「いいわよ」スーは手を休めて、手首を曲げた。「噂に尾ひれがつかないように、だれかにほんとのことを話しておくべきだったかもしれないわ。わたしがトミーにキャリーを誘ってくれと頼んだのよ。そうすれば彼女も少しは自分の殻から出てくるんじゃないか……壁を突きこわすんじゃないかと思って。彼女にはそれぐらいの借りがあるような気がするの」

「それじゃわたしたちほかの者はどうなるのよ?」と、ヘレンは悪気なしにきいた。

スーは肩をすくめた。「あの事件の償いはそれぞれ自分で決めるべきよ、ヘレン。

わたしは他人のことをとやかくいえる立場じゃないわ。ただみんなに……」

「殉教者気どりだと思われたくない？」

「まあそんなとこね」

「で、トミーは賛成したの？」そこがヘレンにとってはいちばん興味のあるところだった。

「ええ」とスーは答えたが、それ以上説明はしなかった。それからちょっと間をおいて、「たぶんみんなはわたしが途方に暮れていると思っているでしょうね」

ヘレンはその言葉をじっくり嚙《か》みしめた。「とにかく……みんな噂してるわ。でもほとんどの人はあなたたなら大丈夫と思ってるわ。さっきあなたがいったように、あなたは自分のことを自分で決められるから。ところが違う意見の少数派がいるのよ」彼女はそういって悲しそうに笑った。

「クリス・ハーゲンセン一派ね？」

「それからビリー・ノーラン一派もよ。ビリーっていやなやつ」

「クリスはわたしのことあまり好きじゃないようね？」と、スーはかまをかけるようにいった。

「スー、好きじゃないどころか、すごく嫌ってるわ」

スーはその考えが自分を悲しませると同時に奮いたたせもすることを、意外に思いながらうなずいた。

「彼女のお父さんは教育局を訴えるつもりだったけど、考えが変ったそうじゃない」と、彼女はいった。

ヘレンは肩をすくめた。「彼女は今度のことで味方が一人もできなかったわ」と、彼女はいった。「いったいわたしたちみんなの頭になにが入りこんだのかしら？　わたしは自分の考えていることさえよくわからないような気がするのよ」

二人は無言で仕事を続けた。部屋の向うはしで、ドン・バレットが天井の鋼鉄の梁《はり》をクレープ・ペーパーで飾るために、組立式の梯子《はしご》を立てていた。

「あら」と、ヘレンがいった。「クリスが現われたわよ」

スーが顔をあげると、ちょうど体育館の入口の左手にある小さな部屋に入ってゆくクリスの姿が見えた。彼女はワイン・カラーのヴェルヴェットのホット・パンツをはいて、白いシルクのブラウスを着ていた――胸のあたりがぷりぷり揺れているところを見ると、ノーブラのようだった。薄汚い老人の妄想みたい、とスーは意地悪く心のなかで呟《つぶや》き、それから、プロム委員会が仕事を始めたところに、いったいクリスはなんの用があるのかしらと首をひねった。もちろんティナ・ブレイクが委員会のメンバーで、この二人は大の仲よしだった。

そんなことは考えなくていいのよ、とスーは自分を叱《しか》った。それともクリスが悔い改めることを望んでいるとでもいうの？

その通りだった。スーは心の片隅でそれを望んでいた。

「ヘレン？」

「なあに？」

「あの人達、なにか企《たく》らんでいるのかしら？」

ヘレンの顔は無意識のうちに仮面のような表情になった。「知らないわ」その声は明るく、いささか無邪気すぎた。

「そう」スーはあいまいにいった。

（あなたは知ってる　なにかを知ってるんだわ　知ってるくせに黙っている　ねえ教えて）

二人はなおも色を塗りつづけたが、もうどちらも口をきかなかった。ヘレンのいうようになにも心配がないとは思えなかった。そんなはずはない、わたしはもうクラスメイトの目に、以前と同じすばらしい女の子とは映らないだろう。わたしは手におえないこと、危険なことをやってのけた——仮面を破って素顔をのぞかせてしまったんだから。

油のように暖かく、幼年時代のようにやさしい夕方の陽ざしが、高く明るい体育館の窓から斜めにさしこんでいた。

『わたしの名はスーザン・スネル』（四〇ページ）より

必然的にプロムの夜に結びついたものがなんであったか、わたしにはある程度理解できます。恐しいことではあったけれど、例えばビリー・ノーランのような生徒がなぜ協力したのかわたしにはわかるのです。クリス・ハーゲンセンはほとんどいつでも彼を意のままに動かしていました。そして彼の友達も同じようにノーランのいいなりでした。十八歳でハイスクールを中退したケニー・ガースンは、三年生の読解力しかないことが証明ずみでした。臨床的な意味では、スティーヴ・デイハンは知的障害がありました。ほかの何人かは前科がありました。その一人、ジャッキー・タルボットは、九歳のときにホイール・キャップを盗んで初の逮捕を経験しています。ソーシアル・ワーカー的な考えの持主なら、むしろ彼らを不幸な犠牲者とみなすことさえできるでしょう。

しかしクリス・ハーゲンセンについては、はたして弁護の余地があるでしょうか。わたしには、彼女の唯一《ゆいいつ》の目的は終始一貫キャリー・ホワイトを完膚なきまでにやっつけることだったように思えます……

「見せちゃいけないことになってるのよ」と、ティナ・ブレイクがそわそわしながらいった。彼女は赤毛の小柄な美少女だった。一本の鉛筆がもったいぶって髪にさしこまれていた。「それにノーマが戻ってきたら、きっと告げ口するわ」

「ノーマはおトイレよ」と、クリスがいった。「さあ、見せて」

ティナは軽いショックを受けて、思わずくすくす笑いだした。それでも形ばかりの抵抗を示した。「だいたい、なんでそんなものを見たがるの？　あなたはどっちみち出席できないのよ」

「いいじゃないの」と、クリスがいった。いつものように彼女はブラック・ユーモアにみちあふれているように見えた。

「それじゃ」ティナはプラスティックのカヴァーに入った図面を机の上に押しやった。「わたしはコークを飲んでくるわ。ノーマ・ウォトスンが戻ってきてあなたを見つけたら、わたしはここにいなかったことにしてよ」

「オーケー」とクリスは低く答えたが、心はすでに配置図に向いていた。ドアのしまる音も耳に入らなかった。

その配置図もジョージ・チズマーが書いたもので、正確そのものだった。ダンス・フロアの位置もはっきりわかった。それから二つのバンド・スタンド、プロムの幕切れにキングとクイーンの戴冠《たいかん》が

（あのいまいましいスー・スネルの頭にも　もちろんキャリーの頭にもかぶせてやりたい）

おこなわれるステージ。ダンス・フロアの三方を出席者のテーブルが囲んでいた。実際はカード・テーブルだが、クレープ・ペーパーとリボンで飾りたてられ、それぞれにパーティの贈物と、プログラムと、キングとクイーンの投票用紙が置かれる。

彼女はマニキュアをしたスペード型の爪《つめ》で、まずフロアの右手のテーブルを、続いて左手のテーブルをなぞった。あったわ、トミー・Rとキャリー・W。やっぱりほんとなんだわ。クリスは信じられない思いだった。屈辱で全身が震えた。あの二人はこのままで無事にすむと信じているのだろうか？　クリスの口もとが醜くひきつった。

彼女は肩ごしに振りかえった。ノーマ・ウォトスンはまだ戻ってきていなかった。

クリスは席次の見取図を元に戻して、穴をあけたり頭文字を刻みこんだりした机の

上にあるほかの書類を、ぱらぱらめくってみた。納品書（大部分はクレープ・ペーパーと鋲《びょう》の）、カード・テーブルを貸してくれた父兄のリスト、プロムのチケットを印刷したスター印刷所の請求書、キングとクイーンの投票用紙のサンプル等々――

投票用紙！　彼女は急いでそれを手にとった。

実際の投票用紙は、全校生徒に学校放送を通して候補者名が発表されるまで、だれも見てはならないことになっていた。キングとクイーンはプロムの出席者によって選出されるのだが、ほぼ一か月前に、各ホームルームに白紙の候補者指名投票用紙が回されていた。その結果は極秘だった。

生徒間では、キングとクイーンの選出をボイコットしようという動きがしだいに目立ってきていた。一部の女生徒はこの催しを性差別だと非難し、男子のほうは要するにばかげた、いささか迷惑なことだと考えていた。そんなわけでプロムが形式と伝統に則《のっと》っておこなわれるのは、今年あたりが最後になる可能性が大だった。

しかしクリスにとっては、今年だけが問題だった。彼女は貪《むさぼ》るような目で投票用紙を見た。

ジョージとフリーダ。見込みなし。フリーダ・ジェイスンはユダヤ人だった。

ピーターとマイラ。これも問題にならない。マイラはレースそのものを廃止させようというウーマン・リブかぶれの一人だった。おそらく選ばれてもクイーンの役を拒否するだろう。おまけに彼女はおいぼれ駄馬のエセルの尻《しり》も顔負けの美人だった。

フランクとジェシカ。大いに有望。フランク・グリアは今年オール・ニュー・イングランド・チームのフットボール選手に選ばれていた。しかしジェシカは脳みそよりもニキビのほうが多いばかな女の子の一人だった。

ドンとヘレン。問題にならない。ヘレン・シャイアーズは犬殺しにも選ばれないだろう。

そして最後のカップル、トミーとスー。もちろんスーの名前は消されて、かわりにキャリーの名前が書きこまれていた。これこそ有力候補だ！ 奇妙な笑いが喉《のど》の奥からこみあげてきて、クリスはそれを封じこめるために片手で口を塞《ふさ》がなければならなかった。

ティナが小走りに駆け戻ってきた。「クリスったら、まだいたの？ あいつがくるわよ！」

「心配ないわよ、ティナ」とクリスはいい、書類を机の上に戻した。外へ出る途中で立ちどまって、ばかげた壁画の上に痩《や》せたお尻をおろしながら頑張っているスー・スネルに、からかうように手を振ってみせたとき、彼女は依然としてにやにや笑っていた。

出口のホールまでくると、彼女はバッグのなかから十セント貨を取りだして公衆電話をかけ、ビリー・ノーランを呼びだした。


『あばかれた影』（一〇〇―一〇一ページ）より

キャリー・ホワイトの破滅はどの程度まで計画的におこなわれたことであろうか――それは周到に準備され、何度も予行演習がおこなわれた計画なのか、あるいは単なる思いつきだったのか？

……わたしは後者をとりたい。おそらくクリスティーン・ハーゲンセンが張本人だったとは思うが、彼女自身キャリーのような女性をいかにして〝やっつける〟かということについては、きわめてあいまいな考えしか持っていなかっただろう。ビリー・ノーランと彼の仲間を唆《そその》かして、ノース・チェンバレンにあるアーウィン・ヘンティの農場へ行かせたのは、たぶん彼女だろう。農場行きから想像される結果が、彼女の歪《ゆが》んだ正義感に強く訴えたことは想像に難くない……

車はノース・チェンバレンのスタック・エンド・ロードのでこぼこ道を、六十五マイルという危険なスピードで、事故を起こすこともなく突っ走っていた。五月のみずみずしい若葉をつけて低く垂れさがった木の枝が、ときおり六一年型ビスケーンの屋根をこすった。フェンダーがでこぼこで、いたるところに錆《さび》が浮きだし、後部を高くして、二つのグラスファイバーを詰めたマフラーをとりつけた車だった。ヘッドライトは片方が消え、もう一方も車が穴ぼこの道で大きく揺れるたびに、深夜の闇《やみ》のなかで点《つ》いたり消えたりした。

ビリー・ノーランがピンクの毛糸のカヴァーをかけたハンドルを握っていた。ほかにジャッキー・タルボット、ヘンリー・ブレイク、スティーヴ・デイハン、それにケニーとルーのガースン兄弟がすし詰めに乗りこんでいた。三本のマリファナに火がつけられ、地獄の番犬ケルベロスの火と燃える目のように、暗い車内でまわしのみされた。

「ヘンティはほんとに留守なんだろうな?」と、ヘンリーがいった。「おれはどうも気が進まないんだよ、ビリー。おれたちは糞《くそ》を食わされるぜ」

マリファナでもうろうとしたケニー・ガースンは、そのいい方がよほどおかしかったらしく、甲高い笑い声を発した。

「いやしないってことよ」と、ビリーがいった。たったそれだけの言葉さえ、彼はいやいや口にしているようだった。「葬式にでかけてるんだ」

そのことはクリスが偶然に聞きつけた。ヘンティ老人はチェンバレン地区で数か所の農場を営んで、珍しく成功していた。田園詩の主題のひとつである高貴な心を持った老農夫とちがって、ヘンティ老人はものすごく因業《いんごう》な男だった。青りんごの時季になると、散弾銃に岩塩ではなく鳥撃ち用の散弾をこめる。またこれまでに何人かのりんご泥棒を訴えていた。その一人が彼らの仲間で、フレディ・オーヴァロックというついてないやつだった。フレディはヘンティ老人の鶏小舎《とりごや》に入った現場を見つかって、尻に六号の散弾を二発くらった。彼が救急病院の検査室で四時間も腹這《はらば》いになって、さんざん暴れたり喚《わめ》いたりするあいだに、陽気なインターンが尻から小さな散弾をほじくりだして、鉄の皿にぽいぽいほうりだした。これほど情けない目にあい、痛い思いをしたうえに、彼は窃盗と不法侵入のかどで二百ドルの罰金までふんだくられた。アーウィン・ヘンティとチェンバレンのちんぴら一味は仇同士《かたき》だった。

「レッドはどうなんだ?」と、スティーヴがきいた。

「やつはザ・キャヴァリアーの新しいウェイトレスに熱をあげてるよ」ビリーはハンドルを回して、急に道からそれかけたビスケーンをヘンティ・ロードに戻した。レッド・トレローニーはヘンティ老人の雇人だった。ひどい大酒飲みで、散弾銃にかけては雇主に劣らず手が速かった。「看板まで粘ってるよ」

「いたずらにしちゃ、やばすぎるな」と、ジャッキー・タルボットがいった。

ビリーの態度が硬化した。「おまえ、おりたいのか？」

「いや、べつに」と、ジャッキーはあわてて答えた。ビリーは五人を仲間に引きいれるために、上物のマリファナを一オンス提供していた——それに、町へ戻るには九マイルも歩かなければならない。「結構ないたずらだよ、ビリー」

ケニーがグラヴ・コンパートメントをあけて、渦巻模様の凝った吸殻ばさみ（クリスの）を取りだし、短くなったマリファナの吸口をそれではさんだ。そしてたいそう気に入ったらしく、また甲高い笑い声をたてた。

やがて彼らは道の両側に立っている立入禁止の立札や、有刺鉄線の柵《さく》や、掘りかえしたばかりの畑を猛スピードで通りすぎた。掘り起こされた土の香が、暖かい五月の空気のなかに、甘く濃密に漂っていた。

ビリーはつぎの丘に達するとヘッドライトを消し、ギヤをニュートラルにいれてイグニッションを切った。エンジンの停まったぼろ車は、ヘンティ農場の私道のほうへ音もなく進んでいった。

ビリーは難なくカーヴを曲がった。つぎの登りにさしかかったところで惰性がほぼなくなり、暗い無人の家の前をゆっくり通りすぎた。前方に巨大な納屋《なや》と、牛の水飲み場と、りんご畑の上で夢のように輝いている月明りが見えてきた。

豚小舎では、二頭の牝豚《めすぶた》が柵のあいだからつぶれた鼻を突きだしていた。納屋のなかで、たぶん牛が寝ぼけたのだろう、低く一声啼《な》いた。

ビリーがハンド・ブレーキで車を停めて——イグニッションを切ってあるのだからそんな必要はなかったが、特攻隊的な感じで気分がよかった——全員が車から降りた。ルー・ガースンがケニーのうしろから手をのばして、グラヴ・コンパートメントからなにかとりだした。ビリーとヘンリーがうしろに回ってトランクをあけた。

「じいさんのやつ、帰ってきて留守のあいだに起こったことを知ったとたんに、立ったまま うんこを洩《も》らすぜ」と、スティーヴがにたにた笑いながらいった。

「フレディの仇討ちだ」といいながら、ヘンリーがトランクからハンマーを持ちだした。

ビリーはなにもいわなかったが、もちろん間抜けなフレディの仇討ちなどではなかった。すべてはクリスのためであり、彼女が進学課程というオリンポスの高みから舞いおりてきて、彼に体を与えた日からずっとそうであったように、これもクリス・ハーゲンセンの歓心を買うためだった。クリスのためなら殺人でも、いやもっとひどいことでも辞さなかった。

ヘンリーが九ポンドのハンマーを片手で素振りしていた。重い頭の部分が不吉な音をたてて夜の空気を切り裂き、ほかの連中はアイス・ボックスの蓋《ふた》をあけてブリキのバケツを取りだすビリーのまわりに集まった。バケツは指を触れると感覚が麻痺《まひ》するほど冷たく、うっすらと霜がついていた。

「オーケー」と、彼はいった。

六人は興奮で息をはずませながら、すばやく豚小舎のほうへ歩いていった。二頭の牝豚は猫のようにおとなしく、年とった牡豚《おすぶた》が一頭、反対側で横になって眠っていた。ヘンリーがもう一度ハンマーを素振りしたが、今度はあまり自信がなさそうだった。彼はハンマーをビリーに渡した。

「おれはだめだよ」と、彼はいった。「おまえやってくれ」ビリーはハンマーを受けとって、グラヴ・コンパートメントから持ちだした幅の広い肉切りナイフを持っているルーを、試すように見た。

「心配すんなよ」とルーはいい、親指の腹をナイフの刃に当てた。

「喉だぞ」と、ビリーが念を押した。

「わかってるさ」

ケニーは鼻唄《はなうた》まじりでにやにや笑いながら、皺《しわ》くちゃになったポテト・チップスの袋の食べ残しを豚にやっていた。「心配すんなよ、ブーちゃん、ビリーにその頭をガツンと一発やってもらえば、もうなにも心配はなくなるぜ」彼が牝豚たちの剛毛のはえた顎《あご》を撫《な》でてやると、豚は気持よさそうに喉を鳴らしてポテト・チップスを貪《むさぼ》った。

「行くぞ」とビリーがいい、さっとハンマーを振りおろした。

彼とヘンリーが町の西の四九五号線を跨《また》ぐクラリッジ・ロードの陸橋の上から、かぼちゃを落としたときのような音がした。牝豚の一頭がどさっと倒れて息絶えた。舌がだらりと垂れさがり、目はあいたままで、鼻面《はなづら》にポテト・チップスのかけらがくっついていた。

ケニーがくすくす笑った。「ゲップをする暇もなかったぜ」

「早くやれよ、ルー」と、ビリーが催促した。

ケニーの弟が柵のあいだから体を滑りこませ、豚の頭を月明りのほうに持ちあげて——どんよりした両目がうっとりと三日月を眺めていた——喉を搔《か》き切った。

たちまち驚くほどの勢いで血がほとばしった。何人かが血しぶきを浴びて、ぞっとしたような低い声を発しながら跳びのいた。

ビリーが身を乗りだして、太い流れの下にバケツを一個あてがった。バケツはたちまちいっぱいになったので、脇《わき》にどかした。二つ目のバケツに血が半分ほどたまるころ、流れが細くなって止まった。

「もう一頭だ」と、彼がいった。

「なあ、ビリー」と、ジャッキーが情けない声をだした。「もういいだろう――」

「もう一頭だ」と、ビリーが繰りかえした。

「そうれ、ブーブーブー」ケニーが薄笑いを浮かべ、空っぽのポテト・チップスの袋をがさがさいわせながら呼びかけた。しばらくして、残る一頭が柵のほうに戻ってきた。ハンマーが一閃《せん》した。二つ目のバケツがいっぱいになり、残った血は地面に流れるままにされた。金気《かなけ》くさいいやな臭《にお》いが空気中に漂った。ビリーは二の腕まで豚の血でぬるぬるしているのに気がついた。

二つのバケツを車まで運びながら、彼は漠然とした、シンボリックな結びつきを思い浮かべていた。豚の血。いい思いつきだった。クリスのいう通りだ。すばらしい思いつきだった。それはすべてを揺るぎないものにした。

豚には豚の血を。

彼はバケツを氷片のなかに埋め、バケツに蓋をしてから、アイス・ボックスの蓋をしめた。そして、「さあ、行くぞ」といった。

ビリーは運転席に乗りこんで、ハンド・ブレーキをゆるめた。五人が車のうしろに回って肩で押すと、車は音もなく小さな円を描き、納屋の前を通りすぎて、ヘンティの家の正面にある丘の頂きまでのろのろと進んでいった。

下り坂にかかって車がひとりでに走りだすと、彼らはドアに駆けよって、息をはずませながら跳び乗った。

方向を変えられるだけのスピードがついたところで、ビリーがさっとハンドルを切って、長い私道からヘンティ・ロードに車を乗りいれた。丘をくだりきったところで、トランスミッションをサードにしてクラッチをいれた。エンジンが唸《うな》りだした。

豚には豚の血を。そう、それでいい、すばらしい思いつきだ。彼はほほえんだ。それを見てルー・ガースンは急に驚きと不安をおぼえた。いままでビリー・ノーランが笑うのを見たことがあったかどうか、はっきり思いだせなかった。話にさえも聞いたことがなかった。

「ヘンティじいさんはだれの葬式へ行ったんだ?」と、スティーヴがきいた。

「おふくろだよ」と、ビリーが答えた。

「おふくろって、じいさんのかい?」ジャッキー・タルボットがびっくりしていった。

「へえー、それじゃきっと神さまより年寄りだぜ」

ケニーの甲高い乾いた笑い声が、夏を間近にしたかぐわしい闇のなかに尾を引いた。

第二部　舞踏会の夜《プロム・ナイト》

五月二十七日の朝、彼女は自分の部屋ではじめてドレスを着てみた。そのためのブラジャーを新しく買ってあった。新しいブラジャーは乳房をほどよく持ちあげるかわりに（持ちあげる必要があったわけではない）、上半分をむきだしにした。それを身につけると、恥ずかしさと挑戦的な興奮が半々にいりまじった、不可思議な夢見心地に襲われた。

ドレスそのものは裾《すそ》が床に届くほどの長さだった。スカートはゆったりしていたが、ウエストはぴったりで、コットンとウールにしか馴染《なじ》みのない肌には、高価な布地の感触が物珍しかった。

裾のたれぐあいも申し分ないように思えた――きっと新しい靴によく似合うだろう。彼女は靴をはき、ネックラインをなおして、窓に近づいた。窓ガラスに映る姿は幽霊のように影が薄く、歯がゆかったが、どことといって欠点は見当らないようだった。たぶん、あとで――

背後でかすかな音をたててドアがあき、振りかえると母親の姿があった。

仕事にでかけるところらしく、白いセーターを着て片手に黒いハンドバッグを持っていた。もう一方の手にはパパ・ラルフのバイブルがあった。

二人はたがいに顔をみつめあった。

ほとんど無意識のうちに、キャリーは自分の背中がまっすぐにのびていき、やがて窓から射《さ》しこむ春の早朝の陽だまりのなかに直立していることに気づいた。

「赤とはね」と、ママが呟《つぶや》いた。「はじめから気がついていてもよかったのに」

キャリーはなにもいわなかった。

「けがらわしい枕《まくら》がはみだしてるわ。人前にさらす気なんだね。みんながおまえの体をじろじろ見るんだよ。聖書には――」

「これはわたしの乳房よ、ママ。女ならだれでも持ってるわ」

「そのドレスを脱ぎなさい」

「いやよ」

「脱ぐのよ、キャリー。下へおりて、一緒に焼却炉で燃やしてから、お許しを乞《こ》うのよ。わたしたちは罪の償いをしなければいけないわ」彼女の目は、信仰の試練と思われる出来事のたびに彼女を訪れる、奇妙な、脈絡のない興奮で、ぎらぎらしはじめた。

「わたしはお勤めを休むから、おまえも学校を休みなさい。そして一緒に祈るのよ。神のしるしを求めるのよ。二人して一緒にひざまずいて、五旬節の火をこいねがうのよ」

キャリー「いやよ、ママ」

母親は手をのばして自分の顔をつねった。顔に赤い痕《あと》が残った。彼女はキャリーの反応を見守ったが、まるで反応がなかったので、今度は右手の指を曲げて爪《つめ》で頬を引っ掻《か》き、うっすらと血をにじませた。そして弱々しい声をあげながら前後に体をゆさぶった。目は極度の精神的高揚で輝いていた。

「自分を傷つけるのはやめてよ、ママ。そんなことしたってわたしは諦《あきら》めないわよ」

ママが金切声を発した。右手の拳《こぶし》を握って口を殴りつけ、口から血を流した。その血に指を浸し、うっとりした表情で指を眺めてから、バイブルの表紙に血をなすりつけた。

「仔羊《こひつじ》の血で洗われ」と、彼女は小声でいった。「いくたびも。いくたびも、彼とわたしは――」

「あっち へ行ってよ、ママ」

彼女は燃えるような目でキャリーを見た。その顔には正義の怒りのぞっとするような表情が刻まれていた。

「主を侮《あなど》ってはならない」と、彼女は囁《ささや》いた。「おまえの罪はかならずおまえの身に及ぶことを知らなければならない。燃やせ、キャリー！　その悪魔の赤をおまえの体から剝《は》ぎとって、燃やせ！　燃やせ！　燃やせ！　燃やせ！」

ドアがひとりでにさっとあいた。

「あっちへ行ってよ、ママ！」

ママは笑いを浮かべた。血だらけの口がその笑いをグロテスクに歪《ゆが》めた。

「イゼベルが塔から落ちたように（訳注　列王紀下九章参照）、おまえも落ちるがいい。そして犬どもがやってきて血をなめた。ちゃんとバイブルにそう書いてある！」

彼女の両足が床の上を滑りはじめ、彼女はけげんそうに足もとを見た。床板が氷になってしまったかのようだった。

「やめなさい！」と、彼女が叫んだ。

彼女はいつの間にか廊下に出ていた。戸口の柱につかまって一瞬もちこたえたが、やがて、見たところどんな力も加えられていないのに、指が柱から無理矢理引きはなされた。

「愛してるのよ、ママ」キャリーが落ちついた声でいった。「ごめんなさい」

彼女はドアがしまる光景を思い描いた。すると微風に動かされでもしたように、その通りのことが現実におこった。彼女は母親に怪我《けが》をさせないように用心しながら、相手を外に押しだした念力の手をゆるめた。

すかさずマーガレットが激しくドアを叩《たた》きはじめた。キャリーは唇を震わせながら、しまったドアをおさえつづけた。

「かならず審判がくだるよ！」マーガレット・ホワイトは荒れ狂った。「わたしは手を引くからね！　やるだけのことはやったんだから！」

「ポンテオ・ピラトもそういったわ」と、キャリーがいった。

母親は立ち去った。一分後に、キャリーは外の通りを渡って仕事にでかけてゆく母親の姿を見た。

「ママ」と、彼女は呟き、窓ガラスに額を押し当てた。

『あばかれた影』（一二九ページ）より

舞踏会《プロム・ナイト》の夜のより詳細な分析にとりかかる前に、キャリー・ホワイト本人に関してわかっていることを要約しておくのも無駄ではないだろう。

われわれはキャリーが母親の狂信の犠牲者であったことを知っている。また、彼女が一般にＴＫと呼ばれる念動能力を、潜在的に持っていたことも知っている。さらにこのいわゆる〝超能力〟が、実は、かりに存在するとしてもふつうは劣性であるところの遺伝子によって作りだされる、一種の遺伝的特質であることも知っている。このＴＫ能力は腺《せん》の機能とかかわりがあるのではないかと思われる。われわれはまだ幼い少女だったころのキャリーが、少なくとも一度、極度の罪悪感と緊張状態に陥ったとき、この能力を発揮したことを知っている。また二度目の極度の罪悪感と緊張状態が、シャワー・ルームのいじめによってもたらされたことも知っている。この時点におけるＴＫ能力の復活が、心理学的因子（すなわち初潮体験に対するほかの女子生徒たちやキャリー自身の反応）と生理学的因子（すなわち思春期の到来）の両方によって惹《ひ》きおこされたことは（とくにバークレーのウィリアム・G・スローンベリーとジューリア・ギヴンズによって）、すでに理論づけられている。

そして最後に、舞踏会の夜《プロム・ナイト》、第三の緊張状態が持ちあがって、これから論じなければならない恐るべき事件の引金を引いたことも、われわれにはわかっている。そこでまず手はじめに……

(わたしは緊張していない　全然緊張なんかしていない)

トミーが前もってコサージを届けてくれたので、いま彼女はそれを自分の手でガウンの肩につけているところだった。もちろんつけてもらおうにもママがいないので、正しい場所につけられたかどうかわからなかった。ママは礼拝室に閉じこもったまま、もう二時間もヒステリックに祈りつづけていた。彼女の声が不気味な、とりとめのないサイクルで、あるいは高くあるいは低く聞えていた。

(ごめんなさいママ　でも謝るわけにはいかないの)

コサージを気にいるようにつけおえると、彼女は両手を下におろして、一瞬目をつむったままじっと立っていた。家のなかには姿見がなかったが
(虚栄　虚栄　すべては虚栄よ)

どこもおかしいところはないだろうと思った。おかしいはずがない。わたしは――

彼女は目をあけた。グリーン・スタンプで手に入れたブラック・フォレストかっこう時計が、七時十分をさしていた。

(彼は二十分後に迎えにくる)

ほんとにくるかしら?

もしかするとあれは手のこんだ冗談、とどめの一撃だったのかもしれない。王女のようなウエストラインと、ジュリエットのような袖《そで》と、シンプルなスカートの上にヴェルヴェットのプロム用ガウンを羽織って——左の肩にティー・ローズをつけたわたしに、夜中までここで待ちぼうけをくわせるいたずらなのかもしれない。

隣りの部屋から、一段と高くなった声が聞えてくる。「……神聖な大地に！　わたしたちはあなたが、見守る目を、三つに裂けた恐しい目を、そして黒い喇叭《ラッパ》の響きをもたらすことを知っています。わたしたちは心から悔い改め——」

このことを受けいれ、今夜持ちあがるかもしれない恐しい事件の可能性に身をさらすまでに、どれほどの勇気を必要としたか、おそらく他人には絶対にわかってもらえないだろう、とキャリーは思った。待ちぼうけをくわされるぐらいで済めばまだしもだった。それどころか、彼女は内心で、それがいちばん望ましいことかもしれないとさえ——

（いや　やめて）

もちろんママと一緒に家にいれば事は簡単だった。そのほうが安全だった。彼女は世間がママをどう思っているかを知っていた。ママは確かに信心が行き過ぎていて、欠点だらけかもしれない、だが少なくともママのやることは予想できた。この家でおこることも予想できた。この家にいるかぎり、女の子たちに笑われ、罵《ののし》られ、物を投げつけられるおそれはなかった。

もしもトミーが現われず、彼女が気おくれして諦めたとしたらどうなるか？　一か月後にはハイスクールの卒業が控えている。それから先は？　ママの働きで養ってもらい、ミセス・ギャリスンから家庭訪問に呼ばれたときは彼女の家のテレビでまる一日クイズ番組とホーム・ドラマを見て暮し（ミセス・ギャリスンは八十六歳だった）、夕食後の店ががらあきの時分を見はからって、ケリー・フルーツまで歩いて麦芽乳を飲みにいき、ますます太り、希望を失い、考える力まで失ってしまうような生活を、この家にひっそり閉じこもって続けてゆくことになるのか？

いやよ、神さま、そんな生活はまっぴら。

（お願いだからハッピー・エンドにしてください）

「……路地裏や酒場の駐車場で待ち伏せる割れた蹄《ひづめ》を持つ彼から、わたしたちをお護《まも》りください、おお、主よ――」

七時二十五分。

彼女は無意識のうちに、そわそわしながら、いろんなものを念力で持ちあげたりおろしたりしはじめた。それはレストランで連れを待っている神経質な女性が、ナプキンをたたんだり拡《ひろ》げたりするのに似ていた。一度に十個あまりのものを宙に浮かせたまま静止させても、疲労や頭痛はまったく感じなかった。彼女はその力が衰えるのをずっと待ちつづけていたのだが、高水位は依然として続いていた。ついせんだっての晩も、学校から帰る途中で、駐車した車を

（おお神さま　まさか冗談じゃないでしょうね）

メイン・ストリートの歩道ぞいに二十ヤードも動かすという離れ業を苦もなくやってのけた。通りをぶらついていた人々は、目玉がとびだしそうな顔でその光景を眺めていた。もちろん彼女も驚いたような顔をしたが、内心では笑っていた。

時計のなかからかっこうがのぞいて、一度だけ鳴いた。七時三十分。

彼女は念力を使うことによって、心臓と肺と体温調節機能に大きな負担がかかるらしいことを、いささか警戒しはじめていた。その負担で心臓が文字通り破裂することもありうるのではないかという気がした。それはいわば他人の肉体のなかに入りこんで、その人を力のかぎり走らせるようなものだった。体力を消耗するのは自分ではなく相手のほうなのだ。もしかすると自分の能力が、真赤に焼けた石炭の上をはだしで歩いたり、目に針を突き刺したり、六週間も地中に生埋めになったりするインドの行者の能力と、あまり違わないのではないかと思いはじめていた。どんな形にせよ、精

神が物質を支配するということは、恐しく体力を消耗することなのだ。
七時三十二分。
(彼はこないわ)
(そのことは考えないほうがいい　あせっちゃだめ　きっとくるわ)
(いいえやっぱりこない　いまごろ仲間と一緒にあんたを笑っているのよ　もうすぐ
騒々しい車に乗って　笑ったり大声でやじったりしながらここを通るんだわ)
彼女はみじめな気分でミシンを上下に動かしたり、空中に大きな弧を描いて左右に
揺り動かしたりしはじめた。
「——さらにまた、邪悪なる者の恣意《しい》にとりつかれた反抗的な娘たちからも、わたし
たちをお護りください——」
「うるさい！」と、だしぬけにキャリーが叫んだ。
一瞬、驚きの沈黙が訪れたが、やがて歌うような祈りの声がまた聞えはじめた。
七時三十三分。
彼はこない。
(こなかったら家をこわしてやる)
その考えはごく自然に、明瞭《めいりょう》に彼女を訪れた。まずミシンで居間の壁を突き破る。

それからベッドで窓を破る。テーブルや椅子《いす》や本やパンフレット類を飛ばす。水道管を破裂させて、体から引きちぎった動脈のように、水をあふれださせる。もしも彼女の能力が及ぶなら、屋根をこわし、屋根板を驚いた鳩《はと》の群のように夜空に飛びたたせる――

自動車のライトがいくつも窓を照らした。

ほかの車は彼女の心臓の鼓動を少し速めただけで通りすぎてしまったが、今度の車はもっとゆっくり走っていた。

（おお）

彼女はじっとしていられなくなって窓ぎわに近づいた。ちょうどトミーが車から降りたところで、街燈《がいとう》の明りのなかでも、彼はハンサムで、生き生きとしていて、ぱり音がしそうだった。この奇妙な形容に、彼女は笑いだしたくなった。

ママはお祈りをやめていた。

彼女は椅子の背にかかっている軽いシルクの肩かけを手にとって、裸の肩をおおった。唇をきっと噛《か》んで、髪に手をやった。鏡とひきかえに魂を売ってもいいような気がした。玄関のブザーが乾いた音をたてた。

彼女は手の震えを懸命に抑えながら、二度目のブザーを待った。それから絹の肩かけをさやさやと鳴らして、ゆっくり玄関へ行った。

ドアをあけると、目のくらむような白いディナー・ジャケットに黒いズボンをはいた彼が立っていた。

二人はたがいにみつめあったが、どちらも一言も発しなかった。

彼女はもしも彼が場ちがいな声をたてれば自分の心臓が破裂してしまうし、彼が笑ったりしようものならきっと死んでしまうと感じた。現実に、肉体的に、自分のみじめな生活がひとつの点に収縮してしまうように感じた。その点はひとつの終りであるかもしれず、あるいは拡がる光線の始まりであるかもしれなかった。

ようやく、消え入るような声で、彼女はいった。「わたしのこと、好き?」

彼が答えた。「きみは美しいよ」

事実彼女は美しかった。

『あばかれた影』(一三一ページ)より

ユーインの春の舞踏会に出席する生徒たちが、ハイスクールに集まったり、プロムの前の軽食をとってでかけたりするころ、クリス・ハーゲンセンとビリー・ノーランは、ザ・キャヴァリアーという町はずれの酒場の二階の一室で会っていた。われわれは彼らがしばらく前からそこで会っていたことを知っている。そのことはホワイト委員会の記録にあるからである。われわれが知らないのは、彼らの計画が、完成した、変更不能のものであったのか、あるいは成行きまかせの気まぐれなものであったのかという点である……

「もう時間なの？」と、彼女が暗闇《くらやみ》のなかできいた。

彼は時計を見た。「いや」

床板を通して、レイ・プライスの『シーズ・ガット・トゥ・ビー・ア・セイント』を奏《かな》でるジュークボックスの音がかすかに聞えてきた。この店は、二年前にわたしが偽造した身分証明書を見せて入ったときから、全然レコードを買いかえていないわ、とクリスは思った。もちろんそのときは、サム・デヴォーの〝特別室〟に入ったわけではなく、階下の酒場をのぞいただけだった。

ビリーの煙草《たばこ》の火が、闇のなかで落ちつきのない悪魔のようにちらちら揺れた。彼女は内省的な気分でそれを見守っていた。ビリーとはじめて寝たのは、キャリー・ホワイトがほんとにトミー・ロスと一緒にプロムへ行くようなら、彼女に恥をかかせるためのクリスの陰謀を、仲間を動員して応援すると彼が約束した、その週の月曜日のことだった。だが二人はそれまで何度かこの店にきて、かなり熱っぽいネッキングをおこなっていた——内心でクリスはそれをスコッチ・ラヴと形容し、下品なことを的確に表現する才能を持ったビリーはドライ・ファックと呼んでいた。

彼女は彼が実際に行動をおこすまでおあずけをくわせるつもりだったが

（だけどもちろん彼は行動した　血を手にいれてくれたんだから）

いつの間にか彼女の思い通りにならなくなり、それで彼女は不安を感じていた。もしも月曜日に進んで体を与えなかったら、彼は腕ずくでも奪っていただろう。

ビリーは彼女の最初の恋人ではなかったが、意のままにならない最初の相手だった。彼が現われるまで、彼女のボーイ・フレンドはみな、ニキビひとつないつるりとした顔をして、コネもあり、カントリー・クラブのメンバーでもある親を持った利口な操り人形ばかりだった。彼らは専用のフォルクスワーゲンやジャヴリンやダッジ・チャージャーを乗りまわしていた。大学はマサチューセッツ大学かボストン大学だった。秋には大学の学生クラブのジャンパー、夏には派手なストライプいりのシャツを着ていた。マリファナをふんだんに吸い、もうろうとしたときの不思議な体験について語った。彼らはみな、はじめは保護者的な友情で彼女に接するのだが（ハイスクールの女生徒は、どんな美人でも、しょせんはマイナー・リーグだった）、しまいには犬のような欲望をむきだしにして、喘《あえ》ぎながら彼女を追いかけるのだった。彼らがへとへとになるまで諦《あきら》めずに追いかけたときは、たいてい一緒に寝てやった。だがそんなときは、手助けも邪魔だてもせずに、終るまで無感動に相手の下に身を横たえていることが多かった。そして独りになってから、その出来事をひとつの完結した記憶の環《わ》として眺めながら、孤独なクライマックスに達するのだった。

彼女がビリーと会ったのは、ポートランドのあるアパートで麻薬の手入れがおこなわれたあとのことだった。クリスのその晩の相手を含めた四人の学生が、麻薬所持で逮捕された。クリスとほかの女の子たちは、その場に居合わせたかどで連行された。彼女の父親が手際《てぎわ》よく事件を揉《も》み消し、おまえが麻薬で逮捕されたりしたら、わたしの社会的信用と弁護士という職業にどんな影響があるかわかっているのかと、娘に質問した。彼女が別にだれも傷つかないはずだと答えると、父は娘の車をとりあげてしまった。

それから一週間たったある日、ビリーが学校の帰りに車で送ってやろうと声をかけたとき、彼女はその申し出を受けた。

彼は男の子たちのいうホワイト・ソクサー、つまりマシーンマニアだった。だが彼の持つ雰囲気がクリスを刺戟《しげき》した。そしていま、この禁断のベッドでうとうとしながら（しかし、しだいに目ざめてくる興奮と、快楽にみちた不安の感覚もあった）、彼女は、自分を惹《ひ》きつけたものは彼の車だったのかもしれない――少なくとも最初は――と考えていた。

それは彼女の大学生のボーイ・フレンドたちの持っている、規格品の無個性な車とは、天と地ほどのへだたりがあった。彼らの車はきまって三角窓がなく、ハンドルはアンチ・ショック型で、かすかにプラスティックのシート・カヴァーとガラス・クリーナーの不快な匂《にお》いをさせていた。

ビリーの車は古ぼけて、くろずみ、どこかしら不吉だった。フロントグラスは端のほうが白くくもっていて、まるで白内障になりかかっているようだった。シートはぐらぐらで固定されていなかった。バックシートではビール壜《びん》がごろごろ転がってぶつかりあい（大学生のボーイ・フレンドたちはバドワイザーを飲んだが、ビリーと彼の仲間はラインゴールドだった）、彼女は大きな油だらけの蓋《ふた》のない工具箱を跨《また》ぐ以外に、足の置きどころがなかった。なかの工具がまた寄せ集めで、ほとんどが盗品ではないかと思われた。車のなかは油とガソリンの匂いがした。薄いフロアボードを通して、ストレート・パイプの音がうるさく聞えてきた。ダッシュボードのスピードメーターや油圧計やタコメーター（なにをするものかわからないが）の下に、別の計器類がずらりと並んでぶらさがっていた。後輪は持ちあげられ、ボンネットは地面を指しているように見えた。

それに、もちろん彼はスピード狂だった。

三度目に家まで乗せてもらったとき、すりへった前輪のタイヤのひとつが、時速六十マイルで走っている最中にパンクした。車は引き裂くような音をたてて横滑りし、彼女は突然死を確信して悲鳴を発した。電柱の根元にぼろきれのように叩《たた》きつけられた自分の血だらけの死体のイメージが、タブロイド判の新聞写真のように心のなかをかすめた。ビリーは悪態をつきながら、毛糸のカヴァーのかかったハンドルを右に左にすばやく切った。

車は道路の左肩で停止し、彼女が一歩ごとにがくがくする膝《ひざ》で車から降りてみると、七十フィートにわたって焼け焦《こ》げたタイヤの跡がついていた。

ビリーはすでにトランクをあけて、ジャッキをとりだしながらなにか独り言をいっていた。髪の毛一本乱れていなかった。

彼は口の端に煙草をくわえて、彼女のそばを通り抜けた。「工具箱を出してくれよ」

彼女は唖然《あぜん》とした。浜に打ちあげられた魚のように、二度口をぱくぱくさせたあとで、ようやく言葉が声になった。「いや――いやよ！　あんたはもう少しで――殺すところ――あんたは――もう少しで――あんたは頭がおかしいわよ！　それに、だれがあんな汚い箱なんか！」

彼は振りむいて、冷やかな目で彼女を見た。「いいから工具箱を出せ、じゃないとあすの晩ボクシングに連れていかないぜ」

「ボクシングなんか嫌いよ！」彼女はまだボクシングを一度も見たことがなかったが、怒りと屈辱が断固たる態度を要求した。大学生のボーイ・フレンドたちは彼女をロック・コンサートに連れていったが、彼女はそれが嫌いだった。いつも何週間も風呂《ふろ》に入っていない人間の隣りに坐《すわ》るはめになったからである。

彼はひょいと肩をすくめて、車の前にまわり、ジャッキを使いはじめた。

彼女は真新しいセーターを油だらけにして、工具箱を運びだした。彼は見向きもせずになにかぶつぶついった。Tシャツの裾《すそ》がジーンズのなかからはみだし、背中はなめらかに陽焼けして、筋肉が躍動していた。彼女はその背中に魅せられて、舌が口の端にからみつくような感じに襲われた。彼女は両手を真黒にして、パンクしたタイヤをはずすのを手伝った。車体がジャッキの上で危なっかしく揺れ、スペア・タイヤも二か所でキャンヴァスが露出するほど磨滅していた。

タイヤ交換をおえて彼女が車のなかに戻ると、セーターと高価なスカートにべっとり油がついていた。

「これを見てよ――」彼女は運転席に乗りこんだ彼にむかっていった。

彼はシートの上で腰をずらして彼女にキスし、両手で彼女の腰から胸を乱暴に愛撫《あいぶ》した。口が煙草くさかった。ブライルクリーム・ワックスと汗の匂いもした。彼女はようやく抱擁をといて自分の体を見おろし、はっと息をのんだ。セーターが油と泥で一段と汚れていた。ジョーダン・マーシュで二十七ドル五十セントもしたセーターが、いまやぼろきれも同然だった。彼女は苦痛なほどたかぶっていた。

「家へ帰ってどう説明するつもりだい？」と彼はいい、ふたたびキスをした。口が笑っているような感じだった。

「わたしにさわって」と、彼女は耳もとで囁《ささや》いた。「体じゅうにさわって。わたしを汚してよ」

彼はいわれた通りにした。ナイロン・ストッキングの片足が裂けて大口をあけた。もともと短いスカートが、乱暴に腰まで押しあげられた。彼は不器用な手つきで、貪《どん》欲《よく》に体をまさぐった。やがてなにかが――おそらくあの、突然の死とのすれちがいがそれだろう――彼女を急激なオルガスムに導いた。彼女はビリーに連れられてボクシングを見にいった。

「八時十五分前だ」と、ビリーがベッドの上におきあがった。明りをつけて服を着はじめた。彼女はなおも彼の体に魅せられていた。月曜の晩のことを思いだし、そのときの快感を反芻《はんすう》していた。あのとき彼は——

(いけない)

そのことはあとでゆっくり考えよう。いまはいたずらに興奮などしていられない。

彼女は両脚をベッドからおろして、透きとおったパンティをはいた。

「もしかすると、これはまずい計画かもしれないわ」と、彼女はいった。彼を試しているのか自分自身を試しているのか、よくわからない発言だった。「いっそまたベッドに戻って——」

「いや、すばらしい計画だよ」と、彼がいった。その顔をユーモアの影がよぎった。

「豚には豚の血を、だ」

「えっ？」

「なんでもないよ。さあ、服を着な」

彼女は服を着た。やがて裏階段から外へ出るとき、彼女は下腹部で、夜、花を咲かせる貪欲な蔓草《つるくさ》のように、大きな興奮が花開くのを感じた。

『わたしの名はスーザン・スネル』(四五ページ)より

わたしは世間の人々が当然そうあるべきだと考えるほどには、このことを後悔しておりません。もっとも世間がわたしに面と向かって、おまえは後悔すべきだといってるわけではありません。世間とは、いつでもなんてお気の毒なとお為《ため》ごかしをいう人たちのことなのです。彼らはわたしにサインをねだる前にたいていそういいます。でも内心ではわたしが後悔することを期待しているのです。わたしが涙もろくなり、いつも黒い服を着て、少々酒を飲みすぎたり麻薬に手を出したりすることを期待しているのです。彼らは、「ああ、なんてひどい話でしょう。彼女があんなになってしまうなんて——」とかなんとか、愚にもつかぬことを口にするのです。

しかし後悔は人間感情の清涼剤《クール＝エイド》なのです。それはあなたがコーヒーをこぼしたり、女の子たちとボウリングをしていてガターボールを投げたりしたときに、口にする言葉です。真の後悔は真の愛と同じように まれなものです。わたしはもう死んだトミーに悪いことをしたとは思っていません。彼はかつてわたしが見た白昼夢にあまりにも似ているような気がします。酷ないいかただと思われるかもしれませんが、舞踏会の夜《プロム・ナイト》以来、あまりにも多くのことがおこりました。わたしはホワイト委員会で証言したことを後悔しておりません。わたしは真実を話しました――知るかぎりの真実を。

でも、キャリーには済まなかったと思っています。

世間は彼女のことを忘れてしまいました。彼女をある種のシンボルに変えてしまって、彼女もまた、この文章を読んでいるあなた方と同じように、希望や夢を持った人間であったことを忘れているのです。おそらくこんなことをいっても無意味でしょう。いまとなっては、彼女を新聞活字で作られた存在から人間に戻すことは不可能なのです。でも彼女はかつて人間でした、そして彼女は傷ついたのです。おそらくわたしたちのだれにも測りしれないほど深く傷ついたのです。

だからわたしは彼女に済まないと思っており、せめてあのプロムが彼女にとって楽しいものであったことを祈っています。あの恐しい事件が始まるまでは、彼女がすばらしい魔法の世界に遊んでいたと思いたいのです……

トミーはハイスクールの新校舎の横にある駐車場に車を止めて、しばらくアイドリングさせてからエンジンを切った。キャリーは彼の隣りに坐って、むきだしの肩を肩かけでおおっていた。突然、自分が隠された意図を持つ夢のなかに生きていて、たったいまその事実に気がついたような気がした。いったいわたしはなにをしているのだろう？　わたしはママを独りぼっちにしてきてしまった。

「心配なのかい？」と彼がいうと、彼女はびくっとしてとびあがった。

「ええ」

彼は笑いながら車から降りた。彼女が助手席のドアをあけようとするより早く、彼が先まわりしてあけてやった。「びくびくすることはないよ。きみはガラテアみたいだ」

「だれみたい？」

「ガラテアだよ。エヴァーズ先生の時間に読んだのさ。奴隷《どれい》から美女に変身したら、だれも彼女に気がつかないんだよ」

彼女はその意味を噛《か》みしめてから、やがて、「わたしはみんなに気づいて欲しいわ」といった。

「その気持わかるよ。さあ、行こう」

ジョージ・ドースンとフリーダ・ジェイスンが、コーク販売機のそばに立っていた。フリーダはオレンジ色のチュールで作ったドレスを着て、いささか楽器のチューバを思わせる恰好《かっこう》だった。ドナ・ティボードーがデーヴィッド・ブラッケンと一緒に、入口でチケットを受けとっていた。二人とも全国優秀学生クラブ《ナショナル・オーナー・ソサエティ》のメンバーであり、ミス・ギアの私設ゲシュタポの一員であり、スクール・カラーの白のスラックスと赤のブレザーを着ていた。ティナ・ブレイクとノーマ・ウォトスンはプログラムを配り、席次表に従って出席者を案内していた。二人とも黒ずくめの服装で、自分ではたいそうシックな装《よそお》いだと思っているらしかったが、キャリーの目には古いギャング映画に出てくる煙草《たばこ》売りの娘のように見えた。

トミーとキャリーが会場に現われたとたんに、全員が彼らに視線を向け、一瞬こわばった気まずい沈黙が流れた。キャリーは唇を舐《な》めたい強い衝動に駆られたが、かろうじてそれを抑えた。やがてジョージ・ドースンが話しかけた。

「おい、妙な恰好をしてるな、ロス」

「おまえこそそいつ木のてっぺんから降りてきたんだ？」

ドースンがボクシングの構えで前に進みでたので、キャリーは一瞬恐怖に襲われた。緊張のあまり、あやうくジョージの体を持ちあげてロビーの床に投げだしそうになった。だがそれは男の子がよくやるおふざけのひとつだということに気がついた。

ジョージとトミーは唸《うな》り声をあげてぐるぐるまわりながら、殴りあう真似《まね》をした。

やがて肋骨《あばらぼね》に二発軽いパンチをくらったジョージが、喉《のど》をごろごろ鳴らして叫びはじめた。「ヴェトコンを殺せ！　やっつけろ！　ポンジー・スティックス（訳注　ヴェトナム戦争で、ヴェトコン掃討のために使われた忍び返しの一種）！　虎の檻《タイガー・ケージズ》！」するとトミーが笑いながらガードを解いた。

「心配しなくていいわよ」フリーダが尖《とが》った鼻をつんと持ちあげて、キャリーのほうに近づきながらいった。「二人が殺しあったら、わたしがあなたのダンスの相手をしてあげるわ」

「どっちも相手を殺せるほど頭がよくなさそうよ」と、キャリーが思いきっていった。

「まるで恐竜のけんかみたい」そしてフリーダの笑顔を見たとたんに、心のなかで、たいそう古い、錆《さ》びついたなにかがゆるむのを感じた。同時に暖かいものがこみあげてきた。安心感、心のゆとりだった。

「そのドレスどこで買ったの？」と、フリーダがきいた。「すてきだわ」

「自分で縫ったのよ」

「あなたが？」フリーダの目が演技とは思えない驚きで丸くなった。「まさか！」

キャリーは顔が火のように熱くなるのを感じた。「ほんと、わたしが縫ったのよ。わたし……裁縫が好きなの。材料はウェストオーヴァーのジョンズで買ったわ。型紙はとても簡単なのよ」

「さあ」ジョージがだれにともなく呼びかけた。「バンドの演奏が始まるぜ」そして目玉をぐりぐりさせると、皮肉っぽく軽快にタップを踏んだ。「ヴァイブ、ヴァイブ、ヴァイブ、おれたちヴェトコンはヴァイブレーションが大好きさ」

会場に入っていったとき、ジョージはフラッシュ・ボビー・ピケットの物真似をしてしかめっ面《つら》をし、キャリーはフリーダに自分のドレスの話をし、トミーは両手をポケットに突っこんでにやにや笑っていた。ディナー・ジャケットの線が崩れちゃうじゃない、とスーがいればいうだろうが、そんなことはどうでもよかった。目下のところ万事順調だった。

彼もジョージもフリーダも、あと二時間たらずで死ぬ運命だった。

『あばかれた影』(一三二ページ)より

惨事の直接の原因――ステージの上の梁《はり》に仕掛けられたバケツ二杯分の豚の血――に関するホワイト委員会の立場は、数少ない具体的証拠に照らしてみても、いささか弱すぎて、迷いがあるように思われる。ノーランの親しい仲間たちの伝聞証拠を信じるならば(率直にいって、彼らはもっともらしい嘘《うそ》をつけるほど頭がよいとは思えない)、ノーランは陰謀のこの部分をクリスティーン・ハーゲンセンの手から完全に取りあげて、みずからのイニシアティヴで行動したのである……

彼は車の運転中は口をきかなかった。彼は運転が好きだった。運転は何物にもまさる、セックスにもまさる権力の感覚を彼に与えた。

道路はモノクロ写真のように前方にのびており、スピードメーターは七十マイルを超えたところで揺れていた。彼は崩壊した家庭で育った。父親は彼が十二歳のときにガソリン・スタンドの経営に失敗して家出し、母親はそれ以来つぎつぎに四人も男を作っていた。目下のところはブルーシーが母親の最大のお気にいりだった。彼はいつもシーグラムズ7を飲んでいる男だった。母親もまた醜い中年女になりかかっていた。

しかし車があった。車はそれ自体の神秘的な力強い線から、彼に権力と栄光を与えた。車は彼を無視できない存在、超能力を持つ人間に仕立てあげた。彼が女の子と寝るときはたいてい車のバックシートを使うのも、故《ゆえ》ないことではなかった。車は彼の奴隷であり、神であった。それは与え、そして奪うこともできた。ビリーは何度も車で家からとびだした。母親がブルーシーとけんかを始める長い眠られぬ夜などは、ポップコーンを作って、野犬狩りに歩いた。そして朝になると、エンジンを切って、フロント・バンパーから血を滴《したた》らせながら、家の裏に自分で建てたガレージに車を滑りこませるのだった。

彼女はもう彼の癖を充分のみこんでいたので、どうせ無視されるに決まっていることを知りながら話しかけたりはしなかった。片脚をシートの上に折りまげて彼の隣りに坐《すわ》り、黙々と指の関節を噛んでいた。三〇二号線で彼らとすれちがう車のライトが、彼女の髪を柔かく照らして、銀色の縞《しま》を浮きあがらせた。

ビリーは彼女との仲がいつまで続くかと考えていた。おそらく今夜からあとはそう長続きしないだろう。なんとなく最初から、すべてがこのことに結びついていた。事が終れば、彼らを結びつけていた膠《にかわ》は薄くなって溶けてしまい、おたがいに最初はどんなふうだったかも思いだせなくなってしまうだろう。そのうち彼女がしだいに女神のイメージから遠ざかり、典型的な良家の子女に見えてくるだろう。そうなると少しばかり彼女を痛めつけてやりたくなるかもしれない。いや、大いに痛めつけてやりたくなるだろう。そしてしつこくいやみをいいつづける。

ブリックヤード・ヒルを登りきると、丘の下にハイスクールの駐車場があって、パパたちから借りたぴかぴかの大型車が隙間《すきま》なく並んでいた。彼はいつものように反感と憎しみが喉にこみあげてくるのを感じた。

いまに見てろ、あいつらをあっといわせるようなことができるんだ。

(忘れようたって忘れられない夜)

おきるんだ。おれたちにはやろうと思えばできるんだ。

教室のある棟は明りが消えて、ひっそりと人気《ひとけ》がなかった。ロビーにはふつうの黄色い電球がともり、体育館の東側の窓ガラスは、この世のものとも思えない、不気味なほど柔かいオレンジ色の光に照らされていた。ふたたび苦々しい思いと、石を投げつけたいような衝動がこみあげてきた。

「明りが見える、パーティの明りだ」と、彼が呟《つぶや》いた。

「えっ?」彼女がはっとわれにかえって、彼のほうを向いた。

「なんでもない」彼は彼女の首のうしろにさわった。「ロープはおまえに引かせてやるよ」

ビリーはそれを独力でやってのけた。他人は信用できないことをよく知っていたからである。それは学校などで教わるのよりもはるかに厳しい教訓だったが、彼はりっぱにその教訓を身につけていた。前の晩一緒にヘンティの農場へ行った仲間は、豚の血をなにに使うのか知らなかった。クリスがからんでいることを薄々察していたかもしれないが、それさえ確信はなかった。

彼は木曜の夜が金曜の朝に変った数分後に、車で学校へでかけていき、二度学校の前を通りすぎて、人っ子一人いないこと、チェンバレンに二台あるパトカーのどちらもそのあたりにいないことを確かめた。

それからライトを消して駐車場に乗りいれ、建物の裏側へまわった。その先では、フットボール・グラウンドが、地上低くたれこめた霧の薄い膜の下でかすかに光っていた。

車のトランクをあけて、アイス・ボックスの蓋《ふた》をあけた。血はかちかちに凍っていたが、それは問題なかった。まだ二十二時間も溶ける時間がある。

バケツを地面に置き、工具箱からいくつもの工具を取りだした。それらをズボンの尻《しり》ポケットに押しこみ、シートから茶色の袋を持ちあげた。なかでネジのぶつかりあう音がした。

邪魔が入る気づかいはないと頭から信じこんで、周囲に気をとられることなく、ゆっくりと仕事にとりかかった。ダンスの会場に予定されている体育館は大講堂も兼ねていて、彼が車を駐《と》めた場所に面した小窓の列は、バック・ステージの倉庫部分の上に開いていた。

先端が篦《へら》状になった平べったい道具を選びだして、一枚窓の上下の窓ガラスのあいだの小さな隙間にさしこんだ。便利な道具。チェンバレンの鉄工所へ行って、自分で作った道具だった。それをぐらぐら動かしているうちに掛金がはずれた。彼は窓を押しあげて、なかに入りこんだ。

内部は真暗だった。まずぷうんと鼻をついたのは、演劇クラブのキャンヴァスの背景の、古いペンキの匂《にお》いだった。音楽クラブの譜面台と楽器ケースの不気味な影が、歩哨《ほしょう》のようにあちこちに立っていた。ミスター・ダウナーのピアノが一隅に立っていた。

ビリーは袋のなかから小さな懐中電燈《でんとう》を取りだして、ステージのほうへ進み、赤いヴェルヴェットのカーテンを通り抜けた。ペンキでバスケットボール用のラインを引き、ぴかぴかに磨きあげられた体育館の床が、琥珀《こはく》色《いろ》の湖のような輝きで彼の目を射た。彼はカーテンの前のエプロン・ステージを懐中電燈で照らした。そこに、ほの白いチョークの線で、翌日据えつけられるキングとクイーンの王座の位置が描かれていた。あすになればエプロン・ステージ全体が造花で埋めつくされる……造花のほかになにがばらまかれるか、それを知っているのは神さまだけだ。

彼は首を上にのばして、暗い天井に電燈の光を向けた。頭上の大梁が黒い影になって交錯していた。ダンス・フロアの上の大梁はクレープ・ペーパーでおおわれていたが、エプロンの真上の部分はむきだしだった。短いたれ幕がその部分の大梁を隠していて、体育館の床からは見えないからである。同じたれ幕がゴンドラの壁画を照らすライトの列も隠していた。

ビリーは懐中電燈を消して、エプロンの左端へ歩いていき、壁にとりつけられた鉄《てつ》梯子《ばしご》をのぼった。用心のためにシャツのなかに押しこんでおいた茶色の袋の中身が、人気のない体育館に、奇妙にうつろな音をにぎやかに響かせた。

梯子のてっぺんに小さな足場があった。そこでエプロンのほうを向いて立つと、右が舞台の天井裏、左が体育館だった。舞台の天井裏には、古いものは一九二〇年代までさかのぼる演劇クラブの小道具がしまいこまれていた。昔、ポーの『大鴉《おおがらす》』を劇化した舞台で使われた、アテネの女神パラスの胸像が、錆びついたベッド・スプリングの上から、盲《めし》いた焦点の定まらない目で彼をみつめていた。まっすぐ前方のエプロンの上に、鉄の大梁がのびていた。壁画を照らすライトはその梁材の下端にとりつけられていた。

彼はその大梁の上を、恐れげもなく、たれ幕の上まで易々《やすやす》と進んでいった。小声でポピュラー・ソングをくちずさんでいた。梁材には埃《ほこり》が厚く積もっていて、長い引きずるような足跡がついた。半分ほど進んだところで立ちどまり、ひざまずいて下を見おろした。

懐中電燈で下を照らすと、真下のエプロンに描かれたチョークの印がはっきり見えた。彼は音をたてずに口笛を吹いた。

（爆弾投下）

埃のたまった梁材のその場所に×印をつけてから、さきほどの足場まで戻った。いまから舞踏会までのあいだに、ここまで人があがってくる心配はない。壁画と、戴冠《たいかん》式《しき》がおこなわれるエプロンを照らすライトは
（血の戴冠式だ）

舞台裏のボックスから操作される仕組みになっていた。だれかが真下から見あげたとしても、ライトに目がくらんでなにも見えないだろう。彼の細工が見つかるおそれがあるのは、だれかが舞台の天井裏へあがってきたときだけだ。だがそんなことをするやつはいないだろう。その程度の危険なら目をつむってもいい。

彼は茶色の袋をあけて、プレイテックスのゴム手袋を取りだし、それをはめてから、前の日に買っておいた二つの小さな滑車の一方を取りだした。万一の場合を考えて、わざわざルーイストンの金物屋まで行って仕入れてきたものだった。それからたくさ

んの釘《くぎ》を煙草《たばこ》のように口にくわえて、ハンマーを手にとった。口いっぱいに釘をくわえたまま、あいかわらず鼻唄《はなうた》を歌いながら、足場から一フィート上の一隅に滑車をとりつけた。その横に目穴のあいたネジをねじこんだ。

梯子を降りて、舞台裏を横切り、侵入口からあまり遠くない場所にある別の梯子をのぼった。そこは一種の屋根裏の物置だった。古い年鑑や、虫の食ったユニフォームや、鼠《ねずみ》のかじった使い古しの教科書などが山と積まれていた。

左を向くと、舞台の天井裏に懐中電燈の光を向けて、たったいまとりつけた滑車を照らしだすことができた。右を向くと、壁の通気孔から流れこむ冷たい夜気が顔をなぶった。なおも鼻唄を歌いながら、彼は二つ目の滑車を取りだして釘で固定した。

梯子を降りて、こじあけた窓から外に這《は》いだし、豚の血の入ったバケツを持ちあげた。仕事を始めてからすでに三十分たっていたが、凍った血は全然溶けるようすがなかった。彼は両手にバケツをさげて、朝の乳しぼりから帰ってくる農夫のようなシルエットを闇《やみ》のなかに浮かべながら、窓のほうに歩いて戻った。はじめにバケツを持ちあげておいて、それから自分の体を引きあげた。

両手にバケツを持ってバランスをとると、梁渡りは空手のときよりも楽だった。埃の上に描いた×印のところまで辿《たど》りつくと、バケツを置いてもう一度エプロンのチョークの印を見おろし、うなずいて足場まで戻った。最後にバケツを拭《ぬぐ》っておこうかと思ったが――バケツにはケニーの指紋、それにドンとスティーヴの指紋もついているはずだ――思いなおしてやめた。たぶん土曜日の朝彼らは少しびっくりさせられるだろう。それを思って、彼はほくそえんだ。

袋のなかの最後の品は、一巻きの麻紐《あさひも》だった。彼はバケツのところへ戻って、それぞれの把手《とって》に麻紐を引き結びにした。その紐をネジの目穴に、続いて滑車に通した。それからほどけた紐を反対側の物置のほうへ投げてやって、二つ目の滑車にも通した。大講堂の薄暗がりのなかで、大昔からの埃にまみれた自分が、くしゃくしゃの髪のまわりに灰色の綿ぼこりを舞わせながら、背中を丸めて、少しでもましな鼠とりを作ろうと夢中になっている半狂人のループ・ゴールドバーグ（訳注　無意味な複雑さを持つ機械装置を描いて有名な漫画家）のように見えることを知ったら、おそらく彼もあまりいい気持はしなかっただろう。

余った麻紐を、通気孔から手をのばせば届くところにある木箱の上に置いた。それから梯子を降りて、両手の埃を払った。細工は終った。

彼は外のようすをうかがってから、窓を通り抜けて地面にとびおりた。窓をしめ、ふたたび手製のかなてこを押しこんで、できるだけ掛金を元に戻した。そして車に戻った。

クリスの話では、トミー・ロスとキャリーがバケツの下に坐る可能性は充分にあるという。彼女が仲間をこっそりけしかけて、二人が選ばれるように仕向けたのだ。それはそれでいい。しかしビリーにしてみれば、バケツの下に坐るのはだれでもよかった。

クリス自身が坐ることになっても構わない、とさえ思いはじめていた。

彼は車をスタートさせた。

『わたしの名はスーザン・スネル』(四八ページ)より

キャリーはプロムの前日トミーに会いにいきました。彼の授業が終るのを教室の外で待っていたのですが、彼にいわせると、うるさくつきまとうなとどなられることが心配らしく、ひどくみじめな顔をしていたということです。

彼女は遅くも十一時半までに家へ帰らなければ、ママが心配するといったそうです。彼の楽しみに水をさしたくはないけれど、ママを心配させるのはよくないことだと。

彼はプロムのあとでケリー・フルーツに寄って、ルート・ビアとハンバーガーで軽く腹ごしらえをしようと提案しました。ほかの生徒たちはみなルーイストンへくりだして、店を一軒借りきる予定でした。キャリーの顔がぱっと輝いたそうです。そしてとてもすてきだろうなといったそうです。

これが世間から怪物と呼ばれつづけていた女の子の本当の姿なのです。このことをみなさんの心にしっかりと銘記していただきたいのです。一生に一度のプロムのあと、ママを心配させないために、ハンバーガーとルート・ビアで我慢するつもりだった女の子……

会場に一歩入ったとたんにキャリーを迎えたのは、夢見心地であった。ただの夢見心地ではなく、大文字の夢見心地である。美しい影が、シフォンやレースやシルクやサテンの衣《きぬ》ずれの音をたてて動きまわっていた。空気は花の香にみちみちており、鼻は絶えずその芳香に酔っていた。背中のあいたのや、胸元が深くえぐれたのや、アンピール様式のウェストを持つドレスを着た女の子たち。ロング・スカートにパンプス。まばゆいばかりの純白のディナー・ジャケット、サッシュ・ベルト、ぴかぴかの黒靴。ダンス・フロアにまばらな人影があったが、まだそれほど多くはなく、柔かい薄明りのなかで実体のない幽霊のように見えていた。彼女はそれが自分のクラスメイトだとは思いたくなかった。見知らぬ美しい他人であってくれればよいと願った。トミーの指が彼女の肘《ひじ》をしっかり支えていた。「壁画がきれいだな」と、彼がいった。

「ええ」彼女は消えいるような声で相槌《あいづち》を打った。

壁画はオレンジ色のスポットライトの下で柔かいフットライトに照らされ、ゴンドリエは永遠の倦怠《けんたい》を思わせる姿勢で櫓《ろ》にもたれかかり、日没が彼の周囲で赤々と燃え、水の都の建物群も夕日に赤く染まっていた。突然彼女はこの瞬間が永遠に自分とともにあることを、記憶の手をのばせば届く範囲にあることを知って安心した。

彼女はみんなもそう感じているだろうかどうかと疑《うたぐ》ったが、あの陽気なジョージでさえ、壁画をみつめながら一瞬沈黙していた。その光景と、匂いと、それにかすかに聞きおぼえのある映画のテーマを演奏しているバンドの音までもが、永遠に彼女のなかに封じこめられて、彼女の心はいともなごやかだった。彼女の魂は、あたかもアイロンで皺《しわ》をのばされたかのように、一瞬の静穏を楽しんでいた。

「ヴァイブ」とジョージがだしぬけに叫んで、フリーダをダンス・フロアに引っぱりだした。そして古風なビッグ・バンド風の演奏に合わせて皮肉たっぷりにジターバッグを踊りだすと、だれかが猫の鳴き声を真似《まね》てやじをとばした。ジョージはどなりかえし、流し目をくれて、腕を組んだコサック・ダンスをひとくさり踊り、あやうく尻もちをつきそうになった。

キャリーがほほえんだ。「ジョージっておもしろいわね」

「うん。いいやつだよ。ここにはいいやつが大勢いる。坐《すわ》るかい？」

「ええ」彼女は感謝をこめて答えた。

彼はドアのほうへ行き、この日のために髪の毛をけばだてて大きくふくらましたノーマ・ウォトスンと一緒に戻ってきた。

「あなたたちは**反対側よ**」と彼女はいい、きらきら光る小さな目で、キャリーを頭のてっぺんから爪先《つまさき》までじろじろ眺めた。どこかに下着の紐はのぞいていないか、ニキビは見当らないかと、案内役の仕事が済んで入口へ戻ったときに報告する話の種を捜しているようだった。「**すてきな**ドレスじゃない、キャリー。**いったい**どこで買ったの？」

キャリーはノーマに案内されてダンス・フロアをぐるっとまわり、自分たちのテーブルへ行くあいだに、その質問に答えた。ノーマはエイヴォン石鹼《せっけん》と、ウルワースの香水と、ジューシー・フルーツ・ガムの匂いをぷんぷんさせていた。

そのテーブルには二つの折りたたみ椅子《いす》（これまたクレープ・ペーパーのリボンで

飾られていた）が置かれ、テーブル自体もスクール・カラーのクレープ・ペーパーで飾られていた。卓上にはワイン・ボトルに立てたろうそくと、ダンス・プログラムと、小さな金メッキの鉛筆と、パーティの贈物——プランターズ・ミクスト・ナッツを盛ったゴンドラが二つ置いてあった。

「**信じられないわ**」と、ノーマが話しかけていた。「あなた、まるで**別人よ**」彼女が妙な目つきでこっそり顔を盗み見るので、キャリーは落ちつきを失った。「文字通り**光り輝いて**いるわ。ねえ、**秘密**を教えてよ」

「わたしはドン・マクリーンの秘密の恋人なの」と、キャリーが答えた。トミーがくすくす笑い、あわててその笑いを殺した。ノーマの微笑が一目盛りさがった。キャリーは自分の機知に——そして大胆さにびっくりした。からかわれたときはだれでもそんな顔をするものよ。お尻を蜂《はち》に刺されたような顔。キャリーはノーマのそんな顔を見ていい気味だと思った。それは明らかにキリスト教精神に反することだった。

「さて、わたしは戻らなくちゃ」と、ノーマがいった。「ねえトミー、**すてき**だと思わない？」彼女は同情するような笑いを浮かべた。「ほんとにすてきだと思わない——？」

「ぼくは冷汗たらたらさ」と、トミーが真顔で答えた。

ノーマは狐《きつね》につままれたような妙な笑いを浮かべて立ち去った。彼女が予想したのとは風向きが違っていた。キャリーに関するかぎり、事は予想どおりに運ぶはずだったのに。トミーがまたくすくす笑った。「踊るかい？」と、彼がきいた。

彼女は踊り方を知らなかったが、まだそのことを白状する心の準備ができていなかった。「もう少し坐っていたいわ」

彼が椅子を引いてくれるあいだに、彼女はろうそくに気づいて、火をつけてくれないかとトミーに頼んだ。彼はろうそくをつけた。二人の視線が炎の上で出会った。彼は手をのばしてキャリーの手を握った。バンドの演奏が続いていた。

『あばかれた影』（一三三―一三四ページ）より

キャリー・ホワイト自身の問題がよりアカデミックに研究されるようになれば、いずれ彼女の母親の徹底的な研究も企てられることになるだろう。ブライアム家の家系を知るためだけでも、わたし自身の手でそれを試みようかとも考えている。二、三代さかのぼったところでどのような奇妙な事件にでくわすか、それはきわめて興味深い問題である……

それからもちろん、舞踏会の夜《プロム・ナイト》にキャリーが家へ帰ったことはわかっている。それはなぜか？　その時点でキャリーの母親がどの程度正気だったかは断定しがたい。キャリーは許しを乞《こ》いに行ったのかもしれないし、あるいは母親を殺すという明確な意図のもとに家へ帰ったのかもしれない。いずれにせよ、具体的な証拠は、マーガレット・ホワイトが娘を待っていたことを示しているように思われる……


家のなかはひっそりと静まりかえっていた。

彼女は行ってしまった。

夜だというのに。

行ってしまった。

マーガレット・ホワイトは、自分の寝室から居間へ、ゆっくり歩いていった。はじめに訪れたのは血の流れと、それと一緒に悪魔が送りつけたけがらわしい妄想だった。続いて悪魔が彼女に与えたこの身の毛のよだつような力がやってきた。それは血の時期と、それからいうまでもなく体に毛がはえる時期にやってきた。彼女の祖母もその

力を持っていた。祖母は窓ぎわの揺り椅子から一歩も動かずに、煖炉《だんろ》に火をおこすことができた。その力はいわば魔女の光で
（魔女を生かすなかれ）

彼女の目を燃えたたせた。そしてときおり、夕食のテーブルで、砂糖つぼが、踊り狂う回教の修道僧のようにぐるぐる回りだした。それが始まるたびに、祖母は狂ったようにわめき、よだれをたらし、そこらじゅうを邪眼でにらみまわした。暑い日などは犬のように喘《あえ》いだ。六十六歳という年にしてはちょっと早すぎるほど、痴呆症同様にもうろくして、心臓の発作で死んだとき、キャリーは満一歳にもなっていなかった。

マーガレットが祖母の葬式から四週間たらずあとで、自分の寝室に入っていったとき、まだ赤ん坊だったキャリーが、ベビー・ベッドに横になって、顔の上の空中に浮かんだミルク壜《びん》を見ながら、喉《のど》を鳴らしてうれしそうに笑っていた。

マーガレットはその場で娘を殺しかけた。夫のラルフが彼女を止めたのだった。

彼女はそのとき夫に止めさせるべきではなかった。

いま、マーガレット・ホワイトは居間の中央に立っている。カルヴェリオの丘のキリストが、傷つき、苦痛にみちた、非難の目で彼女を見おろしている。ブラック・フォレストかっこう時計が時を刻んでいる。八時十分すぎだった。

彼女は悪魔の力がキャリーのなかで作用しているのを感じることができた。実感することができた。それは邪悪な、人をくすぐる小さな指のように、持ちあげたり引っぱったりしながら、彼女の全身を這《は》いまわった。キャリーが三歳のとき、隣家の庭で悪魔のあばずれ女を眺めているのを見て、彼女はふたたび自分の義務を果そうとしたことがあった。そのとき石の雨が降り、彼女は弱気になった。その力が十三年後のいまふたたび頭をもたげたのだ。神は侮《あなど》られなかった。

最初は血で、そのつぎがあの力で

(血もて汝《なんじ》の名を記せ)

そしていまは男の子とダンス、彼はダンスのあとで彼女を酒場へ連れてゆくだろう、それから駐車場へ連れていき、バックシートに連れこんで、彼女を――

血、なまなましい血。血は常にその根にあった。そして血のみがそれを償える。

彼女は肘にくぼみができるほどの太い二の腕を持った大女だったが、逞《たくま》しく太い首の上にのっている顔は驚くほど小さかった。かつては美しい顔だった。いまだにある種の不気味な、狂信的な美しさを保っていた。しかしその目は奇妙に視点が定まらず、拒否的だが不思議と弱々しい口のまわりには、無残な皺が刻まれていた。一年前までは漆黒だった髪も、いまはほとんど白くなっていた。

罪、真の邪悪な罪を殺す唯一《ゆいいつ》の方法は、それを悔い改めた心臓の血に浸して、息の根を止めることだった。疑いもなく神はそのことを理解し、彼女を指してそれを命じた。神はアブラハムに、息子のイサクを荒野へ連れてゆくことを命じたのではなかったか？

（彼女は犠牲《いけにえ》にされなければならない）

彼女は古くなって形のくずれたスリッパを引きずって台所へ行き、台所道具の入っているひきだしをあけた。肉を切るのに使っているナイフは、刃渡りが長くて鋭く、絶えず砥《と》いでいるために中央が弓なりにくぼんでいた。彼女はカウンターの前の高いスツールに腰をおろし、小さなアルミの皿にのった砥石《といし》のかけらを捜しだして、呪《のろ》われた人間の無感動な集中心をこめながら、ぎらぎら光る刃の先端を砥ぎはじめた。

ブラック・フォレストかっこう時計が時を刻みつづけ、やがてかっこうがとびだして一声鳴き、八時半を告げた。

彼女の口のなかにオリーヴの味が拡《ひろ》がった。

一九七九年度最高学年春の舞踏会

一九七九年五月二十七日

演奏　ザ・ビリー・ボズナン・バンド
ジョージーとムーングローズ

曲目　『キャバレー』バトン・トワリング＝サンドラ・ステンチフィールド
『五〇〇マイル』
『レモン・ツリー』
『ミスター・タンバリン・マン』
フォーク・ミュージック＝ジョン・スウィズン＆モーリーン・コーワン
『君住む街で』
『雨にぬれても』
『明日に架ける橋』　ユーイン・ハイスクール・コーラス

顧問　ミスター・スティーヴンズ、ミス・ギア、リューブリン夫妻、
ミス・デジャルダン

戴冠式　午後十時

あなたのプロムです、忘れえぬ思い出に！

三度目に誘われたとき、キャリーは踊れないことを白状しないわけにいかなかった。ただし、三十分一区切りでロック・バンドが演奏を始めたいま、ダンス・フロアでくるくる踊りまわるのは場違いな（おまけに罪深い）

そう、罪深いことのような気がする、とはいわなかった。

トミーはうなずいて、にっこりほほえんだ。身を乗りだして、実は自分もダンスが嫌いなのだと囁《ささや》いた。それよりほかのテーブルをのぞいてみないか？　喉に恐怖心がこみあげてきたが、彼女はうなずいた。ええ、面白そうだわ。彼はわたしに気をつかっている。わたしも彼に気をつかわなければならない（たとえ彼がそれを期待していないにしても）、おたがいにそういう約束だったんだから。それに彼女はこの夜の魔法のような魅力のとりこになっていた。突然、足を突きだして彼女をつまずかせたり、背中に〝わたしを蹴《け》とばして〟と書いた紙をこっそり貼《は》りつけたり、おもちゃのカーネーションからだしぬけに顔に水をひっかけて、みんなが笑ったり指さしたりやじったりするあいだに、げらげら笑いながら逃げだしたりする者はいないだろうという、希望的観測が湧《わ》いてきた。

そしてもし魔法のような魅力があるとすれば、それは神聖ではなくて異教的なものであり

(ママ　うるさくいわないで　わたしはもう大人になりかかっているんだから)

もとより彼女の望むところだった。

「ほら」と、彼が立ちあがりながらいった。

舞台係が二、三人でキングとクイーンの王座を舞台の袖《そで》から押しだし、用務員主任のミスター・ラヴォワが手で合図をして指揮をとりながら、それをエプロン・ステージの所定の場所に運ばせていた。彼女は、まばゆいばかりの白一色に包まれ、大きなクレープ・ペーパーの旗だけでなく本物の花でも飾られたその二つの王座を、まるでアーサー王伝説の世界だと思った。

「きれいだわ」と、彼女はいった。

「きみこそきれいだよ」と、トミーがいった。彼女は今夜はいやなことなどおこらないと確信した——それどころか、トミーと自分がプロムのキングとクイーンに選ばれ

るかもしれないとさえ思った。そして、そんな空想にふけっている自分の愚かさに、思わず笑いだした。

時間は九時ちょうどだった。

「キャリー」と、遠慮がちに呼びかける声がした。

彼女はバンドとダンス・フロアとほかのテーブルに気をとられていたので、だれかが近づいてきたことに気がつかなかった。トミーはパンチをとりに行っていた。

声のしたほうを向くと、ミス・デジャルダンが立っていた。

一瞬、二人は無言で顔を見あわせた。いつかの記憶が二人のあいだを往復し

（彼女はわたしを見たんだわ　わたしが裸で泣き叫びながら血を流すのを見たんだわ）

言葉と思考の助けをかりずに通じあった。それは目にはっきり書かれていた。

やがてキャリーがおずおずと口を開いた。「とってもきれいですわ、ミス・デジャルダン」

事実彼女は美しかった。光り輝く銀色のシース・ドレスが、アップにしたブロンドの髪を申し分なく引きたてていた。首にシンプルなペンダントをかけていた。生徒の付添いというよりは、彼女自身生徒に見えるほど若々しかった。

「ありがとう」彼女はちょっとためらってから、手袋をはめた片手をキャリーの腕にかけた。「あなたこそきれいよ」と、彼女は一語一語強調しながらいった。キャリーはまた顔が赤らむのを感じて、テーブルに目を伏せた。「うれしいわ、ほめていただいて。わたし知ってるんです……自分がきれいじゃないってこと……だけどお礼をいいますわ」

「ほんとよ、キャリー。いままでのことは……もうみんな忘れたわ。あなたにそのことをいいたかったの」

「わたしは忘れません」キャリーはきっとなって顔をあげた。続いて口まで出かかったのは、でも、もうだれも恨んではいません、という言葉だった。だが彼女はそれをぐっと抑えつけた。それは真赤な嘘《うそ》だった。恨んでいないどころか、これからも永久にみんなを恨みつづけるだろう。なによりも自分に対して正直でありたかった。「でも、もう済んだことですから」

ミス・デジャルダンはほほえんだ。その目に柔かく混ったさまざまな光が、ほとんど液体のような輝きとなって宿るかに見えた。彼女がダンス・フロアに視線を向けたので、キャリーもそっちを見た。

「わたし、自分のプロムをいまでもおぼえてるわ」と、デジャルダンは小声でいった。

「わたしね、ハイヒールをはくと相手の男の子より二インチも高かったのよ。彼はわたしのガウンに全然似合わないコサージをくれたわ。おまけに彼の車の排気管がこわれていて、エンジンが……それはひどい騒音をまきちらしたわ。でも、魔法にかかったようだった。どうしてかしら？　とにかく、あんなすてきな相手とはもう二度とめぐりあえなかったわ」彼女はキャリーを見た。「あなたもそんな気分？」

「とてもすてきですわ」

「それだけ？」

「いえ。まだあるけど、言葉では表わせないんです。だれにも話せません」

デジャルダンはにっこり笑って、彼女の腕を押した。「きっといつまでも忘れられない夜になるわ。いつまでも」

「わたしもそう思います」

「大いに楽しんでね、キャリー」

「ありがとう」

デジャルダンがダンス・フロアをまわって付添いの席へ戻ってゆくのといれちがいに、トミーがパンチの入ったディキシー・カップを二つ持って戻ってきた。

「彼女、なんていってた？」彼はパンチをテーブルに置きながらきいた。

キャリーは、デジャルダンのうしろ姿を眺めながら答えた。「たぶんわたしに謝りたかったんだと思うわ」

スー・スネルは自宅の居間に静かに坐《すわ》って、ドレスの縁縫いをしながら、ジェファースン・エアプレーンのＬＰアルバム、『ロング・ジョン・シルヴァー』に聞きいっていた。古いレコードで、かなり傷がついていたが、聞いていると気持がなごんだ。

両親は出かけていた。彼らはなにがあったか察していたに違いないのだが、ありがたいことに、うちの娘も大したもんだとか、いよいよ大人になってきたとか、本人を前にして自慢話を始めるようなことはしなかった。彼女は両親が自分をそっとしておいてくれたことに感謝していた。いまだに自分の動機が釈然とせず、意識下の黒いヴエルヴェットのなかで燦然《さんぜん》と光り輝く利己心という宝石を発見するのがいやで、動機をあまり深く分析する気になれなかったからである。

彼女は思いついたことを実行した。それで充分だった。彼女は満足していた。

（彼は彼女が好きになるかもしれない）

だれかが廊下から話しかけでもしたように、彼女はどきっとしたような微笑で口をよじらせて顔をあげた。きっとおとぎばなしのような結末になるのだろう。王子さまが眠り姫の上にかがみこんで、唇と唇を重ねる。

スー、きみにどういえばいいかわからないんだが、実は——

微笑が消えた。

生理が遅れていた。もう一週間近く遅れていた。いつもは暦のように正確だというのに。

レコード・チェンジャーがカチッと音をたて、つぎのレコードが落ちた。その突然の短い沈黙のあいだに、自分の内部でなにかが反転する音を聞いた。彼女の魂が反転しただけのことかもしれなかった。

九時十五分だった。

ビリーは駐車場のいちばん端に車を乗りいれて、ハイウェイに接続するアスファルトのランプに面した区画に駐《と》めた。クリスが降りかけるのを、ぐいと引きとめた。彼の目は闇《やみ》のなかで狂暴に光っていた。

「どうしたの？」と、彼女が苛立《いらだ》って怒りっぽくいった。

「キングとクイーンが決まると、マイクで発表する」と、彼はいった。「そしてバンドが校歌を演奏する。やつらが王座に、つまりバケツの真下に坐るのはそのときだ」

「知ってるわよ、そんなこと。手を放して。痛いじゃないの」

彼は彼女の手首を一段と強く握った。小さな骨がこすれる手応《てごた》えがあった。彼は意地の悪い喜びを感じた。それでも彼女は泣かなかった。したたかな女だ。

「いいか、よく聞けよ。これから自分のやることをよくおぼえとくんだ。校歌が始まったらロープを引け。強く引くんだぞ。滑車と滑車のあいだが少したるんでいるが、い、い、大したことはない。引っぱって、バケツがひっくりかえる手応えを感じたら、すぐに逃げるんだ。悲鳴や騒ぎを聞くためにぐずぐずするな。こいつは罪のないいたずらなんかじゃない。れっきとした犯罪だぜ。罰金なんかじゃ済まないんだ。間違いなく刑務所にぶちこまれる」

彼にしては珍しい大演説だった。

彼女は挑戦的な怒りをたたえた目で彼をにらみつけただけだった。

「わ、か、ったか？」

「ええ」

「ようし。バケツが落ちたら、おれも逃げる。車に戻ったら、すぐに走りだすぞ。おまえが間に合えば一緒に連れてゆくが、間に合わなかったら置き去りだ。もしもあとに残されてべらべらしゃべったりしたら殺してやるからな。わかったか？」

「わかったわよ。その汚い手を放して」

彼は手を放した。無意識のうちに、暗い笑いが顔に浮かんでいた。「オーケー。きっとうまくゆくよ」

彼らは車から降りた。

もうすぐ九時三十分だった。


生徒代表のヴィク・ムーニーが、マイクに向かっておどけた口調で叫んでいた。

「さてみなさん、どうぞ席に着いてください。投票の時間がきました。ただいまから、キングとクイーンの選出をおこないます」

「このコンテストは女性に対する侮辱よ！」と、マイラ・クルーズがそわそわしながら人のよさそうな声で叫んだ。

「男性にとっても侮辱だぞ！」と、ジョージ・ドースンがまぜっかえすと、みんながどっと笑った。マイラはなにもいわなかった。彼女の抗議は形式だけのものだった。

「どうぞ席に着いてください！」ヴィクはマイクの前で愛想よく笑みを浮かべながら、顔を真赤にして、顎《あご》のニキビをいじっていた。巨大なヴェニスのゴンドリエが、背後からヴィクの肩ごしに夢見るような視線を投げかけていた。「投票を始めます」

キャリーとトミーは席に着いた。ティナ・ブレイクとノーマ・ウォトスンが謄写《とうしゃ》印刷の投票用紙を配っていた。ノーマが彼らのテーブルに投票用紙を置いて、「グッド・ラック！」と囁いたとき、キャリーはそれを手にとってしげしげと眺めた。それから驚いて口をぽかんとあけた。

「トミー、わたしたちの名前があるわよ！」

「うん、ぼくも見たよ」と、彼はいった。「票は一組にかたよるよ、あとの候補はいわば飾りものさ。

彼女は唇を噛《か》んで彼を見た。「あなたは辞退するかい？」

「別に」と、彼は陽気に答えた。「万一選ばれたら、校歌とダンスが一曲終るまであすこに坐って、王笏《おうしゃく》を振りながら阿呆面《あほうづら》をしてればいいのさ」

「わたしたち、だれに投票する？」彼女は投票用紙からナッツいりのゴンドラの横の小さな鉛筆へと、疑わしそうに視線を移動させた。「彼らはわたしの仲間というよりあなたの仲間よ」彼女はくすっと笑ってつけくわえた。「だいいち、わたしには仲間なんて一人もいないわ」

彼は肩をすくめた。「自分に投票しようよ。心にもない遠慮なんかすることはない」

彼女は声をたてて笑い、あわてて片手で口をふさいだ。自分でもひどく耳なれない声だった。それからよく考えもせずに、上から三番目にある自分たちの名前を囲んでいた。小さな鉛筆が手のなかでぽっきり折れたので、思わずはっとした。かけらが指の腹を傷つけて、ぷつんと血がにじんだ。

「怪我《けが》したのかい？」

「ううん」彼女は笑って答えたが、突然その笑いが凍りついた。血を見た瞬間にいやな記憶がよみがえったのだ。ナプキンで血を吸いとった。「でも鉛筆を折っちゃったわ。いい記念になったのに。わたしってどじね」

「ほら、きみのゴンドラだよ」と、彼はナッツの入った船を彼女のほうに押しやった。彼女は息苦しさをおぼえ、いまにも泣きだして恥をかきそうだと思った。どうやら泣かずに済んだかわりに、目がプリズムのようにきらきら光り、トミーに気づかれないようにうつむかなければならなかった。

優秀学生クラブの案内係が折りたたまれた投票用紙を集めてまわるあいだ、バンドが快いつなぎのメロディを演奏していた。投票用紙はドアのそばの顧問席に運ばれ、そこでヴィクとミスター・スティーヴンズとリューブリン夫妻が票をかぞえた。ミス・ギアが鋭い目で見守っていた。

キャリーは不快な緊張がじわじわと忍び寄って、腹部と背中の筋肉がひきつるのを感じた。トミーの手を強く握りしめた。むろん、そんな取越苦労はばかげていた。彼らに投票する者などいるはずがなかった。種馬には人気があるとしても、牝牛《めうし》と二頭だてで馬車につながれているのでは、まず望みはない。おそらくフランクとジェシカの組か、ドン・ファーナムとヘレン・シャイアーズの組が選ばれるだろう。あるいは――そんなことはどうでもいい！

二つの投票用紙の山がほかより大きくなりつつあった。ミスター・スティーヴンズが票の仕分けをおえ、四人がかりでほぼ同じ高さに見える票の山を順番にかぞえた。彼らは額を寄せて話しあい、もう一度かぞえなおした。ミスター・スティーヴンズがうなずいて、もう一度ポーカーの札でも配るように投票用紙をぱらぱらめくってから、それをヴィクに渡した。ヴィクはステージに戻ってマイクに近づいた。ビリー・ボズナン・バンドがファンファーレを奏《かな》でた。ヴィクは神経質に笑って、マイクに咳《せき》ばらいをし、突然のマイクの雑音に驚いて目をぱちくりさせた。太いコードがあちこちにのびている床に、あやうく投票用紙を取りおとしそうになったのを見て、だれかがくすくす笑った。

「ちょっと困ったことになりました」と、ヴィクが不器用さ丸だしでいった。「ミスター・リューブリンによれば、春の舞踏会の歴史上はじめて――」

「どのへんまで溯《さかのぼ》るんだ？」と、トミーのうしろでだれかがやじをとばした。「千八百年までかい？」

「投票がタイになりました」

会場からどよめきがあがった。「タイだって？　それは水玉模様か、ストライプか？」と、ジョージ・ドースンが叫んだので、まわりの連中がどっと笑った。ヴィクはひきつったように笑い、また投票用紙を落としそうになった。

「フランク・グリア＝ジェシカ・マクリーン組が六十三票、トーマス・ロス＝キャリー・ホワイト組も六十三票です」

一瞬の沈黙に続いて、嵐《あらし》のような拍手がおこった。トミーはテーブルごしにキャリーの顔を見た。彼女は恥ずかしそうにうなだれていたが、突然彼は

（キャリー　キャリー　キャリー）

彼女をプロムに誘ったときのあの感覚と似ていなくもない感覚を、いまふたたび経験した。それは彼の心のなかでなにかがうごめき、繰りかえしキャリーの名前を呼んでいる、といった感覚だった。あたかも――

「お静かに！」と、ヴィクが叫んでいた。「みなさん、どうぞお静かに」拍手がしず

まった。「ただいまから決選投票をおこないます。投票用紙が配られたら、支持するカップルの名前を書いてください」

彼は大任を果して、ほっとしたような表情でマイクの前をはなれた。

投票用紙が配られた。プログラムの余白を切りとった間にあわせの投票用紙だった。バンドの演奏が続いていたが、人々は興奮し、おしゃべりに夢中で、だれも音楽など聞いていなかった。

「わたしたちへの拍手じゃなかったわ」と、キャリーが顔をあげていった。さきほど彼を襲った（錯覚かもしれなかったが）感覚はもう消えていた。「だってそんなはずないでしょう」

「いや、きみへの拍手だったかもしれないよ」

彼女は無言で彼の顔をみつめた。

「どうしてこんなに遅いのかしら？」と、彼女が囁《ささや》いた。「さっき拍手が聞えたのに。たぶんあれがそうだったのよ。もし失敗したら――」麻紐《あさひも》は、ビリーが換気孔にドライヴァーをさしこんで端を引きだしてから、二人のあいだに手も触れられずに垂れさがっていた。

「心配するなって」彼は落ちつきはらっていった。「校歌の演奏がかならずある。いつもの決まりなんだから」

「でも――」

「うるさい。おまえはしゃべりすぎるぞ」彼の煙草《たばこ》の火が闇のなかでのんびり揺れた。

彼女は黙った。しかし、

（ああ　これがすんだらあれができる　ベッドでたっぷり楽しめるわ）

彼女は彼の言葉に猛烈に腹を立てていた。彼女に向かって、こんな乱暴な口をきく人間はいなかった。彼女の父親は弁護士だった。

十時七分前。

彼が折れた鉛筆を持って、名前を書きかけたとき、彼女がおずおずと彼の手首をおさえた。

「やめて……」

「なにを？」

「わたしたちの名前を書かないで」と、ようやく彼女はいった。

彼は不思議そうに眉《まゆ》をひそめた。「なぜだい？　乗りだした船はあとにひけない。

おふくろがいつもそういうよ」

（おふくろ）

その言葉を聞いたとたんに、彼女の心のなかに、片手に炎の剣を持って酒場の駐車場を徘徊《はいかい》する、顔のない、聳《そび》え立つ円柱のような神に、いつ果てるともなく祈りつづける母親の姿が浮かんだ。どすぐろい恐怖が頭をもたげ、彼女はそれを押し戻すためにあらゆる気力を振りしぼって戦わなければならなかった。それは説明しがたい惧《おそ》れであり、予感であった。彼女はただ力なくほほえんで繰りかえすしかなかった。「お願い。やめて」

優秀学生クラブの案内係が投票用紙を集めにきた。彼は一瞬ためらったのち、ぎざぎざに切りとられた紙きれに、トミーとキャリーと、一気に書きなぐった。「きみのためだよ」と、彼はいった。「今夜のきみはすてきだよ」

彼女は答えられなかった。不吉な予感が、母親の顔が、重く心にのしかかっていたからである。

ナイフが砥石《といし》から滑って、はっと思う間もなく、親指のつけ根を傷つけていた。彼女は傷を眺めた。傷口から一条の細い血がゆっくり流れおちて、台所の床のすりへったリノリウムに滴《したた》った。それは喜ぶべきことだった。ナイフの刃は肉を味わい、血を流した。彼女は繃帯《ほうたい》をせずに、手を傾けて傷口からナイフの刃に血を滴らせ、鋭い刃の輝きを血でくもらせた。それから服に点々と飛び散る血をものともせずに、ふたたびナイフを砥《と》ぎはじめた。

もし汝の右眼なんじを躓かせば、抜きて棄てよ。

それは聖書のなかの苛烈《かれつ》な一節であるにしても、同時に適切な教えでもあった。酒場の入口の暗闇《くらやみ》や、ボウリング場の裏手のくさむらにひそむ者たちにふさわしい一節であった。

抜きて棄てよ。

(おお　それに彼らの演奏するあの下品な音楽)

抜きて

(娘たちは下着を見せびらかす　汗に濡《ぬ》れた下着を)

棄てよ。

ブラック・フォレストかっこう時計が十時を打ちはじめ、そして

(彼女のはらわたを床に引きずりだしてやる)

もし汝の右眼なんじを躓かせば、抜きて棄てよ。

ドレスは縫いあがったが、彼女はテレビを見るのも本を読むのもいやだったし、ナンシーに電話をかける気もしなかった。台所の暗い窓を向いてソファに坐《すわ》り、心のなかで分娩《ぶんべん》まぢかの胎児のように成長する、ある種の名状しがたい恐怖に身をゆだねているほかはなかった。

彼女は溜息《ためいき》をついて、無心に両腕をマッサージしはじめた。それは冷たく、鳥肌立っていた。時間は十時十二分すぎ、世界の終りが近づきつつあると感じる理由はなにもなかった。

投票用紙の山が前よりも高くなったが、依然として両者はほぼ同じ高さに見えた。今度も念のために三度繰りかえしてかぞえられた。やがてヴィク・ムーニーがふたたびマイクの前に進んだ。彼はひと呼吸おいて会場の気づまりな緊張感を噛みしめてから、簡潔に発表した。

「トミーとキャリーが選ばれました。一票差です」

一瞬、会場は水を打ったように静まりかえった。ついで拍手が会場を満たした。その拍手には多少の皮肉もこめられていた。キャリーは驚きで息がつまり、トミーはふたたび（ほんの一秒間ほどだが）あの不思議なめまいを感じた。

（キャリー　キャリー　キャリー　キャリー）

それは、いま一緒にいるこの不思議な女の名前とイメージだけを残して、すべての思考を拭《ぬぐ》い消してしまうようなめまいだった。つかの間《ま》、彼は文字通り心底からおびえていた。

なにかが固い音をたてて床に落ち、同時にテーブルのろうそくがふっと消えた。ジョージーとムーングローズが、ロック風にアレンジした『ポンプ・アンド・サーカムスタンス』を演奏しはじめ、案内係が彼らのテーブルにやってきて（まるで魔法のように。この演出は、噂《うわさ》によれば、のろまで気のきかない案内係をいびることを楽しみにしているミス・ギアによって、一秒の狂いもないようにリハーサルがおこなわれていた）、トミーの手にアルミ箔《はく》で包んだ王笏を押しつけ、キャリーの肩にふさふさした犬の毛の襟《えり》のついたローブをかけた。二人は白いブレザーを着た男女二人の生徒に導かれて、中央の通路を進んでいった。バンドがファンファーレを奏でた。拍手が湧《わ》きおこった。ミス・ギアは満足そうな表情だった。トミー・ロスはまごついた微笑を浮かべていた。

彼らは階段をのぼってエプロン・ステージにあがり、王座に着席した。拍手がひときわ大きくなった。はじめの皮肉っぽい響きはもう消えて、いささか驚きのこもった、心からの拍手に変っていた。キャリーは坐ったとたんにほっとした。すべてがあまりにも目まぐるしい速度でおこりつつあった。両脚ががくがく震え、突然、比較的襟の高いガウンを着ているにもかかわらず、乳房が

（けがらわしい枕《まくら》）

すっかりむきだしになったように感じた。拍手の音で頭がふらふらして、まるでパンチで酔ったような気分だった。心の一部には、これはみな夢のなかの出来事であり、夢がさめたとき、がっかりすると同時にほっと胸を撫《な》でおろすことになるのだという確信があった。

ヴィクがマイクに向かって叫んだ。「一九七九年度春の舞踏会のキングとクイーン――トミー・ロスとキャリー・ホワイトです！」

拍手がさらに大きくなり、会場にこだました。トミー・ロスは、生涯の終りの刻《とき》が近づいたいま、キャリーの手をとってほほえみかけながら、スージーの直感は正しかったと考えていた。彼女もほほえみかえした。トミーと

（彼女は正しかった　ぼくは彼女を愛している　それにキャリーも愛している　彼女は美しい　これでいいんだ　ぼくはみんなを愛している　あの輝き　彼女の目の輝

き)

キャリーと

(見えない　明りがまぶしすぎてなにも見えない　音は聞えるけど見えない　シャワー　シャワーを忘れてはだめよ　おおママ　ここは高すぎるわ　下に降りたい　みんな笑いながらわたしにものを投げつけ　指さしてやじっているのかしら　見えないなにも見えない　明るすぎるわ)

そして頭上の梁《はり》。

二つのバンドが、突然、思いがけないロックとブラスの合奏で、校歌を演奏しはじめた。全員が立ちあがって、拍手を続けながら歌いだした。

十時七分。

ビリーが膝《ひざ》を曲げて関節をぽきりと鳴らしたところだった。クリス・ハーゲンセンはますます落ちつかない表情でかたわらに立っていた。両手はジーンズの縫目を意味もなく辿《たど》り、柔かい下唇は何度も嚙《か》まれてざらざらになっていた。

「おまえはあいつらが選ばれると思うか?」と、ビリーが小声できいた。

「ええ」と、彼女が答えた。「わたしが細工しておいたから。おそらく大差で選ばれるわ。なぜいつまでも拍手が続くのかしら？　いったいどうなってるの？」

「おれにきくなよ——」

突然、柔かい五月の空気を貫いて、校歌が力強く響きわたり、クリスは蜂《はち》にでも刺されたようにとびあがった。低い驚きの声が喉《のど》から洩《も》れた。

立て、トーマス・ユーイン・ハイのために……。

「さあ、始まったぜ」彼の目が闇のなかでかすかに光った。顔には奇妙な薄笑いが浮かんでいた。

彼女は唇を舐《な》めた。二人は麻紐に目をこらした。

われらが校旗を空高く掲げ……

「黙っててよ」と、彼女が震えながら囁《ささや》いた。彼女の肉体がこれほどみずみずしく、刺戟《しげき》的に見えたことはかつてなかった。これが終ったら、いままでの二人のセックスなど児戯に等しいと思えるほど、強烈に彼女の肉体を貪《むさぼ》ってやるつもりだった。トウモロコシの軸をバターに突き刺すように、彼女のなかに突き入ってやる。

「どうした、こわいのか？」

彼は身を乗りだした。「おれはロープを引いてやらないよ。このままほっといてもいいんだぜ」

われらは誇りもて赤と白を身にまとう……

突然、悲鳴にも似たおしころした叫びが彼女の口から洩れた。彼女は身を乗りだして、両手で激しく紐を引いた。紐は一瞬なんの手応《てごた》えもなく手繰りよせられた。ビリーは最初からわたしを騙《だま》していたのではないか、紐の向う端は宙ぶらりんになっているのではないか、と彼女は思った。やがてそれはぴんと張りつめ、いったん止まったかと思うと、するすると逆に引っぱられて、彼女の掌《てのひら》に摩擦による軽い火傷《やけど》を残した。

「わたし――」と、彼女がいいかけた。

音楽が耳ざわりな不協和音を奏《かな》でて中断した。束《つか》の間《ま》ざわざわと話し声が聞えたが、やがてそれもやんだ。一瞬の沈黙のあとで、だれかが悲鳴を発した。そしてふたたび沈黙が訪れた。

彼らは、頭で考えているうちは想像もできなかったことだが、実際の行為の恐しさに凍りついたようになって、闇のなかで顔を見あわせた。彼女の呼吸が喉の奥でガラスに変った。

やがて、館内では、笑い声がはじけた。

十時二十五分、不吉な予感はますますつのった。スーはガス・レンジの前に片足で立って、ネッスルにいれるミルクが暖まるのを待っていた。二度も二階へ行ってナイトガウンに着替えようかと考えたが、そのたびに思いとどまった。なぜか、ブリックヤード・ヒルと、町に通じる六号線の螺旋《らせん》状道路を見おろす台所の窓の前から、どうしてもはなれることができなかった。

やがて、メイン・ストリートのタウン・ホールの屋上にあるサイレンが、急を告げて高く低く唸《うな》りだしたとき、彼女はすぐに窓のほうを向かず、まずミルクが焦《こ》げつかないようにガスを止めた。

タウン・ホールのサイレンは毎日正午に鳴るだけで、八月と九月の山火事のシーズンに、民間消防団を召集するときの合図を別にすれば、あとは使われたことがなかった。それが鳴りだすのは大事件のときに限られており、いまその音はほかに人気《ひとけ》のない家のなかに、夢のなかの出来事のようにまがまがしく鳴り響いた。

彼女はゆっくり窓に近づいた。サイレンは波のようにうねりながら鳴りつづけた。どこかで、まるで結婚式かなにかのように、いっせいに自動車のクラクションが鳴りだした。暗い窓ガラスに、口をぽかんとあけ、目を大きく見開いた彼女の顔が映っていたが、やがて吐く息がガラスを曇らせた。

なかば忘れかけていたある記憶がよみがえった。まだ小学生だったころ、空襲避難訓練がおこなわれた。女の先生が両手をぽんと叩《たた》いて、「サイレンが鳴っている」というと、生徒は机の下にもぐりこんで両手で頭をおおい、警報が解除になるか、敵のミサイルに粉砕されるのを待つのだった。いま、彼女の心のなかに、プラスティックにはさんだ押葉のようにはっきりと

（サイレンが鳴っている）

その言葉が響いた。

はるか下の左手、ハイスクールの駐車場のあたりで――学校の建物自体は暗くて見えなかったが、ナトリウム灯の輪が駐車場をはっきり示していた――神が燧石《ひうちいし》を使ったような火花が散った。

（あすこはオイル・タンクのあるところだわ）

火花はしばらくたゆたっていたが、やがてオレンジ色の炎に生長した。その明りで学校が見えてきた。燃えているのは学校だった。

はやくもコートをとりにクローゼットへ行く途中で、彼女は鈍い爆発音を聞いた。足の下で床が震動し、母親の陶器が食器戸棚のなかでかたかた鳴った。

ノーマ・ウォトスン著『わたしたちは暗黒のプロムを生きのびた』（《リーダーズ・ダイジェスト》一九八〇年八月号、『実生活のドラマ』特集）より

……それはあっという間の出来事だったので、いったいなにがおこりつつあるのか、正確にはだれにもわかりませんでした。わたしたちはみな立ちあがって、拍手しながら校歌を歌っておりました。そのとき——わたしは正面入口を入ってすぐのところにある案内係の席で、舞台を見守っていました——エプロン・ステージの上の大きなライトが、なにか金属のようなものに当ってきらりと光ったのです。わたしはティナ・ブレイク、ステラ・ホーランの二人と一緒に立っていたので、おそらく彼女たちもそれに気がついたと思います。

続いてすぐに、空中を赤い水しぶきが走りました。それは壁画にもはねかえって、画面を伝い落ちました。わたしには、それが彼らの頭に降りかかる前から、すぐに血だということがわかりました。ステラ・ホーランはペンキだと思ったようですけど、わたしには弟が乾草のトラックに轢《ひ》かれたときと同じような一種の予感があったのです。

二人は全身に血を浴びました。とくにひどかったのはキャリーのほうです。彼女はまるで赤いペンキのバケツに全身つかったようでした。でも、じっと坐ったまま身動きもしません。ステージに近いほうのバンド、ジョージーとムーングローズも、血を浴びました。リード・ギタリストは白いギターを弾いていましたが、それも血だらけでした。

わたしはいいました。「たいへん、血だわ！」

わたしがそういったとたんに、ティナが悲鳴をあげました。とても大きな悲鳴で、講堂の隅々まで響きわたりました。

みんなは歌うのをやめており、会場はしいんと静まりかえっていました。わたしは動こうにも動けません。床に根を張ってしまったような感じでした。見あげると、二個のバケツが王座の上にぶらさがって、揺れ動き、ぶつかりあっていました。まだぽたぽた血がたれていました。やがて突然、二つのバケツが長い紐《ひも》をつけたまま落ちてきました。そのひとつがトミーの頭に当りました。まるでゴングみたいな、とてつもなく大きな音がしたことをおぼえています。

その音でだれかが笑いだしました。だれだったかわかりませんが、なにか面白い、陽気なものを見たときの笑い声とは違っていました。妙になまなましい、ヒステリックな、ぞっとするような笑いでした。

その瞬間、キャリーがかっと目を見開いたのです。

みんなが笑いだしたのはまさにそのときでした。もちろんわたしも笑いました。それはそれは……不気味な光景でした。

わたしは子供のころ、ウォルト・ディズニーの『南部の歌』というお話の本を読んだことがあります。それはアンクル・リーマスの物語で、黒人の子供が出てくるのですが、その子供が顔を黒く塗り、目だけ大きく白で塗った昔のミンストレルのような恰好《かっこう》で、道の真中に坐っている絵がありました。キャリーが目をあけると、ちょうどその絵にそっくりでした。目だけを除いて顔じゅうどこもかしこも真赤なのです。おまけにライトが当ってぎらぎらしていました。そういってはなんですけど、エディ・キャンターが例の目玉をぐりぐりさせるお得意の芝居をしている顔とそっくりなのです。

みんなが笑ったのはそのせいでした。どうにもこらえられなかったのです。笑いだすか気が狂うかのどっちかでした。キャリーは長いあいだなにかにつけてみんなのなぶりものにされてきたので、その晩もわたしたちは、なにか特別なだしものでも見るような気がしていたのです。いわば一人の人間が人類に復帰するのを見守っているような感じで、わたし個人としてはそのことを神に感謝したいような気持でした。それからあの事件がおきたのです。あの恐しい事件が。

そんなわけで、ほかにどうすることもできなかったのです。笑うか泣くか、二つにひとつしかなかったのですけど、だれがいまさらキャリーのために泣く気になれたでしょうか？

彼女はわたしたちをにらみつけながらじっと坐《すわ》っていましたし、笑い声はますます大きく拡《ひろ》がっていきました。みんなは腹を抱え、体を折りまげて笑いながら、彼女を指さしていました。彼女を見ていないのはトミーだけでした。彼は眠ったように椅子《いす》でぐったりしていました。でも怪我《けが》をしたのかどうかはわかりません、なにしろ全身に血を浴びていましたから。

やがて彼女の顔が……こわれました。わたしはほかに適当な表現を知りません。彼女は両手で顔をおおって、なかばよろめくように立ちあがりました。ところが足がもつれて転んだために、また笑い声が大きくなりました。それから彼女は……ステージから跳びおりました。その恰好は、まるで睡蓮《すいれん》の葉から水に跳びこむ大きな赤い蛙《かえる》のようでした。また転びそうになり、かろうじてバランスを保ちました。

ミス・デジャルダンが彼女のほうに走り寄ってきましたが、その顔はもう笑っていませんでした。両手をキャリーのほうにさしだしていました。ところがやがて彼女は、さっと向きを変えて、そのまま進んで壁に衝突しました。なんとも不思議な眺めでした。なにかにつまずいたわけではありません。まるでだれかに強く押されたような感じでしたが、そこにはほかにだれもいなかったのです。

キャリーが両手で顔を隠しながら人ごみのなかを走りだすと、だれか男の子がひょいと片足を突きだしました。だれがやったのかわかりませんが、彼女は前のめりに倒れて、床に長い血の跡を残しました。そして、「ううっ！」と声を発しました。いまでもその声がわたしの耳にこびりついています。キャリーがその間の抜けた声をたてるのを聞いて、わたしはますます笑いこけました。彼女は床を這《は》って進み、それから立ちあがって走りだしました。わたしのそばをかすめるようにして通りすぎたので、血の匂《にお》いがしました。それはなにかこう腐ったような、むかむかするような匂いでした。

彼女は階段を二段ずつ降りて、ドアの外へ走りだし、姿を消してしまいました。

笑い声が少しずつおさまっていきました。でもなかにはまだ苦しそうに腹を抱えて笑っている者もいました。レニー・ブロックなどは大きな白いハンカチを出して、涙を拭《ふ》いていました。サリー・マクナマスにいたっては、いまにも吐きそうなほどまっさおな顔をしているのに、まだ笑いが止まらない状態でした。ビリー・ボズナンは片手に指揮棒を持って突っ立ち、どうしようもないというように首を振っていました。ミスター・リューブリンはミス・デジャルダンのかたわらに坐って、クリーネックスをくれと叫んでいました。彼女が鼻血を出していたのです。

これらすべてが、せいぜい二分のあいだにおこったことを理解していただかなくてはなりません。だれ一人おこったことの意味がわからず、みな茫然《ぼうぜん》とするばかりでした。そこらを歩きまわって、ひそひそ話しあう者もいましたが、それほど口数は多くありません。ヘレン・シャイアーズがわっと泣きだしたので、釣られて何人かが泣きだしました。

そのときだれかが叫びました。「医者を呼べ！　おい、医者を早く！」

それはジョージー・ヴレックの声でした。彼はステージにあがって、トミー・ロスのかたわらにひざまずいていたのですが、その顔はまっさおでした。彼はトミーをおこそうとしましたが、王座がうしろに倒れて、トミーの体が床に転がってしまいました。

だれ一人動きません。みんな目《ま》ばたきもせずにみつめているだけです。わたしも全身が凍ってしまったような気分でした。たいへんだわ、という考えしか浮かびません。たいへんだわ、たいへんだわ、たいへんだわ。やがてふっともうひとつの考えが浮かびましたが、それがとうてい自分の考えとは思えないのです。わたしはキャリーのことを考えていました。それに神さまのことも。それらがみな一緒くたになってもつれあい、とても恐しい気がしました。

ステラがわたしのほうを見ていいました。「キャリーが戻ってきたわ」

わたしが答えました。「ええ、そうみたいね」

ロビーのドアというドアがいっせいに音をたててしまりました。ぽんと手を叩くような音でした。うしろのほうでだれかが悲鳴をあげ、それをきっかけにみんながドアに殺到しました。わたしは目の前の光景が信じられなくて、茫然と立ちつくしていました。やがてわたしの目の前で、最初の一人がドアに辿《たど》りついて押しはじめる前に、キャリーが戦いの化粧をほどこしたインディアンのような血まみれの顔をのぞかせたのです。

彼女は笑っていました。

みんなは懸命にドアを押したり叩いたりしていましたが、びくともしません。ドアに殺到した人間の数がふえるにつれて、はじめにそこに辿りついた人たちがドアに押しつけられて、苦しそうに呻《うめ》いているのがわかりました。しかしドアは依然としてあきません。しかもドアには鍵《かぎ》がかかっていないのです。鍵をかけることは州法で禁じられていました。

ミスター・スティーヴンズとミスター・リューブリンが人ごみをかきわけて前に進み、上着やスカートを手当りしだいにつかんで、彼らを引きはなしにかかりました。みんな悲鳴をあげながら、家畜の群のように外へ逃げだそうとしていました。ミスター・スティーヴンズが二人の女の子の顔に平手打ちをくれ、ヴィク・ムーニーの目にパンチを見舞いました。そしてうしろの非常口から外へ出るようにと、声をかぎりに叫んでいました。何人かはその指示に従いました。その人たちが生きのびたのです。

雨が降りだしたのはそのときでした……少なくとも、最初わたしは雨だと思ったのです。館内のいたるところにざあっと水が落ちてきたのですから。驚いて上を見あげると、すべてのスプリンクラーから水がほとばしっていました。水はバスケット・コートに降り注いで、しぶきをあげていました。ジョージー・ヴレックがバンドのメンバーに向かって、エレクトリック・アンプとマイクのスイッチを切れと叫んでいましたが、もうだれもバンド・スタンドには残っておりません。彼はステージから跳びおりました。

ドアの前のパニックがおさまりました。みんなはうしろにさがって天井を見あげました。だれかが――たぶんドン・ファーナムだと思います――叫ぶのが聞えました。「バスケット・コートがいかれちゃうぞ」

また何人かがトミー・ロスのようすを見に行きました。わたしはすぐに、どうしてもここから出なくてはと決心しました。そこでティナ・ブレイクの手をとっていいました。「逃げよう、早く」

非常口へ行くには、舞台左手の短い廊下を通らなければなりません。しかもドアがあいていません。そこにもスプリンクラーがあったのですが、水は出ていませんでした。しかもドアがあいていて——数人が走りだしてゆくのが見えました。しかし大部分は四、五人ずつかたまって立ち、おたがいに目をぱちくりさせているだけでした。キャリーが倒れた場所の血の跡を眺めている者もいました。スプリンクラーの水がその血を洗い流していました。

わたしはティナの腕をとって、非常口のサインのほうへ引っぱっていきました。そのとき、大きな閃光《せんこう》が走り、悲鳴と、増幅されたマイクの雑音が聞えました。振りかえって見ると、ジョージー・ヴレックがマイク・スタンドのひとつにつかまって立っていました。手を放そうにも放せないようすなのです。目玉が大きくとびだし、髪の毛が逆立って、まるで踊っているようでした。両足が水溜《みずたま》りのなかを滑り、やがてシャツから煙が出はじめました。

彼はアンプのひとつの上に倒れかかり——高さが五、六フィートもある大型アンプです——その勢いでアンプが水溜りに倒れました。雑音は耳をつんざくような鋭い音に変り、またもや閃光を発して、やがて止まりました。ジョージーのシャツが燃えだしていました。

「逃げるのよ！」ティナがわたしに向かって叫びました。「ノーマ、早く！」

わたしたちが廊下に出たとき、舞台裏でなにかが爆発しました——おそらくメイン・スイッチでしょう。わたしは一瞬立ちどまってうしろを振りかえりました。幕があがっていたので、トミーが倒れているステージがよく見えました。太い電気コードが空中に浮いて、インドの蛇つかいの籠《かご》から出た蛇のようにのたうっていました。そのうちの一本が二つに切れ、先端が水に触れた瞬間、紫色の閃光が走って、館内の人間がみないちどきに叫びだしました。

それからわたしたちは外へ出て、駐車場を駆け抜けました。たぶんわたしも叫んでいたと思いますが、あまりよくおぼえていません。みんなが叫びはじめたあとのことは、なにひとつとしてよくおぼえていないのです。あの高圧電線が水びたしの床に触れたあとのことは……

十八歳のトミー・ロスにとって、死の訪れはすばやく、慈悲深く、ほとんど苦痛すら伴わなかった。彼は重大ななにかがおこりつつあることにさえ気づいていなかった。

ガランという物音を、彼はまず一瞬、ゲーレンおじさんの農場を訪れた子供のころの記憶

(ミルク・バケツのぶつかりあう音だ)

と結びつけ、続いて

(だれかが楽器をおっことしたぞ)

舞台下のバンドと結びつけた。ジョージー・ヴレックが上を見あげるのをちらと見た瞬間

(どうしたんだろう　ぼくの頭に後光でもさしているのかな)

四分の一ほど血の入ったバケツが彼にぶつかった。バケツのあげ底の縁が頭のてっぺんに当って

(うっ　痛い)

一瞬のうちに意識を失った。ジョージーとムーングローズのアンプから出た火が、ヴェニスのゴンドラの壁画に燃え移り、やがて舞台裏と頭上の物置の古いユニフォーム

や教科書や書類に燃え拡がるころ、彼は依然として舞台の上に倒れたままだった。

そして三十分後、オイル・タンクが爆発したときに、彼は死んだ。

午後十時四十六分発ニュー・イングランドAP電より

メイン州チェンバレン（AP）

現在ユーイン合同ハイスクールで大火が荒れ狂っている。漏電が原因と思われる。出火当時は学校舞踏会がおこなわれていた。目撃者の談によれば突然スプリンクラー・システムが作動して、ロック・バンドの電気装置がショートしたもよう。別の目撃者は高圧電線が切れたと語っている。猛火に包まれた体育館には百十名もの出席者が閉じこめられているものと思われる。ウェストオーヴァー、モットン、ルーイストン等の隣接する町の消防隊が応援を要請され、すでに出動したか、間もなく出動するもよう。おわり。

五月二十七日午後十時四十六分　６９０４Ｄ　ＡＰ

午後十一時二十二分発ニュー・イングランドAP電より

至急

メイン州チェンバレン（AP）
すさまじい大爆発がメイン州の田舎町チェンバレンにあるトーマス・ユーイン合同ハイスクールを揺るがした。プロムがおこなわれていた体育館に駆けつけたチェンバレンの三台の消防車は、決死の消火作業もむなしく、目下のところなんら成果をあげていない。その地区の消火栓はすべて破壊され、スプリング・ストリートからグラス・プラザにいたる地域の水道本管の水圧は実質的にゼロと報告されている。ある消防士は、「消火栓のノズルが全部もぎとられていた。子供たちがなかで蒸し焼きになっているあいだに、水は猛烈な勢いで噴きだしていたに違いない」と語っている。これまでに三つの焼死体が発見された。一人はチェンバレンの消防士トーマス・B・ミアーズと確認された。あとの二人は明らかにプロムの出席者と思われる。ほかにチェンバレンの三名の消防士が軽い火傷《やけど》を負い煙を吸ったためにモットンの病院へ運ばれた。爆発は体育館の近くにあるオイル・タンクが引火したときにおきたものと思われる。出火原因はスプリンクラーの故障とバンドの電気装置の絶縁不良が重なったものらしい。おわり。

五月二十七日午後十一時二十二分　70119E　AP

スーは運転免許証を持っているだけでほとんど運転したことがなかったが、冷蔵庫の横の釘《くぎ》にかかっている母親の車のキイをとってガレージへ走った。台所の時計はちょうど十一時を指していた。

最初はエンジンがかぶってしまい、しばらく待ってもう一度やりなおさなければならなかった。今度はうまくかかったので、片方のフェンダーをぶっつけながら、乱暴にガレージから走りだした。車の向きを変えると、後輪が砂利をはねとばした。母親の七七年型プリマスは、ほとんど路肩まで後輪をスリップさせて通りに曲がり、ぞっとして吐き気をもよおさせた。自分が罠《わな》にかかった獣のように、喉《のど》の奥で呻いていることに気がついたのは、ちょうどそのときだった。

六号線とバック・チェンバレン・ロードの交叉点《こうさてん》では、赤信号なのに停止しなかった。消防車のサイレンが、チェンバレンとウェストオーヴァーが境を接する東の方角と、彼女の背後にあたる南のモットンの方角で、夜の空気をかき乱していた。彼女がもう少しで丘の麓《ふもと》に達するというときに、学校が爆発した。

彼女は両足で強くブレーキを踏み、布人形のようにハンドルに叩《たた》きつけられた。タイヤが舗道に軋《きし》った。かろうじて手探りでドアをあけ、まぶしい光から目を護《まも》りながら車の外に出た。

炎の柱が空に立ちのぼり、つづいてスチールの屋根板や木材や紙がひらひらと舞いあがった。油くさい匂《にお》いがどんよりたちこめた。メイン・ストリートがフラッシュを焚《た》いたように明るくなった。その恐しい一瞬の閃光のなかで、彼女は猛火に包まれて骨組だけになったユーイン・ハイの体育館の残骸《ざんがい》を見た。

衝撃は一瞬後に襲ってきて、彼女の体を押し戻した。道路に散乱したがらくたが、一陣の熱風とともに、猛烈なスピードで彼女の横を吹きとばされていった。熱風は一瞬

(地下鉄の匂いだわ)

前の年にボストンへ行ったときのことを思いださせた。ビルズ・ホーム・ドラッグストアとケリー・フルーツ・カンパニーの窓がびりびり震えて、建物の内部に落ちこんだ。

彼女は横向きになぎ倒され、火が地獄の真昼のように通りをあかあかと照らした。それからおきたことはすべてスロー・モーションで展開し、頭のなかの思考だけが

（死んだわ　彼らはみんな死んだわ　キャリーのせいよ　なぜキャリーのことなんか考えるの）

先へ先へと勝手に進んでいった。車の列が火災現場へと急ぎ、部屋着やパジャマ姿で走っている人もいた。チェンバレン警察署兼裁判所の正面玄関から、一人の男が出てくるのが見えた。男の動きは緩慢だった。車の動きも緩慢だった。走っている人間の動きすらも緩慢だった。

　警察の前の階段に立った男が、両手でメガホンを作ってなにごとか叫んだ。タウン・ホールのサイレンや、消防車のサイレンや、猛火の燃えさかる音にまぎれてはっきり聞きとれなかったが、

「おい、やめろ！　アスだ！」と聞えた。

　そのあたりの道路は水びたしで、明りが水に映って揺れていた。ちょうどテディズ・アモコ・ガソリン・スタンドのあたりだった。

「――おい、やめろ――」

　そのとき世界が爆発した。

メイン州チェンバレンで五月二十七日から二十八日にかけておきた事件に関連して、メイン州調査委員会でおこなわれたトーマス・K・クィランの宣誓証言より〔以下の抄録は、『暗黒のプロム――ホワイト委員会報告』（シグネット・ブックス、ニューヨーク、一九八〇年）から再録されたものである〕

問　クィランさん、あなたはチェンバレンの住民ですか？
答　そうです。
問　あなたの住所は？
答　玉突き屋の二階の部屋に住んでいます。そこで働いてるんでさあ。床を磨いたり、テーブルに掃除機をかけたり、機械の係をやったりしてね――ほら、ピンボール・マシンのことですよ。
問　五月二十七日夜の十時三十分に、あなたはどこにいましたか？
答　それが……実は警察の留置場にいました。木曜が給料日なんですよ。で、あたしはいつも飲みにでかけるんです。ザ・キャヴァリアーでシュリッツを少々飲んでから、奥へ行ってポーカーを少々やるんですがね。ところがあたしは飲むと荒れる癖があってね。頭のなかでローラー・スケートでもやってるようなぐあいなんでさ。悪い癖ですよ。いつかもある男の頭を椅子《いす》でぶんなぐってのしちゃったようなわけで——

問 あなたは酒を飲んで荒れそうになると、いつも自分から警察へ行くことにしているんですか？

答 そう。ビッグ・オーティス、やっこさんとは友達だからね。

問 それはこの郡のオーティス・ドイル保安官のことですか？

答 そうです。彼は荒れそうになったらいつでもこいといってくれたんでさあ。プロムの前の晩、あたしたちはザ・キャヴァリアーの奥の部屋に何人か集まって、スタッド・ポーカーをやっていたんだが、そのうちあたしはマルセル・デュベイのやつがいかさまをやっているとにらんだんです。しらふのときならちゃんと見抜けるんだが——フランス人のいかさまの手口は自分の手札を見ちまうやつなんだが——とにかく、それで頭にきちゃってね。なにしろその前にビールを二本飲んでたもんだから、あたしは用心のためにゲームからおりて警察へ行ったんですよ。プレッシーのやつが留守番をしていて、すぐにあたしを一号留置房にいれてくれました。プレッシーはいい若者です。あたしは彼のおふくろさんを知ってましてね、もう何年も前の話だが。

問 クィランさん、二十七日の夜のことをおききしたいんですが、構いませんか？

午後十時三十分ごろのことです。
答 いいですよ。
問 それじゃ、話を続けてください。
答 そう、プレッシーは金曜の午前二時十五分ごろあたしを閉じこめて、あたしはすぐに眠ってしまいました。ほんとはのびちゃったというところですかね。午後の四時ごろ目をさまして、アルカ・セルツァーを三錠のんでから、また眠りましたよ。あたしはこつを知ってるんでさあ。そうやってふつか酔いが抜けるまでずっと眠っていられるんです。ビッグ・オーティスはふつか酔い解消法のパテントをとれなんて冗談をいってるぐらいですよ。そうすりゃ世間さまを苦しみから救ってやれるじゃないかってね。
問 わたしも同感ですよ、クィランさん。ところで二度目に目をさましたのはいつですか？
答 金曜の晩の十時ごろですよ。腹ぺこだったもんだから、簡易食堂へ行ってなにか詰めこもうと思いました。
問 留置房に鍵《かぎ》もかけないで、あなたを独りにしておいたのですか？
答 そうですよ。あたしは酒を飲んでいないといたって行儀のいい男でしてね。い

問　つかも——

答　留置房を出たときにおこったことだけを話してください。急にサイレンが鳴りだしたんですよ。これにはたまげたね。なにしろヴェトナム戦争が終ってからこっち、夜あのサイレンが鳴ったのなんか聞いたことがないんだから。それで二階に駆けあがったんだが、オフィスには人っ子一人いやしない。プレッシーのやつめ、大目玉をくらうぞって思いましたよ。かならずだれかが居残って、電話番をしなきゃならない決まりですからね。そこであたしは窓ぎわへ行って、外をのぞいてみましたよ。

問　学校は窓から見えましたか？

答　もちろん。学校は一ブロック半ほど行った通りの反対側ですからね。大勢の人間が走りまわったり叫んだりしてました。あたしがキャリー・ホワイトを見たのはそのときなんです。

問　キャリー・ホワイトとは前に会ったことがあるんですか？

答　いや。

問　ではどうして彼女だとわかったんですか？

答　そいつが自分でもうまく説明できないんですよ。

問　彼女の顔がはっきり見えましたか？
答　メイン・ストリートとスプリング・ストリートの角にある消火栓のそばの、街《がい》燈《とう》の下に立ってましたからね。
問　そこでなにかがおこりましたか？
答　そいつがなんとも不思議な話でさあ。消火栓のてっぺんが三方に吹っとんだんだから。右と左と真上にね。
問　その……なんというか……故障がおきたのは何時でしたか？
答　十一時二十分前ごろでしょう。それより前じゃなかったね。
問　それからどうなりましたか？
答　彼女がダウンタウンのほうへ歩きだしました。まったく恐しい恰好《かっこう》でしたよ。パーティ・ドレスのようなものを着ているんだが、消火栓の水を浴びてびしょ濡《ぬ》れになり、おまけに全身血まみれでね。たったいま交通事故の現場から這《は》いだしてきたような恰好だった。ところが驚いたことに、彼女は笑っているんですよ。あんな笑いは見たことがありません。まるで骸骨そっくりだった。その顔でじっと両手をみつめ、手をドレスにこすりつけて、血を拭《ふ》きとろうとするんだが、どうしてもこびりついた血がとれないので、町じゅうに血の雨を降らして仕返しをしてやろうと考えているようすでした。まったくぞっとするような眺めでしたよ。
問　彼女の考えていることがどうしてわかったんですか?
答　わかったわけじゃないんです。そのう、どう説明したらいいか……
問　これからの証言では、あなたが現実に見たことだけにかぎって話してください、クィランさん。
答　承知しました。グラス・プラザの角に消火栓があったんだが、そいつも破裂しちまったんです。このほうが前のよりもよく見えました。両脇《りょうわき》の耳つきナットがひとりでにゆるみはじめたんですよ。あたしはこの目ではっきり見たんです。そして前のと同じように破裂しました。彼女はうれしそうな顔をして、これであの連中もシャワーを浴びられる、と独りごとをいってました……おっと、どうも済みません。そのうち消防車が通りかかって、彼女の姿を見失ってしまいました。新しい消防車が学校の前に止まって、さっそく消火栓にとびついたんだが、水は一滴も出ません。それからバートン署長が隊員に向かってどなっているうちに、学校がどかんと爆発したんです。いや、たまげましたよ。
問　あなたは警察の前をはなれたんですか?

答 そう。プレッシーを捜して、あの気ちがい娘と消火栓のことを教えてやろうと思ってね。テディズ・アモコのほうをちらと見たとき、血が凍るような恐しいものが見えました。六つあるガソリン・ポンプのフックが全部はずれていたんです。テディ・デュシャンは一九六八年に死んだが、息子が、テディがやっていたように、毎晩ポンプに鍵をかけてたんです。そのエール錠がひとつ残らず掛金ごともぎとられていました。ノズルが地面に落っこちて、どのポンプも自動給油装置が働いていたため、ガソリンが歩道と車道にどくどく溢《あふ》れだしていたんです。そいつを見たとたんに背筋が寒くなりましたよ。そのとき、火のついた煙草《たばこ》をくわえて走ってくる男が見えたんです。

問 あなたはどうしましたか？

答 そいつに向かってどなりましたよ。おい！　煙草に気をつけろ！　おい、やめろ、そいつはガソリンだ！　とかなんとか。だけど相手は聞えなかったらしい。消防車のサイレンと、タウン・ホールのサイレンと、通りにひしめいていた車の音で、聞えなかったのも無理ないですがね。そいつが煙草を投げ捨てようとしたもんだから、あたしはあわててなかに逃げこみました。

問 それからどうなりましたか？

答　それからどうなったかって？　そうさね、悪魔がチェンバレンの町にきたんですよ……

バケツが落ちてきたとき、はじめ彼女は、音楽を縫ってかんだかい金属的な音が響くのに気がついただけだった。やがて全身が生暖かい、べとべとしたものに包まれた。彼女は本能的に目をつむった。かたわらで呻《うめ》き声が聞え、目ざめてから間もない心の一隅で、彼女は瞬間的な痛みを感じた。

（トミーだわ）

音楽は不協和音を奏《かな》でて中断し、何人かの声が切れた弦のように尾を引き、期待にみちた突然の沈黙のなかで、事がおこってからその正体に気づくまでの時間のずれを埋めるように、だれかがはっきりと叫ぶのを聞いた。

「たいへん、血だわ！」

その一瞬あとで、血という言葉が嘘《うそ》でないことを裏づけるかのように、だれかが悲鳴を発した。

キャリーは目をつむって坐《すわ》りながら、どすぐろい恐怖が心のなかでふくれあがるのを感じていた。結局、ママは正しかった。彼らはふたたび彼女をかつぎ、欺《あざむ》き、なぶりものにしたのだ。その恐怖は本来単調なものであるべきなのに、現実はそうではなかった。彼らは彼女をみんなが見ている舞台の上に引っぱりあげて、シャワー・ルームのシーンを再現したのだ……ただあの声が叫んだ言葉は

(たいへん 血だわ)

あまりに恐しくてその意味を考える気になれなかった。もしも目をあけてみて、ほんとに血だったら、ああ、どうしよう? どうしよう?

だれかが笑いだした。一人だけで、おびえたハイエナのような声で笑っていた。彼女はだれの声かつきとめようとして目をあけた。すると、ほんとだった、悪夢の仕上げのように、彼女は赤く染まってぽたぽたと血を滴《したた》らせていた。彼らはみんなが見ている前で彼女を血の秘密に浸し、彼女の意識は

(おお……わたしは……全身**血だらけだわ**)

嫌悪《けんお》と屈辱で不気味な紫色に彩《いろど》られていた。自分の体から血の匂いがした。ひどく湿っぽい、銅のような匂いだった。万華鏡《まんげきょう》のように繰りひろげられるイメージのなかで、彼女は自分のむきだしの太腿《ふともも》を伝わり流れる血を見、ひっきりなしにタイルにはねかえるシャワーの音を聞き、タンポン入れろとはやしたてる声とともに投げつけられたタンポンやナプキンが、柔かい音をたてて肌にぶつかるのを感じ、こってりした恐怖

の苦さを味わった。彼らはついに望み通りのシャワーを彼女に浴びせたのだ。

二人目の声が最初の声に加わり、続いて三人目——女の子のソプラノの笑い声だった——四人目、五人目、六人目と人数がふくれあがり、しまいには全員が笑いだした。ヴィク・ムーニーも笑っていた。彼女にはそれがはっきり見えた。顔はショックで完全に凍りついていたにもかかわらず、口から笑い声が洩《も》れていた。

彼女は波のような笑い声に全身を洗われながら、静かに坐っていた。彼らはみな依然として美しく、会場は魔法のような魅惑にみちていたが、彼女はすでに一線を踏みこえてしまい、おとぎの世界は腐敗と悪で青ざめていた。このおとぎの世界では、彼女は毒りんごを食べ、小人たちに襲われ、虎《とら》に食われてしまうだろう。

彼らはふたたび彼女を笑っていた。

やがて突然、おとぎの世界が粉々に砕け散った。自分がいかに手ひどく欺かれていたかということに気づいた瞬間、恐しい、声にならない叫びが

(みんなわたしを見ている)

彼女の口から出かかった。彼女は両手で顔を隠して、よろめきながら椅子から立ちあがった。一刻も早く明るいところから逃げだして、闇《やみ》のなかに姿を消すことしか念頭になかった。

しかし、それは糖蜜《とうみつ》のなかを走ろうとするのに似ていた。心は彼女を裏切って、時間の流れをかたつむりの歩みに変えてしまった。あたかも神がそのシーン全体を78回転から33⅓回転に切り換えてしまったかのようだった。笑い声が太くなり、回転数が落ちて不吉なラッパの低音に変ってしまったように思えた。

足がもつれて、あやうく舞台の端から落ちそうになった。かろうじて立ちなおり、しゃがんで床に跳びおりた。耳ざわりな笑い声が一段と大きくなった。それは岩と岩をこすりあわせる音に似ていた。

彼女は見たくなかったが、見てしまった、、、、照明が明るすぎて、みんなの顔がいやでも目に入った。彼らの口、彼らの歯、彼らの目。それから目の前の、血のこびりついた自分の両手。

ミス・デジャルダンが駆け寄ってきた。その顔は偽りの同情にみちていた。キャリーは親切そうなうわべを通して、オールドミスの下劣な心情で自分を嘲笑《ちょうしょう》しているミス・デジャルダンの本心を見抜いた。ミス・デジャルダンの口があき、ゆっくりした、太い、ぞっとするような声が口から出てきた。

「あなたを助けてあげたいのよ、キャリー。ああ、かわいそうに――」

キャリーがきっとにらみつけると

（曲がれ）

ミス・デジャルダンは舞台の横の壁にぶつかってはねかえされ、床に倒れた。
キャリーは走った。人ごみのなかを走り抜けた。両手で顔をおおっていたが、指の牢獄《ろうごく》を通して彼らを見ることができた。彼らは光に包まれ、光り輝く、天使のような衣裳《いしょう》を身にまとって、このうえなく美しかった。ぴかぴかの靴、きれいな顔、美容院で入念に仕上げた髪、きらびやかなガウン。彼らは疫病神《やくびょうがみ》でも避けるように彼女の通り道をあけたが、依然として笑いつづけていた。やがて意地悪くだれかが片足を突きだし

（そうよ つぎはこれなんだわ）

彼女は四つん這いに倒れて、血で固まった髪を顔の前に垂らしながら、ダマスコの街道で光に目がくらんだ聖パウロのように、床を這って進んだ。つぎはきっとだれかが尻《しり》を蹴《け》とばすだろう。
ところがだれ一人尻を蹴った者はなく、やがて彼女はもがきながら立ちあがった。もろもろの動きが速くなった。彼女はドアを通り抜けてロビーに至り、二時間前にトミーと一緒にゆっくりのぼった階段を、飛ぶようにして駆けおりた。

（トミーは死んだ 罰が当ったんだわ 疫病神を明るい場所に連れてきた罰が）

彼女は黒い鳥のように羽ばたく笑い声を背に受けながら、ぎごちない大股《おおまた》で階段を駆けおりた。

そして闇のなかへ姿を消した。

学校の正面の広い芝生を駆け抜けるあいだに、靴が両方とも脱げてはだしになってしまった。短く刈られた芝はビロードに似て、うっすらと夜露がおりていた。笑い声が背後から追いせまった。彼女は少し落ちつきを取りもどした。

やがて足がもつれて、旗竿《はたざお》の根元でぶざまに倒れた。彼女は大きく胸をはずませながら、火照《ほて》った顔を冷たい芝に伏せて静かに横たわっていた。はじめての生理のときの血と同じように、熱く、不快な、屈辱の涙が頰を伝わった。彼らは彼女の息の根が止まるまで、徹底的に打ちのめしたのだ。もうすべては終った。

さっさとおきあがって、だれかが捜しにきても見つからないように物かげに身をひそめながら、裏道を通ってこっそり家に帰り、ママを捜して自分の非を認める——

(いや!!)

彼女のなかの反抗心が——旺盛《おうせい》な反抗心だった——突然頭をもたげて、その言葉を絶叫した。クローゼット？　いつ果てるとも知れないお祈り？　そしてパンフレット類と、十字架と、これから一生のあいだ単調に時を刻みつづけるブラック・フォレストかっこう時計のぜんまい仕掛けの鳥だけの生活？

突如として、心のなかでヴィデオテープ・デッキが回りだしたかのように、ミス・デジャルダンが彼女のほうに駆け寄ってきて、彼女が無意識のうちにミス・デジャルダンに心を集中した瞬間、相手がまるで布人形のように壁に叩《たた》きつけられたあの光景が、脳裡《のうり》によみがえった。

彼女はあおむけになって、血だらけの顔で空の星を見あげた。そうだ、忘れていた。

（念力!!）

ここらで彼らに教訓を与えておく必要がある。みせしめのために。彼女はヒステリックに笑いだした。それはママのお気にいりの台詞《せりふ》だった。

（勤めから帰ってきて　ハンドバッグを置き　眼鏡をきらりと光らせながらママはいう　今日お店で　エルトにはいいみせしめになったと思うわ）

会場にはスプリンクラーがある。それから水を出すぐらいのことはわけなくできる。

彼女はまた笑っておきあがり、はだしでロビーのドアのほうへ戻りはじめた。スプリンクラーから水を出して、ドアを残らずしめる。会場をのぞいて、シャワーが彼らのドレスや髪を台なしにし、靴のつやを消してしまうのを、笑いながら眺めている顔を、みんなに見せてやる。ただ、それが血ではなく水であることだけが残念だった。

ロビーには人影がなかった。彼女が階段の途中で立ちどまり、曲がれ、と念じると、圧搾《あっさく》空気によるドアの開閉装置が働いて、すべてのドアが音をたててしまった。何人かの悲鳴が聞えてきたが、彼女の耳にはそれは快い音楽だった。

しばらくは何事もなかったが、やがて彼らが内側からドアを押しあけようとするのを感じた。だがその力はとるにたらなかった。彼らは罠《わな》にかかったのだ。

（罠にかかった）

その一語が心のなかにこだまして彼女を酔わせた。もう彼らは完全に彼女の念力の支配下にある。念力！　なんてすばらしい言葉だろう！

階段をあがりきってなかをのぞくと、ジョージ・ドースンがガラスに押しつけられ、顔を歪《ゆが》めて懸命にもがいていた。彼のうしろにも人がたくさんいたが、みな水族館の魚に似ていた。

天井を見あげると、金属製のひなぎくのような形をした小さなノズルのついた、スプリンクラーのパイプが見えた。パイプは緑色の噴石ブロックの壁にあけられた小さな穴を通っていた。館内にはスプリンクラーがたくさんあることを思いだした。おそらく消防法かなにかで定められているのだろう。

消防法。彼女はちらっと思いだした。

(蛇のような黒くて太いコード)

舞台上のいたるところを這《は》っていたコード類。フットライトに隠されて、観客からは見えなかったが、彼女は王座に近づくときに、注意深くそれらを跨《また》いで越えなければならなかった。トミーが彼女の腕を抱えてくれた。

(火と水)

彼女は心の手をのばして、パイプにさわり、ずっと辿《たど》っていった。ひんやりと冷たく、水がいっぱいに詰まっていた。口のなかで冷たく濡《ぬ》れた鉄の味がした。それは芝生の撒水《さんすい》用のホースについているノズルに口をつけて飲む水の味だった。いい曲がれ。

すぐには何事もおきなかった。やがて彼らはドアからうしろにさがって、きょろきょろ周囲を見まわした。彼女は真中のドアの、小さな長方形のガラス窓に歩み寄って、なかをのぞいた。

体育館のなかに雨が降っていた。

キャリーはほくそえんだ。

水は一部のノズルからしか出ていなかった。だが、スプリンクラー・システムを目で見あげることによって、そのコースをいっそう容易に心で辿ることができた。彼女はつぎつぎに新しいノズルから水を出しはじめた。だが、まだ充分ではなかった。彼らが泣きださないところを見ると、充分とはいえなかった。

（あいつらを痛めつけてやる　あいつらを痛めつけてやる）

舞台上のトミーのそばで、男の子が一人、狂ったようなジェスチャーを示しながらなにか叫んでいた。やがて彼は舞台からおりて、ロック・バンドの電気装置のほうに駆け寄った。マイク・スタンドのひとつにつかまったとたんに、その場に釘《くぎ》づけになった。彼の体がほとんど動きのない電気の踊りを踊りだすのを、キャリーは驚きの目で見守った。両足が水のなかでのたうち、髪の毛が逆立ち、口が魚のようにぱくぱく動いた。いとも奇妙な眺めだった。彼女は声をたてて笑いだした。

（いっそみんなにおかしな恰好《かっこう》をさせてやる）

それから突然、盲目的な攻撃を開始して、身内に感じられるすべての力を一挙に解き放った。

いくつかのライトが消えた。どこかで電気コードが水溜《みずたま》りに触れて、目のくらむような閃光《せんこう》が走った。安全器が電流を遮断しはじめると同時に、彼女の心のなかで鈍い音が聞えた。マイクにつかまっていた男の子がアンプの上に倒れこむと、紫色の火花が爆発し、舞台正面のクレープ・ペーパーの飾りが燃えだした。

王座のすぐ下では、二百二十ヴォルトの電流の通っているコードが床の上でパチパチ音をたて、そのすぐそばでロンダ・シマードが、グリーンのチュールを着て、狂った操り人形のように跳びはねていた。突然長いスカートがぱっと燃えだすと、彼女はなおもぴくぴく体を動かしながら前のめりに倒れた。

キャリーが崖《がけ》の縁を越えたのはおそらくその瞬間だったろう。ドアによりかかって、激しく胸をはずませていたが、体は氷のように冷たかった。顔は鉛色なのに、両頰に鈍く赤味がさしていた。頭はずきずきし、もはや意識的な思考は不可能だった。

彼女はよろめきながらドアをはなれたが、ドアは依然として固く閉ざされたままだった。彼女が無意識のうちに外からおさえていたからである。内部では炎が明るくなり、彼女は、きっと壁画に火が燃え移ったのに違いないと、ぼんやり考えていた。

彼女は階段のいちばん上でうずくまり、膝《ひざ》に頭をつけて呼吸を整えようとした。彼らはふたたび外へ逃れようとしてドアに殺到したが、ドアがあかないようにするのは簡単だった——それだけなら大して骨も折れなかった。何人かが非常口から逃げだしつつあることを漠然と感じたが、それは意に介さなかった。逃げた者はあとでつかまえてやる。結局は一人残らずつかまえてやる。

彼女はゆっくり階段をおりて、なおも体育館のドアを固く閉ざしたまま、正面のドアから外へ出た。いとも簡単だった。ドアに意識を集中するだけで、それらは梃子《てこ》でも動かなかった。

突然タウン・ホールのサイレンが鳴りだした。彼女は悲鳴をあげて、一瞬・

(サイレンよ　ただのサイレンよ)

顔をおおった。彼女の心眼が体育館のドアを見失い、何人かがもう少しで外へ出そうになった。だめ、だめ、出ちゃいけない。ふたたびドアを乱暴に押し戻すと、だれかの——デール・ノーバートのようだった——指が隙間《すきま》にはさまれて、一本の指が切断された。

彼女はふたたび芝生を横切って、目玉のとびだしたかかしのような恰好で、メイン・ストリートのほうへ走りだした。右手にダウンタウン地区——デパート、ケリー・フルーツ、美容院、床屋、ガソリン・スタンド、警察署、消防署などがあった——

(彼らはわたしの火を消してしまう)

でもそうはさせないわ。彼女はケラケラ笑いだした。それは勝利とおびえのいりまじった、狂ったような笑いだった。彼女は最初の消火栓に近づいて、片側のペンキを塗った大きな耳つきナットを回そうとした。

（おや！）

ナットは固かった。固くしまっていて、彼女の目的をはばんだ。だが、そんなことは問題ではなかった。

より強い力で回すと、ナットがゆるんだ。つぎに反対側のを回し、続いててっぺんのナットをゆるめた。それから三個のナットをいっぺんに回してうしろにさがると、それらは一瞬にしてゆるんだ。水が左右と真上に噴きだし、耳つきナットのひとつがものすごい勢いで五フィートも彼女のほうにとんできた。それは道路にぶつかって空中にはねかえり、どこかへ消えてしまった。水は十字架の形となって白い水圧でほとばしった。

微笑を浮かべ、よろめき、毎分二百以上のペースで心臓を鼓動させながら、彼女はグラス・プラザのほうへ歩きだした。マクベス夫人のように血塗られた両手をドレスにこすりつけていることも、笑いながら泣いていることも、心のなかの隠れた一部がおのれを完全に破滅させようとしていることも、彼女の意識にはなかった。

なぜなら彼女はみんなを道連れにしようとし、大火が荒れ狂って地には物の焼ける匂《にお》いが満ちようとしていたからである。

彼女はグラス・プラザの消火栓を開き、やがてテディズ・アモコのほうへ歩きだした。そこはたまたま彼女が行き当った最初のガソリン・スタンドだったが、最後のガソリン・スタンドではなかった。

メイン州調査委員会でおこなわれたオーティス・ドイル保安官の宣誓証言（『ホワイト委員会報告』に収録）（二九一―三一ページ）より

問　保安官、五月二十七日の夜、あなたはどこにいましたか？
答　通称オールド・ベンタウン・ロード、一七九号線で自動車事故の現場を調べておりました。そこは事実上チェンバレンの境界を越えてダラム管内に入っておりましたが、わたしはダラムの警官メル・クレイガーの手伝いをしていたのです。
問　ユーイン・ハイスクールで事件がおきたことを最初に知ったのは何時ごろでしたか？
答　十時二十一分にジェイコブ・プレッシーから無線連絡を受けました。
問　連絡の内容は？
答　プレッシーは学校で事件がおきたといってきましたが、重大事件かどうかは彼自身も知りませんでした。騒々しい叫び声が聞えて、だれか火災報知機を鳴らした者がいるという話でした。とにかく現場へ行ってなにがおきたか調べてくるといっておりました。

問　彼は学校が火事だといいましたか？

答　いや、そうはいいませんでした。

問　あなたはまた報告するようにいいましたか？

答　ええ。

問　で、プレッシーから二度目の報告はありましたか？

答　いや、彼はメインとサマーの角にあるテディズ・アモコ・ガソリン・スタンドでおきた爆発事故で死にました。

問　チェンバレンの事件に関するつぎの無線連絡を受けとったのは何時でしたか？

答　十時四十二分です。そのときわたしは車のうしろに容疑者——酔っぱらい運転の——を乗せて、チェンバレンに帰る途中でした。さっきも申しあげたように、事故はメル・クレイガーの町でおきたのですが、ダラムには留置場がないのです。ところがチェンバレンに戻ってみると、われわれの留置場もあらかたなくなっておりました。

問　十時四十二分に受けとった連絡はどんな内容でしたか？

答　州警察で中継されたモットン消防署からの連絡でした。州警察の無線係によると、ユーイン・ハイスクールで火災と騒動が発生して、爆発の危険もあるとのことでした。そのころはまだだれもはっきりしたことを知りません。なにしろ、あらゆることが四十分のあいだにおこったのです。

問　それはわかっていますよ、保安官。で、それからなにがあったんですか？

答　わたしはサイレンを鳴らし、フラッシャーを点滅させながらチェンバレンに戻りました。ジェイク・プレッシーを呼びだそうとしたのですが、応答がありません。やがてトム・クィランが出て、町全体が火に包まれそうだが水が出ないと、わけのわからないことをいいだしたのです。

問　それは何時だったかおぼえていますか？

答　ええ。そのころは記録をとっていましたから。十時五十八分でした。

問　クィランはアモコ・ガソリン・スタンドが爆発したのは十一時ちょうどだったといっておりますが。

答　それじゃ真中をとって、十時五十九分ということにしておきましょう。

問　あなたがチェンバレンに到着したのは何時でしたか？

答　午後十一時十分です。

問　到着したときの第一印象はどんなでしたか、ドイル保安官?

答　とにかくびっくりしましたよ。自分の目が信じられませんでしたよ。

問　というと、あなたはなにを見たのですか?

答　町の商業地区の北側半分が完全に燃えていたのです。アモコ・ガソリン・スタンドは影も形もありませんでした。ウルワースは燃えさかる炎に包まれていました。火はウルワースに続く三軒の木造の店――ダフィズ・バー・アンド・グリル、ケリー・フルーツ・カンパニー、それにビリヤード・パーラーにも燃え移っていました。恐しい熱気でした。火の粉がメイトランド不動産とダグ・ブランズ・ウェスターン・オート・ストアの屋根に降り注いでいました。消防車が駆けつけたのですが、ほとんど物の役に立ちません。通りのそちら側にある消火栓は残らずこわれていたのです。かろうじて活動していたのは、ウェストオーヴァーからきた二台の民間消防隊の消防車だけで、それもせいぜい周辺の建物の屋根を濡らす程度でした。それにもちろんハイスクールもです。まさに忽然《こつぜん》として……消え失《う》せていました。もちろん学校はほかの建物とはなれていて――延焼の危険こそないものの――なかにいた子供たちが……一人残らず

問　……あなたは町へ入ったときスーザン・スネルと会いましたか？
答　ええ。彼女がわたしの車を停めたのです。
問　それは何時でしたか？
答　町に入った直後ですから……十一時十二分より遅くはなかったと思います。
問　彼女はなにをいいましたか？
答　ひどく取り乱しておりました。軽い自動車事故——スリップ事故ですが——をおこしていて、なにをいってるのかさっぱりわかりませんでした。トミーは死んだのかとわたしにきくんです。わたしはトミーってだれだとききかえしましたが、彼女は答えません。そしてもうキャリーをつかまえたかとききました。
問　当委員会はあなたの証言のその部分に深い関心を持っているのです、ドイル保安官。
答　ええ、わかっています。
問　あなたは彼女の質問にどう答えましたか？
答　わたしの知るかぎり、町にはキャリーという名前の女は一人しかおりません。それはマーガレット・ホワイトの娘です。そこでわたしは、このキャリーが火事となにか関係があるのかと質問しました。するとミス・スネルは、火事はキャリーの仕業だと答えたのです。「キャリーの仕業よ。キャリーの仕業よ」と、二度繰りかえしてはっきりいいました。

問　彼女はほかになにかいいましたか？

答　ええ。「彼らがキャリーをいじめるのもこれが最後だわ」といいました。

問　保安官、彼女は「わたしたちがキャリーをいじめるのもこれが最後だわ」とはいわなかったんですね？

答　ええ、そうはいいませんでした。

問　確かでしょうね？　百パーセント確信がありますか？

答　そういわれると、なにしろ頭の上で町が燃えておりますし、わたしは――

問　彼女は酔っていましたか？

答　失礼、もう一度おっしゃっていただけませんか？

問　彼女は酔っていましたか。あなたの話では、彼女は衝突事故をおこしていたそうですが。

答　いや、たしか軽いスリップ事故と申しあげたはずです。

問　では彼女が彼らではなくわたしたちといわなかったという確信はないわけです

答　ね？
問　そういったかもしれません、しかし——
答　ミス・スネルはそれからどうしましたか？
問　急に泣きだしました。それでわたしは頬《ほ》っぺたを殴りつけました。
答　なぜ殴ったんですか？
問　ヒステリーをおこしたように見えたからです。
答　それで彼女は落ちつきましたか？
問　ええ。間もなく静かになって、おそらく彼女のボーイ・フレンドも死んだと思われる状況にしては、たいそう健気《けなげ》に自制心を取りもどしました。
答　あなたは彼女を取調べましたか？
問　そうですな、通常の犯罪者を取調べるような意味では、調べませんでした。ただ、この事件についてなにか心当りはあるかと質問しました。すると彼女は、すでにいったことを前よりも落ちついた口調で繰りかえしました。事件がおきたときどこにいたかと質問すると、家にいたと答えました。
答　ほかになにか質問しましたか？
問　いや、してません。

問　彼女はほかになにかいいましたか？
答　ええ、彼女はわたしに、キャリー・ホワイトを捜しだしてくれと、ほとんど哀願口調で訴えました。
問　あなたはどう答えましたか？
答　とにかく家へ帰るようにいいました。
問　ありがとう、ドイル保安官。

ヴィク・ムーニーは顔に笑いを浮かべて、バンカーズ・トラスト・ドライヴインに近い暗がりからよろめきでた。それはチェシャ猫を思わせる不気味なにやにや笑いで、火明りに照らされた闇《やみ》のなかを、狂気の記憶のようにふわふわ漂っていた。司会の大役のために丹念に撫《な》でつけた髪も、いまはくしゃくしゃに乱れて突っ立っていた。会場から夢中で逃げだす途中、おぼえてはいないがどこかで転んだものと見えて、額に点々と血がついていた。片目が紫色に腫《は》れあがってふさがっていた。彼はドイル保安官のパトロール・カーに突き当って、ビリヤードの玉のようにはねとばされ、バックシートで居眠りしている酔っぱらいドライヴァーににやりと笑いかけた。それから、スー・スネルと話しおわったばかりのドイルのほうを向いた。火はあらゆるものの上にゆらゆら揺れる光の影を投げかけて、世界を乾いた血の色に染めていた。

ドイルが振りかえったとたんに、ヴィクが彼にしがみついた。色男がダンスの相手に抱きつくような恰好《かっこう》だった。両腕で抱きついてドイルをしめあげながら、狂った笑いを浮かべて相手の顔をきょろきょろ眺めていた。

「ヴィク――」と、ドイルがいいかけた。

「彼女が栓を抜いたんだ」ヴィクはにやにや笑いながら陽気な口調でいった。「彼女が栓を抜いて水を出したんだ」

「ヴィク――」

「ぼくらにはできっこない。絶対にできっこない。みんなキャリーがやったんだ。ロンダ・シマードは焼け死んだ。ああ、なんてこった――」

ドイルは彼に二度平手打ちをくれた。ごつい掌《てのひら》がヴィクの顔に当って乾いた音をたてた。叫び声はぴたりとやんだが、にやにや笑いはわざわいのこだまのように消えずに残った。それはしまりのない、ぞっとするような笑いだった。

「なにがあったんだ?」と、ドイルが乱暴にきいた。「え、学校でなにがあったんだ?」

「キャリーだよ」と、ヴィクが呟《つぶや》いた。「キャリーが学校にいた。彼女が……」彼は途中で口をつぐみ、地面に笑いかけた。

ドイルは彼をつかまえて、三度激しく揺さぶった。ヴィクの歯がぶつかりあって、カスタネットのような音をたてた。

「キャリーがどうしたって？」

「プロムのクイーンに選ばれた。彼らは彼女とトミーに頭から血を浴びせたんだ」

「なんだって――」

十一時十五分だった。サマー・ストリートにあるトニーズ・シトゴーが、突然激しく咳《せ》きこむような音をたてて爆発した。通りは真昼のように明るくなり、二人はよろめきながらパトカーによりかかって目をおおった。巨大な油煙がコートハウス・パークの楡《にれ》の木立の上にもくもくと立ちのぼり、あひるの池と少年野球のダイヤモンドを赤く照らしだした。ばりばりと燃えはじけるすさまじい音のなかで、ドイルは吹っとんだガラスや材木やガソリン・スタンドの噴石ブロックの破片が、音をたてて空から降ってくるのを聞いた。二度目の爆発がおきて、また二人をたじろがせた。彼には依然として

（おれの町　この事件はおれの町でおきてるんだ）

それがチェンバレンで、ほかならぬチェンバレンでおこりつつあることがぴんとこな

かった。彼が母親の家のサン・ポーチで冷たいお茶を飲み、バスケットボールの審判をつとめ、毎朝二時三十分に家へ帰る前に、六号線のザ・キャヴァリアーの前を通って最後のパトロールを済ませる町。彼の町が燃えているのだ。

トム・クィランが警察署から駆けだしてきて、ドイルのパトカーのほうにやってきた。髪の毛はくしゃくしゃに乱れ、汚れたグリーンの作業服に肌着姿で、左右の靴をあべこべにはいていたが、ドイルはだれかの顔を見てこれほど安心したことはないと思った。トム・クィランはチェンバレンの生え抜きだった。その彼が目の前にいる――しかも無傷で。

「たいへんだ」彼はあえぎながらいった。「あれを見たか？」

「いったいどういうことなんだ？」と、ドイルが怒ったような口調でいった。

「おれは無線を聞いてたんだ」と、クィランが答えた。「モットンとウェストオーヴァーから、救急車を送ろうかといってきたんで、とにかくなんでもよこしてくれと答えておいたよ。ついでに霊柩車《れいきゅうしゃ》も頼むとな。それでよかったかい？」

「ああ」ドイルは両手で髪の毛をかきむしった。「ところでハリー・ブロックを見たか？」ブロックは水道を含む町の公益施設の管理責任者だった。

「いや。だけどデイハン署長が、町の反対側のレネット・ブロックに水があるといってたよ。いまホースを引っぱってるところだ。おれは子供たちを何人かつかまえて、警察のなかに臨時の病院を作らせている。みんないい子だが、署の床が血だらけになっちゃうな、オーティス」

オーティス・ドイルは非現実感がじわじわと押し寄せてくるのを感じた。チェンバレンでこんな会話がまかり通るはずがない。こいつは夢に決まっている。

「そんなことは構わんよ、トミー。よくやってくれた。おまえは署に戻って、電話帳にのっている医者を一人残らず呼びだしてくれ。おれはサマー・ストリートへ行ってみる」

「オーケー。あの気ちがい娘を見かけたら、気をつけなよ」

「だれのことだ？」ドイルはやたらにどなる男ではないのだが、このときばかりはどなっていた。

トム・クィランはその剣幕に尻《しり》ごみした。「キャリーさ。キャリー・ホワイトだよ」

「なに？　どうして知ってるんだ？」

クィランはゆっくり目《ま》ばたきした。「知っちゃいないさ。ただなんとなく……そんな気がしたんだ」

午後十一時四十六分発ナショナルAP電より

メイン州チェンバレン（AP）

今夜メイン州チェンバレンの町で大惨事が発生した。舞踏会開催中のユーイン・ハイスクールが火元と思われる火災がダウンタウン地区に延焼して、その大半を破壊する連続爆発を惹《ひ》きおこした。ダウンタウン地区の西側に位置する住宅地区でも火災が発生したと伝えられている。しかし現時点での最大の懸念《けねん》はプロムがおこなわれていたハイスクールに集中している。出席者の大半が会場に閉じこめられた模様である。現場に駆けつけたウェストオーヴァーの一消防士は、これまで判明しただけで死者は六十七名に達し、その大部分がハイスクールの生徒であると語っている。死者は何人ぐらい出そうかという質問に対して、彼はつぎのように答えた。「それはわからない。予想するだけでも恐しいくらいだ。いずれにしろココナッツ・グローヴ（訳注　一九四二年に火事で四百九十一名の死者をだしたボストンのナイトクラブ）よりはひどいことになりそうだな」最後の連絡では、三か所で猛火が荒れ狂っている。放火の噂《うわさ》があるがまだ確認されていない。おわり。

五月二十七日午後十一時四十六分　8943F　AP

それ以降チェンバレンからはAP電が一度も入らなかった。午前零時六分に、ジャクスン・アヴェニューのガス本管が破裂した。零時十七分に、モットンから応援に駆けつけた救急車の看護人が、サマー・ストリートへ急行する救急車から、煙草《たばこ》の吸殻を投げすてた。

そのガス爆発は、チェンバレン・クラリオン新聞社を含むおよそ半ブロックを、一撃のもとに破壊した。零時十八分には、チェンバレンの町は、当然なにも知らずに眠っている外部の世界から完全に遮断された。

ガス本管が爆発する七分前の零時十分に、電話交換台で、より小さな爆発が感じられた。町じゅうの電話回線が依然としてふさがっていた。疲れはてた三人の交換手は持場に踏みとどまっていたが、回線の混雑をうまく処理することは完全に不可能だった。彼女たちはこわばった恐怖の表情を浮かべながら、つながらない電話を必死になって通じさせようとしていた。

かくてチェンバレンの住民が通りに溢《あふ》れ出た。

彼らはベルスクイーズ・ロードと六号線の交叉《こうさ》によって形づくられた屈曲地にある

墓地からの侵略軍のような恰好でやってきた。まるで経かたびらのような白いナイトガウンや部屋着を身にまとってやってきた。ある者はパジャマ姿で髪にカーラーをつけていた（いまは死んでしまったあの剽軽者《ひょうきんもの》の息子を持つミセス・ドースンは、ミンストレル・ショーにでも出演するかのように、顔に泥パックをつけたままでやってきた）。彼らは自分たちの町でなにがおきたのか、ほんとうに町が燃え、血を流しているのかどうかを確かめるためにやってきた。そして多くの者が命を落とすはめになった。

キャリーがカーリン・ストリート組合教会で祈りおえて外に出てきたとき、カーリン・ストリートでは、空をあかあかと染めた火明りのなかを、ダウンタウンのほうへ進んでゆく人々の群がひしめきあっていた。

教会に入ったのは、ガス本管を開いた直後で（それはいたって簡単だった。地中に埋まっているパイプを心に思い描いただけで、すぐにガスが洩《も》れはじめた）、わずか五分前のことだというのに、もう何時間もたったような気がした。彼女は長く、深く、ときには声をだし、ときには心のなかで祈った。心臓は高鳴り、胸苦しさをおぼえた。顔と首の血管がふくれあがった。心は**超能力**と**地獄**の圧倒的な認識に満たされていた。彼女は祭壇の前にひざまずいて祈った。血だらけのガウンは水に濡《ぬ》れてあちこち破れ、汚れたはだしの足は割れた甓《びん》を踏んだために血を流していた。喉《のど》の奥からすすり泣くような呼吸の音が洩れ、教会のなかは、彼女の肉体から念力が発散するにつれて、いろんなものが軋《きし》んだり揺れ動いたりこわれたりする音に満たされた。椅子《いす》が倒れ、讃《さん》美《び》歌集《かしゅう》が飛びかい、聖餐式《せいさんしき》用の銀器が身廊《しんろう》の暗い円天井《まるてんじょう》の下を音もなく滑っていって壁に激突した。彼女はひたすら祈ったが、なんの答もなかった。そこにはだれもいなかった——もしいたとしても、神は恐れをなして身をすくませていた。神は彼女から顔をそむけてしまっていたが、それも無理はなかった。この恐しい事件は彼女の所業であると同時に神の御業《みわざ》でもあった。そこで彼女は教会を出た。家へ帰ってママと対決し、破壊を完膚なきものにするために。

彼女は階段の下に立ちどまって、町の中心部に流れこんでくる人の群を眺めた。けものたち。彼らを焼き殺してやろう。通りを彼らの犠牲《いけにえ》の匂《にお》いで満たしてやろう。この町がラッカ、イカボデ、ニガヨモギと呼ばれるように(訳注 それぞれ聖書のなかの言葉で、無価値なもの、過去の栄光、苦悩を意味する)。

曲がれ。

すると電柱のトランスが真珠のような紫色の光を発し、ねずみ花火のような火花を撒《ま》き散らした。高圧線がからみあって路上に落下し、生きもののように路上を走り、焦《こ》げくさい匂いを発して燃えはじめた。人々は悲鳴をあげて後ずさり、何人かが高圧線に触れて、痙攣《けいれん》するような電気ダンスを踊りはじめた。すでに路上に倒れて、部屋着やパジャマから煙を立ちのぼらせている者もいた。

キャリーは振りかえって、いま出てきたばかりの教会をじっとみつめた。頑丈なドアがハリケーンにでもあおられたように、急にばたんとしまった。

キャリーはわが家の方角に向かった。


メイン州調査委員会でおこなわれたミセス・コーラ・シマードの宣誓証言（『ホワイト委員会報告』に収録）（二一七―二一八ページ）より

問　ミセス・シマード、当委員会はあなたが舞踏会の夜《プロム・ナイト》にお嬢さんを亡《な》くされたことに、心から同情しております。質問はできるだけ簡単に済ませるつもりです。
答　ありがとうございます。もちろん、できるだけお役に立ちたいと思います。
問　キャリエッタ・ホワイトがカーリン・ストリートの教会から出てきた零時十二分ごろ、あなたはあの通りにいましたか？
答　はい。
問　なぜそこにいたのですか？

答　主人は商用で週末にボストンへでかけていましたし、ロンダは春の舞踏会へ行っていました。わたしは家にいて独りでテレビを見ながら、娘の帰りを待っていました。金曜映画劇場を見ているとき、タウン・ホールのサイレンが鳴りだしましたが、まさか学校が火事だとは思いもしませんでした。でも、やがて爆発が……わたしはどうしてよいかわかりませんでした。警察に電話をかけようとしましたが、はじめの三桁《けた》を回すと話し中の信号が聞えました。わたしは……わたしは……それから……

問　急いで答えなくても結構ですよ、ミセス・シマード。どうぞごゆっくり。

答　わたしはもう居ても立ってもいられない気分でした。やがて二度目の爆発がおきたので――テディズ・アモコの爆発です――わたしはダウンタウンへようすを見に行くことにしました。空が恐しいほど赤く染まっていました。シャイアーズの奥さんがドアをノックしたのはそのときでした。

問　ミセス・ジョージエット・シャイアーズのことですね？

答　そうです。シャイアーズさんは角を曲がったところに住んでいるんです。ウィローの二一七番地です。カーリン・ストリートからほんの少し入ったところですわ。彼女はドアをノックしながら、「コーラ、いるの？　ねえ、いるの？」

と叫んでいました。わたしはドアのところへ行きました。彼女はバスローブを着て、室内ばきをはいていました。足が冷たそうでした。ウェストオーヴァーの知合いに電話して、なにがあったのか問いあわせたら、学校が火事だと教えてくれたのだそうです。わたしはいいました。「まあたいへん、ロンダが舞踏会に行ってるのよ」

問　あなたがミセス・シャイアーズと一緒にダウンタウンへ行く決心をしたのはそのときですか？

答　別になにも決心しませんでした。ただでかけて行っただけです。わたしも室内ばきをつっかけました——ロンダのだったと思います。小さな白いボンボンがついていました。靴をはけばよかったのですが、そこまで気がまわりません。ところで、なぜわたしの靴のことなどお知りになりたいんですか？

問　靴のことはあなたがいいだしたんですよ、ミセス・シマード。

答　まあ、済みません。わたしはミセス・シャイアーズに手近にあったジャケットを着せて、一緒に家を出ました。

問　カーリン・ストリートを歩いている人はたくさんいましたか？

答　わかりません。わたしは取り乱しておりましたから。三十人ぐらいはいたかも

問　しれません。もっと多かったような気もします。

答　それからなにがおこりましたか？

ジョージエットとわたしは、日が暮れてから野原を歩く二人の女の子のように、手をつないでメイン・ストリートのほうへ歩いて行きました。ジョージエットの歯がかちかち鳴っていました。それははっきりおぼえています。歯を鳴らすのをやめてくれといおうとしましたが、ぶしつけなような気がしてやめました。教会の一ブロック半ほど手前で、ドアがあいたのを見て、だれかが神さまに助けを求めに行ったんだわ、と思いました。でも、すぐにそれは間違いだということがわかったんです。

問　どうしてわかったんですか？　だれだってあなたと同じように考えると思うのですが。

答　理由はわかりません、ただぴんときたんです。

問　教会から出てきた人間はだれかわかりましたか？

答　ええ。キャリー・ホワイトでした。

問　前にキャリー・ホワイトと会ったことはありますか？

答　いいえ。娘の友達ではありませんでしたから。

問　ではキャリー・ホワイトの写真を見たことはありますか?
答　ありません。
問　ところがそのあたりは暗かったし、あなたは教会から一ブロック半もはなれていたのですよ。
答　そうです。
問　ミセス・シマード、それなのにどうしてキャリー・ホワイトだとわかったのですか?
答　とにかくわかったんです。
問　そのわかったということですが、ミセス・シマード、それは頭のなかで明りがついたような感じでしたか?
答　違います。
問　ではどんな感じでしたか?
答　言葉ではいえません。もう夢のように薄れてしまいました。目をさましてから一時間もたつと、夢を見たことしかおぼえていないものです。とにかくわたしにはぴんときたんです。
問　キャリー・ホワイトだとわかったときに、なんらかの感情が湧《わ》きましたか?

答　ええ。恐怖心です。

問　あなたはそれからどうしました？

答　わたしはジョージエットに向かっていいました。「ほら、あの子がいるわ」と。するど彼女が、「ええ、あの子だわ」と答えました。彼女は続いてなにかいいかけましたが、そのとき通り全体がぱっと明るくなり、ぱちぱちと音がして電線が路上に落ちてきたかと思うと、あちこちで火花がとびはじめました。一本の電線がわたしたちの前にいた男の人に触れると、その人の全身が炎に包まれました。別の男の人が走りだし、落ちた電線を踏んだとたんに、体が……まるで背骨がゴムにでもなったように、弓なりにうしろにそりました。そしてその人も倒れてしまったのです。ほかの人たちが悲鳴をあげながら走りだすと、あとからあとから電線が落ちてきました。電線はそこらじゅう蛇のように這《は》っていました。しかも彼女はそれを喜んでいたのです。喜んで！　彼女が喜んでいるのをはっきりと感じました。わたしは落ちつかなくてはいけないと思いました。走りだした人たちはつぎつぎに感電しました。「早く、コーラ。ああ、生きたままで焼かれるなんてごめんだわ」と、ジョージエットがいいました。わたしは答えました。「だめよ、ジョージエット、頭を使わなくちゃ。さもないともう二度と頭を使うチャンスがなくなるわ」なにかそんなばかげたことをいった記憶があります。でも彼女は耳をかしませんでした。わたしの手を振りきって、歩道のほうへ走りだしたのです。わたしは止まれと叫びましたが――わたしたちの右手に高圧線が一本落ちていたのです――彼女の耳には届きません。そして彼女は……彼女は……おお、いまでも彼女が燃えだしたときのあの匂いが鼻にこびりついています。彼女の服のなかから煙が吹きだすのを見て、電気椅子にかけられたらこんなふうだろうと思いました。それはポークでも焼くような、甘ったるい匂いでした。どなたか人間が焼ける匂いをご存知の方はいらっしゃいますか？　わたしはときおり夢のなかでその匂いを嗅《か》ぐことがあります。わたしは棒立ちになって、ジョージエット・シャイアーズが黒焦げになるのを見ていました。ウェスト・エンドでものすごい爆発がおこりましたが――たぶんガス本管の爆発でしょう――それにもまるで気がつきませんでした。ふと見まわすと、あたりには人っ子一人おりません。みんな逃げてしまったか、焼け死ぬかしていました。死体がおよそ六つほど転がっていました。まるでぼろきれの山のようでした。一本の電線が左手の家のポーチに落ちかかって、そこから火が出はじめていました。古い屋根板がまるでポップコーンみたいにぽんぽん音をたてて燃えはじけていました。わたしは自分に落ちつけといいきかせながら、長いあいだそこに立っていたような気がします。ほんとに何時間もたったように思えました。自分が気を失って電線の上に倒れるのではないか、あるいは逆上して走りだすのではないかと心配でした。ジョージエットのように……。それでゆっくり歩きだしました。一歩ずつ足を踏みしめて。家が燃えだしたために、通りは一段と明るくなっていました。わたしは二本の電線を跨《また》いで越え、もはやこね土にすぎないひとつの死体をよけて通りました。足元に注意するためには死体を見ないわけにいきません。死体の指にはウェディング・リングがはまっていましたが、それも真黒焦げでした。わたしは心のなかで神さまに呼びかけておりました。また別の電線を跨ぎ越えると、今度はなんと一か所に三本もの電線がかたまっておりました。わたしはその場に立ちどまってじっと眺めました。それさえ越えればもう安全だ……だけどもその勇気はありません。そのときわたしがなにを考えていたかおわかりでしょうか？　例の子供の遊び、大幅跳びです。わたしの心のなかで、コーラ、思いきって電線を跳びこえてごらん、という声が聞えました。そしてわたしは考えていました。

ど、ど、ど、どうしよう？　ど、ど、ど、どうしよう？　一本はまだ火花を散らしていましたが、ほかの二本は電気が通っていないように見えました。でもほんとはどうかわかりません。わたしはその場に立って、だれかが通りかかるのを待っていたのですが、だれも現われません。家はまだ燃えつづけていて、火は芝生から木立や生垣まで拡《ひろ》がっていました。でも消防車は一台もやってきません。それも道理、そのころはウェスト・エンド全体が火の海だったのです。わたしはいまにも気を失いそうでした。とうとうそこで気を失って倒れるか、思いきって電線を越えるしかないと決心して、力のかぎり遠くへ跳ぶと、室内ばきの踵《かかと》がいちばん遠い電線から一インチとはなれていないところに着地しました。それからもう一本の電線の切れた端をまわって走りだしたのです。その先のことは全然おぼえていません。やがて夜が明けると、大勢のほかの人たちと一緒に警察で毛布を敷いて寝ていました。そのうちの何人かは——ほんの数人でしたが——プロムの正装をした生徒たちだったので、わたしはロンダを見かけなかったかと一人ずつきいてまわりました。そしたら彼らがいうには……彼らが、いうには……

（小　憩）

問　あなたはこれがキャリー・ホワイトの仕業だと信じておりますか？
答　はい。
問　ありがとう、ミセス・シマード。ひとつおききしたいことがあるんですけど。
答　どうぞ。
問　彼女のような人がほかにもいたらどうなりますか？　世界はどうなってしまうのでしょう？

『あばかれた影』（一五一ページ）より

五月二十八日午前零時四十五分までに、チェンバレンの町は危機的な状況に達していた。学校そのものは延焼の危険のない場所にあってすでに全焼していたが、ダウンタウン全域が火の海と化していた。その地区の水道管はほとんど破裂していたが、メイン・ストリートとオーク・ストリートの交叉点《こうさてん》にある商業ビルを救うだけの水は、（低水圧ながら）デイハン・ストリートの本管から確保できた。
サマー・ストリートにあるトニーズ・シトゴーの爆発が惹《ひ》きおこした猛火は、午前十時近くになってようやく衰えを見せた。サマー・ストリートには水があったが、それを使って消火活動をおこなう消防士や消火装置が皆無だったのである。ルーイストン、オーバーン、リズボン、ブランズウィックなどから消防車が出動しつつあったが、一時までは一台も到着しなかった。

カーリン・ストリートでは、路上に落下した電線による火災が発生していた。マーガレット・ホワイトが娘を生んだバンガローを含む、通りの北側全域が焼野原と化した。

通称ブリックヤード・ヒルのすぐ下のウェスト・エンド地区は、最悪の惨事に見舞われていた。ガス本管の爆発と、翌日いっぱい荒れ狂った火災がそれである。

町の地図（次ページ）でこれらの出火地点を見ると、キャリーのとった道筋が明白に浮かびあがる——あちこちに寄り道をし、回り道をしながら、町じゅうに破壊を撒《ま》き散らしていったのだが、ほぼ確実と思われる目的地は、自分の家であった……

居間でなにかが倒れた。マーガレット・ホワイトは背筋をのばして首を横にかしげた。肉切りナイフが炎の明りで鈍く光っていた。電気はしばらく前に停まり、家のなかに入りこむのは通りの火事の明りだけだった。

壁にかかった絵のひとつが、どさっと音をたてて落ちた。続いてすぐに、今度はブラック・フォレストかっこう時計が落ちてきた。ぜんまい仕掛けの鳥が、首をしめられたようなかぼそい鳴き声をたてて、やがて静かになった。

町からはサイレンの音がいつはてるともなく響きつづけていたが、それでも彼女は通りから家のほうに入ってくる足音を聞きのがさなかった。

ドアがさっとあいて、ホールに足音が響いた。

居間の焼石膏《しょうせっこう》の銘板が（見えざる客キリスト。イエスはいかにしたもうや。時は近し、今宵《こよい》審判がくだるとも、覚悟はよいか）、射的場のしっくいの鳥のようにつぎつぎと砕け散った。

（おお　わたしはそこにいて　淫売《いんばい》どもが木の舞台で腰を振りながら踊るのを見た）

彼女はクラスのトップになった秀才のようにスツールに坐《すわ》ったが、その目は狂気を宿していた。

居間の窓ガラスが外側に砕け散った。

台所のドアがばたんと鳴り、キャリーが入ってきた。

彼女の肉体は歪《ゆが》み、縮みあがり、皺《しわ》だらけの老婆《ろうば》のように見えた。プロムのドレスはずたずたに破れ、豚の血は固まりはじめていた。額は油で汚れ、両膝《りょうひざ》が痛々しくすりむけていた。

「ママ」と、彼女は小声で呼びかけた。目は鷹《たか》のように異様に輝き、口は小刻みに震えていた。もしも第三者がその場に居あわせて観察したら、二人があまりにも酷似していることに目をみはったことだろう。

マーガレット・ホワイトは、ドレスの膝のひだに肉切りナイフを隠して、台所のスツールに坐っていた。

「彼がわたしの体のなかに侵入したとき、わたしは自殺すべきだった」と、彼女ははっきりいった。「結婚前、最初の行為のあとで、彼は約束した。もう二度としないと。わたしたちは……過《あやま》ちを犯したのだと、彼はいった。わたしは彼を信じた。わたしは転んで流産した。それは神の裁きだった。わたしは罪が洗い清められたと感じた。血によって洗い清められたと。でも罪は永久に消えない。罪は……永久に……消えない」

「ママ、わたし――」彼女の目が狂信的な光を帯びた。

「はじめは無事だった。わたしたちは罪を犯さずに暮していた。同じベッドで、ときには抱きあって眠った。わたしは狡猾《こうかつ》な蛇の存在を感じたけれども、二度と過ちを犯さなかった」彼女は笑みを浮かべたが、それは冷たく恐しい笑いだった。「やがてあの晩、わたしは彼があの目つきでわたしを見ているのに気がついた。わたしたちはひざまずいて、力を与えたまえと祈った。やがて彼が……わたしに手を触れた。あそこに。女のあそこに。わたしは彼を家から追いだした。彼は何時間も戻ってこなかった。そのあいだわたしは彼のために祈った。わたしの心の目に、天使と戦うヤコブのように悪魔と戦いながら、真夜中の街をさまよい歩く彼の姿がありありと浮かんだ。そしてついに彼が戻ってきたとき、わたしの心は感謝で満たされた」

彼女は言葉を休めて、室内の揺れ動く影に、固い、口内が干あがったような笑いを向けた。

「ママ、そんな話は聞きたくない！」

食器戸棚のなかの皿が、クレー射撃用のかわらけのように割れはじめた。

「わたしは彼が入ってくるまで、ウィスキーくさい息をしていることに気がつかなかった。そして彼はわたしを抱いた。わたしを抱いた！　けがらわしい酒場のウィスキーの匂《にお》いをぷんぷんさせながら、わたしを抱いた……しかもあろうことか、わたしはそれを楽しんだ！」彼女は最後の言葉を天井に向かって絶叫した。「あのけがらわしい肉の交わりと、**全身を撫《な》でまわす**彼の手の感触を楽しんだ！」

「**ママ！**」

（ママ!!）

彼女は平手打ちでもくらったように急に口をつぐんで、娘の顔を見ながら目《ま》ばたきした。「わたしはもう少しで自殺するところだった」彼女はやや平静な口調に戻って続けた。「ラルフは泣き、罪の償いについて語ったが、わたしは泣きもせず、償いの話もしなかった。やがて彼は死に、それからわたしは神が自分に癌《がん》という罰を与えたと思った。神はわたしの体のあの部分を、わたしの罪深い魂と同じようにどすぐろく腐ったものに変えてしまったのだと。でも、それでも罰が軽すぎた。主は不可思議な奇跡をなしたもう。わたしにはいまそのことがわかった。陣痛が始まったとき、わたしはナイフを――このナイフを持ってきて――」彼女はナイフを持ちあげた。「――犠牲《いけにえ》を捧《ささ》げるためにおまえが生まれてくるのを待った。でもわたしは心弱く、堕落していた。おまえが三歳になったとき、ふたたびこのナイフを手にしたが、またしても堕落した。その結果いま悪魔がわが家を訪れるはめになった」

彼女はナイフを持ちあげて、催眠術にでもかかったようにぎらぎら光る刃に視線を据えた。

キャリーはゆっくりと、ぎごちなく前に進んだ。

「わたしがママを殺しにきたのよ。ところがママはわたしを殺そうとしてここで待っていた。ママ、わたし……そんなのないわ、ママ。そんなの……」

「一緒に祈りなさい」ママは小さな声でいった。キャリーを凝視するその目には、狂ったような、ぞっとするような憐《あわ》れみがあった。一段と明るさを増した火事の明りが、踊る苦行僧のように壁の上で揺れていた。「これが最後よ、一緒に祈りなさい」

「おお、ママ、わたしを助けて！」と、キャリーが叫んだ。

彼女は床にひざまずいて、頭をたれ、哀願するように両手をあげた。

ママが身を乗りだし、ナイフがきらりと弧を描いて振りおろされた。

キャリーは視界の隅にそれを認めたのだろう、ひょいとのけぞった。そのためナイフは背中からそれて、肩に深々と突き刺さった。

母と子は活人画のように声もなくにらみあった。

ナイフの柄のまわりから血が滲《にじ》みでて、床に飛び散った。

やがてキャリーが小声でいった。「プレゼントをあげるわ、ママ」

マーガレットは立ちあがろうとしてよろめき、床に両手両膝をついた。「なにをする気なの？」と、しゃがれ声でいった。

「いまママの心臓を心に描いているの」と、キャリーが答えた。「心に描くほうが簡単なの。ママの心臓は大きな赤い筋肉の塊りよ。わたしの心臓は念力を使うと鼓動が速まるけど、ママの心臓は少し遅くなる。少し遅くなる」

マーガレットはまた立ちあがろうとして失敗し、娘に呪《のろ》いのまなざしを投げつけた。

「また少し遅くなる。わたしのプレゼントってなんだかわかる？　ママがいつも欲しがっていたもの、暗黒よ。神さまが住んでいるところよ」

マーガレット・ホワイトが囁《ささや》くような声でいった。「天にいます我らの父よ――」

「遅くなる。遅くなる」

「――願わくば御名《みな》の崇《あが》められんことを――」

「体じゅうの血が心臓に逆流するのが見える。もっと遅くなる」

「――御国のきたらんことを――」

「ママの足と手は大理石のよう、雪花石膏《せっか》のよう。真白よ」

「――御心の天のごとく――」

「神の心じゃなくてわたしの心よ、ママ。もっと遅く」

「――地にも――」

「もっと遅く」

「――おこ……おこ……」

彼女は両手をくねらせながら前に突っ伏した。

「——おこなわれんことを」

キャリーが呟《つぶや》いた。「フル・ストップ」

彼女は自分の体を見おろして、ナイフの柄に力なく両手をかけた。

（だめ　痛いわ　痛すぎる）

立ちあがろうとしてよろけ、ママのスツールにつかまってようやく立ちあがった。めまいと吐気が全身を襲った。喉《のど》の奥で血の味がした。いがらっぽい、息のつまりそうな煙が、窓から流れこんできた。火は隣りの家まできていた。千年も前に石が降ってきて穴をあけた屋根の上で、依然として火花がかすかにきらめいているのだろう。

キャリーは裏口から外に出て、よろめきながら芝生をよぎり、立木にもたれかかった。やらなければならないことがあった。それは

（ママはどこなの）

（酒場の駐車場）

剣を持った天使にかかわりのあることだった。炎の剣。

心配ない。それは向うからやってくるだろう。

彼女は裏庭を横切り、ウィロー・ストリートに出て、六号線の土手を這《は》いのぼった。

午前一時十五分だった。

クリスティーン・ハーゲンセンとビリー・ノーランがザ・キャヴァリアーに戻ったのは、午後十一時二十分だった。裏階段をあがって廊下を通り、彼女が部屋の明りをつける間もなく、彼がブラウスを強引にむしりとろうとした。

「待ってよ、いまボタンをはずすから——」

「いいじゃないか、ボタンなんか」

彼は突然ブラウスの背中を縦に引き裂いた。布地がびりっと音をたてて裂けた。ボタンが一個ちぎれてとび、木の床できらりと光った。階下からホンキー・トンク調の音楽がかすかに聞え、建物全体が、農民、トラック運転手、工員、ウェイトレス、美容師など、メキシコ人労働者と、ウェストオーヴァーやルーイストンからきた彼らの女友達の不器用な荒っぽいダンスで、小刻みに揺れ動いていた。

「ちょっと——」

「うるさい」

ビリーは彼女に平手打ちをくらわせ、顔を乱暴に揺さぶった。彼女の目が冷たく危険な輝きを帯びた。

「もうおしまいよ、ビリー」彼女は後ずさった。乳房はブラジャーのなかで盛りあがり、平らな腹部は激しく波打ち、長い脚はジーンズのなかですらりとのびていた。だが、彼女はベッドのほうに後ずさった。「もうおしまいよ」

「わかってるさ」彼が挑みかかると、彼女が横っ面《つら》に思いがけないほど強烈なパンチを見舞った。

彼は棒立ちになって頭を少し動かした。「ちきしょう、痣《あざ》がでるぜ」

「もっと痣をこしらえてやるわよ」

「おまえならやりかねないな」

彼らは息をはずませながらにらみあった。やがて彼が薄笑いを浮かべ、シャツのボタンをはずしにかかった。

「乗ってきたぜ、チャーリー。すごく乗ってきたぜ」彼は機嫌がよいといつも彼女をチャーリーと呼ぶ癖があった。たぶん一緒に寝る相手はだれかれなしにそう呼ぶのだろうと、彼女は皮肉たっぷりに考えた。

彼女は自分の顔にかすかな笑みが浮かぶのを感じて、少しリラックスした。その瞬間、彼が脱いだシャツを彼女の顔に叩《たた》きつけて、山羊《やぎ》が角で突きかかるように腰を低くして彼女の腹に頭突きをくらわせ、ベッドに押し倒した。ベッドのスプリングが軋《きし》った。彼女は両手の拳《こぶし》で彼の背中を殴ったが無駄だった。

「どいてよ、ねえ、どいてよ！　どいてったら！　手を放して、、、、」

彼はにやにや笑いながら、ジッパーをぐいと引いた。ジッパーがこわれて、彼女のヒップがむきだしになった。

「パパを呼ぶのかい？　そのつもりなんだろう？　ふふ、そうなんだろ、チャーリー？　偉い弁護士先生のパパを呼ぶんだろう？　おまえのそのいやらしい面にもぶっかけてやるぜ。豚には豚の血だろう？　たっぷりかけてやるぜ。おまえは――」

彼女は急に抵抗をやめた。彼がひと息入れて上から見おろすと、彼女の顔に奇妙な笑いが浮かんだ。「最初からこうするつもりだったのね？　このろくでなし。ねえ、そうなんでしょう？　あんたの顔を見るだけでぞっとするわ」

彼の顔に、ゆっくりと、狂ったような薄笑いが拡《ひろ》がった。「そんなことは構わないさ」

「ええ、わたしもよ」彼女の顔から急に笑いが消え、首の筋を突っ張らせて咳《せき》ばらいをしたかと思うと、彼の顔に痰《たん》を吐いた。

彼らは赤く激しい忘我の境地にのめりこんでいった。

階下では音楽が騒々しく鳴り響いていた。（「白いちっぽけな薬《やく》を口にほうりこめば、両目はばっちり／旅に出て六日目、今夜はわが家に帰りつく」）リード・ギター、リズム・ギター、スチール・ギター、ドブロ・ギター、ドラムズ、ゼッケンのついたカウボーイ・シャツを着て、ぴかぴかのリヴェットつきの新しいジーンズをはいた五人組のバンドが、ときおりヴァイタリスの混った額の汗を拭《ぬぐ》いながら、ヴォリュームをいっぱいにあげて、下手くそな演奏を続けていた。騒音にかき消されて、サイレンの音も、最初と二度目の爆発も聞えなかった。ガス本管の爆発で音楽が中断され、駐車場へようすを見に出ていった者が、大声でニュースを伝えはじめたとき、クリスとビリーは眠っていた。

クリスがはっと目をさましたとき、ナイトテーブルの時計は一時五分前を指していた。だれかがドアを激しく叩いていた。

「ビリー！　おきろよ！　早く！」

ビリーはもじもじし、寝返りをうって、安物の目ざましを床に落とした。「どうした？」とだみ声でいって、ベッドの上におきあがった。背中がひりひり痛んだ。クリスがそこらじゅう爪《つめ》で引っ掻《か》いたのだ。その最中はほとんど気がつかなかったが、こうなったらがにまたでしか歩けなくなるまで家に帰さないぞと決心した。どっちがボスか思い知らせてやる――

ふと、店がしんと静まりかえっていることに気がついた。ザ・キャヴァリアーは二時まで営業している。現に埃《ほこり》だらけの屋根裏の窓を通して、明滅するネオンが見えていた。執拗《しつよう》にドアを叩く音を除けば
（なにかあったんだ）

店のなかは墓場のようにひっそりしていた。

「ビリー、いるのか？　おい！」

「だれなの？」と、クリスが小声でいった。彼女の目が明滅するネオンの明りのなかで用心深く光っていた。

「ジャッキー・タルボットだよ」ビリーは上の空で答え、それから急に声を張りあげた。「なんの用だ？」

「いれてくれよ、ビリー。話がある！」

ビリーはベッドからおりて、裸でドアのほうに歩いていった。旧式の掛金をはずして、ドアをあけた。

ジャッキー・タルボットが部屋のなかにとびこんできた。目は血走り、顔は煤《すす》だらけだった。彼は十二時十分前、スティーヴ、ヘンリーと三人で飲んでいるときに事件のニュースを聞いた。彼らはヘンリーのおんぼろダッジ・コンヴァーティブルで町へ

戻り、ブリックヤード・ヒルの高みから、ジャクスン・アヴェニューのガス本管の爆発を見た。ジャッキーがダッジを借りて、十二時三十分に引き返すころ、町は完全な恐慌《きょうこう》状態に陥っていた。

「チェンバレンが燃えている」と、彼はビリーにいった。「町じゅうが火の海なんだ。学校は灰になっちゃった。センターもなくなった。ウェスト・エンドはガス爆発で吹っとんじゃった。カーリン・ストリートも燃えている。みんなキャリー・ホワイトの仕業だって噂《うわさ》だよ！」

「まあ、たいへん」クリスはベッドから出て、脱いだものを手探りしはじめた。「いったい――」

「黙ってろ」と、ビリーが低い声でいった。「さもないと尻《しり》を蹴《け》とばすぞ」彼はふたたびジャッキーのほうを向いて、先をうながした。

「大勢の人が彼女を見ているんだ。ビリー、彼女は全身血だらけだったそうだぜ。あいつは今夜プロムに出ていたはずだ……スティーヴもヘンリーもまだ気がついてないけど……ビリー、おまえが……あの豚の血は……あれは――」

「そうさ」と、ビリーが答えた。

「ああ、まさか」ジャッキーはよろめいてドアの枠にもたれかかった。廊下にぽつんとと点《とも》っている電燈《でんとう》の明りで、彼の顔は病的なまでに黄ばんで見えた。「なんてこった、ビリー、町じゅうが――」

「キャリーが町を全滅させたって？　キャリー・ホワイトが？　この大嘘《おおうそ》つきめ」彼は落ちつきはらっていった。彼のうしろでクリスが大急ぎで服を着ていた。

「窓の外をのぞいてみなよ」と、ジャッキーがいった。

ビリーは窓ぎわへ行って外をのぞいた。東の地平線が全体に赤く染まり、空が明るくなっていた。彼が外をのぞいているあいだにも、三台の消防車がけたたましいサイレンの音を響かせて通りすぎた。ザ・キャヴァリアーの駐車場の街燈の明りで、車体に書かれた文字が読みとれた。

「へえっ」と、彼はいった。「ブランズウィックの消防車だぜ」

「ブランズウィック？」と、クリスがいった。「あの町は四十マイルもはなれてるのよ。まさかそんな……」

ビリーがジャッキー・タルボットのほうを向いた。「わかったよ。いったいなにがあったんだ？」

ジャッキーは首を横に振った。「そいつがまだだれにもわからないんだ。最初は学校で始まった。トミー・ロスとキャリーがキングとクイーンに選ばれ、それからだれかが彼らの頭の上にバケツ二杯分の血をぶちまけて、彼女が会場から駆けだした。すると学校から火が出て、だれ一人逃げられなかったって話だ。それからテディズ・アモコが爆発し、続いてサマー・ストリートのモービル・ステーションが――」

「シトゴーだろう」と、ビリーが訂正した。「モービルじゃないよ」

「どっちだっていいじゃないか」と、ジャッキーが叫んだ。「とにかくあいつの仕業だ、なにかがおきた場所にはかならずあいつがいたんだ。そしてあのバケツ……おれたちはみんな手袋をはめていなかった……」

「いいからまかしておけよ」

「わかってないんだな、ビリー。キャリーは――」

「出てってくれ」

「ビリー――」

「ぐずぐずしてると、腕をへし折って口に突っこむぞ」

ジャッキーは恐れをなして、尻ごみしながら出ていった。

「家へ帰ってろ。だれにもいうんじゃないぞ。万事おれにまかしておけ」

「わかったよ。ビリー、おれはただ――」

ビリーは相手の鼻先にドアを叩きつけた。

すぐにクリスが話しかけた。「ビリー、わたしたちこれからどうするの？　ああ、キャリーのやつ、いったいわたしたちは――」

ビリーは力まかせに彼女をひっぱたいて、床に倒した。クリスは驚いて一瞬沈黙したが、やがて両手で顔をおおって泣きだした。

ビリーはズボンをはき、Tシャツを着て、ブーツをはいた。それから部屋の隅の欠けた陶器の洗面台に歩み寄り、明りをつけ、髪を濡《ぬ》らして、古ぼけた傷だらけの鏡をのぞきこみながら櫛《くし》を使いはじめた。背後では、クリス・ハーゲンセンが顔を歪《ゆが》めながら床に坐《すわ》りこんで、切れた唇の血を拭っていた。

「どうするか教えてやるよ」と、彼はいった。「これから町へ行って火事見物だ。それから家へ帰る。おまえは家へ帰ったら、ザ・キャヴァリアーでビールを飲んでいたときに事件がおきたとパパにいうんだ。おれもおふくろにそういう。わかったな？」

「ビリー、あんたの指紋が」と、彼女がいった。

「やつらの指紋だ」と、彼がいった。「おれはちゃんと手袋をはめていたよ」

「彼らはしゃべっちゃうかしら？　もし警察につかまってしめあげられたら――」

「ああ。しゃべるだろうな」

髪の毛のカールがほぼ気にいった形になった。それは蠅《はえ》の汚点《しみ》のついた電球の鈍い光を受けて、深い水のなかの渦のように輝いていた。顔は平静だった。櫛はすっかり使いへらされて、油の汚れがしみついていた。十一歳の誕生日に父親からもらったものだが、ただの一本も歯が欠けていなかった。

「たぶんバケツは見つからないだろう」と、彼はいった。「万一見つかったとしても、指紋はみな燃えて消えちゃってるさ。まだどうなるかわからないが、もしもドイルが仲間のだれかをつかまえたら、おれはカリフォルニアへずらかるよ。おまえは好きなようにしろ」

「一緒に連れてってくれる？」と、彼女がきいた。彼女は床に坐りこんだまま、黒人のように厚く腫《は》れあがった唇で、哀願するように彼を見あげた。

彼は笑って答えた。「たぶんな」しかし、その気はなかった。もうたくさんだ。「さあ、町へ行ってみよう」

彼らは下へ降りて、まだ椅子《いす》が引かれ、テーブルにビールが立ったままのダンス・ホールを通り抜けた。

非常口から外へ出るときに、ビリーがいった。「どっちみちこの店にはうんざりだ」

二人は車に乗りこみ、エンジンをかけた。ヘッドライトをつけると同時に、クリスが両手の拳を頬に当てて悲鳴をあげた。

ビリーも同時にそれを感じた。心のなかのなにか
（キャリー　キャリー　キャリー　キャリー）

ある存在を感じた。

キャリーが彼らの前方に、およそ七十フィートはなれて立っていた。

ヘッドライトが不気味な白黒の恐怖映画のように、全身血まみれになって肩からぽたぽた血をたらしている彼女を目の前に浮かびあがらせた。いまやその大部分は彼女自身の血だった。肩には依然として肉切りナイフが突き刺さったままで、ガウンには泥と草の汁がこびりついていた。カーリン・ストリートからの道のりの大半を、なかば気を失いかけながら、這《は》ってここまでやってきたのだ――この酒場を、おそらく彼女がこの世に生まれでる運命の発端の場所であったこの酒場を滅ぼすために。

彼女は催眠術師のように両手を拡げて、よろめきながら立っていたが、やがて彼らのほうにふらふら近づいてきた。

それは一瞬の出来事だった。クリスは悲鳴を発する間さえなかった。ビリーはすぐれた反射神経の持主だったので、即座に反応した。ギヤをロウにいれて、アクセルを床いっぱいに踏みこんだ。

シヴォレーのタイヤがアスファルトに軋《きし》り、年とった恐しい人喰《ひとく》い虎《とら》のように突進

した。フロントグラスのなかに人影がふくれあがり、ラジオのヴォリュームをいっぱ
いにあげたように、存在感が
（キャリー　キャリー　キャリー）
強く
（キャリー　キャリー　キャリー）
ますます強まった。時間の枠が彼らを周囲から封じこめるような感じがして、一瞬彼
らは動きながら凍りついていた。ビリーと
（キャリー犬のようにキャリー犬のようにキャリー轢《ひ》き殺してやる）
クリスと
（キャリー彼女を殺さないでキャリー殺すつもりなんかなかったキャリービリーわた
しは見たくないキャリーやめてキャ）
キャリー自身と。
（ハンドルを見る　ハンドルを　アクセル・ペダルを　ハンドルを　わたしは**ハンド**
ルを見る　ああ神さま　わたしの心臓が　心臓が　心臓が）
そしてビリーは、突然車が生きもののように勝手に動きだし、両手のなかからずる
ずる滑りだしてゆくのを感じた。シヴォレーはタイヤから煙が出るほどの小さな半円

を描いて、排気管をかたかた鳴らしながら急激に向きを変え、突然ザ・キャヴァリアーの下見板の側壁がぐんぐん目の前に迫ってきて、彼らは時速四十マイルで、しかもなお加速しながら、壁に激突し、木片がネオンに彩《いろど》られた爆発のなかで四方八方に飛び散った。ビリーは前に投げだされ、ハンドル・シャフトがその胸に突き刺さった。クリスはダッシュボードに叩《たた》きつけられた。

ガソリン・タンクがこわれ、ガソリンが車の後部に水溜《みずたま》りを作った。そこに排気管の一部が落ちて、ガソリンがぱっと燃えあがった。

キャリーは目をつむり、激しく喘《あえ》ぎながら横たわっていた。胸が燃えていた。

彼女は足を引きずりながら、駐車場を横切って、あてもなしに歩きだした。

(ママごめんなさい　なにもかも狂ってしまった　おおママ　お願い　とっても痛いわママ　わたしはどうすればいいの)

突然、すべてがどうでもよくなった。ただあおむけになって、星を見あげながら死ぬことさえできれば、あとはどうでもよくなった。

二時に、スーはその状態の彼女を発見した。

ドイル保安官と別れたスーは、通りを歩いていって、チェンバレン洗車場の階段に腰をおろした。赤く染まった空を見るともなしに眺めていた。トミーは死んだ。彼女はそれを知っていて、恐しいほどの平静さでその事実を受けいれていた。そしてそれはキャリーの仕業だった。

なぜそうだとわかったのか自分にもわからなかったが、その確信は算術のようにまじりっけがなく、正しかった。

時間がすぎていった。それはどうでもよかった。マクベスは眠りを殺し、キャリーは時間を殺した。気のきいた洒落《しゃれ》だ。スーは陰気な笑みを浮かべた。これがわれらのヒロイン、ミス・スウィート・リトル・シックスティーンの最期《さいご》なのかしら？　もうカントリー・クラブやクリーン・コーナーズについて思いわずらうこともない。すべては終った。みな焼けてしまった。だれかがカーリン・ストリートが燃えていると叫びながら、走って通りすぎた。トミーはもういない。そしてキャリーは母親を殺しに家へ帰った。

（？？？？？？？？？）

彼女は急に上体をおこして、じっと闇《やみ》をみつめた。

（？？？？？？？？？）

どうしてそうだとわかったのか、彼女にはわからなかった。かつてテレパシーについて読んだいかなる本とも、それは無関係だった。頭のなかには、いかなる光景も、偉大な啓示の白い閃光《せんこう》もなく、ただ散文的な事実の認識があるだけだった。夏のつぎは秋で、癌《がん》になった人は死ぬことを知っているのと同じように、キャリーの母親がすでに死んだことを知っていた。

（！！！！）

心臓が喉《のど》の奥にせりあがってきた。キャリーの母親が死んだ？　彼女は無からそれを知ったことの底知れぬ不気味さを無視しようと努めながら、その事件の認識を検討してみた。

そう、マーガレット・ホワイトは確かに死んだ。死因は心臓だった。だが彼女はその前にキャリーを刺していた。キャリーは重傷だった。彼女は――

それ以上はなにもわからなかった。

彼女は立ちあがって、母親の車に駆け戻った。それから十分後に、ブランチ・ストリートと燃えさかるカーリン・ストリートの角に車を駐《と》めた。まだ消防車は一台も到着していなかったが、通りの両端に鋸《のこ》ひき台のバリケードが築かれ、油煙をあげて燃える道路の火が、危険！　高圧線！


の標識を照らしていた。

彼女は二軒の裏庭を通り抜け、つぼみのふくらみはじめた生垣をくぐり抜けた。短くて固いとげであちこちに引っ掻《か》き傷をつくった。ホワイト家の一軒隣りの庭に出て、そこも横切った。

家は炎に包まれ、屋根からも炎が吹きあげていた。近寄ってなかをのぞくことは不可能だった。しかし強い火明りのなかで、もっと確かなものが見えた。キャリーの傷から滴《したた》り落ちた血である。彼女は下を見ながら血痕《けっこん》を辿《たど》り、キャリーがひと休みした場所の大きな血痕を通りすぎ、別の生垣をくぐり抜けてウィロー・ストリートに面した一軒の家の裏庭を横切って、松とオークの木立を通り抜けた。そこをすぎると、短い未舗装の枝道が――野中の小径《こみち》に毛のはえた程度の――六号線からしだいに遠ざかり、右手の高台を巻くようにしてのびていた。

彼女は心につきまとう強い疑問にとりつかれて、急に立ちどまった。かりにキャリーを見つけたとして、それからどうなるのか？　心臓発作？　それとも生きたまま焼かれる？　キャリーの念力に操られて、近づいてくる車か消防車の前にとびだす？

キャリーならそれぐらい朝飯前だということを、彼女は知っていた。

（おまわりさんを呼ばなくちゃ）

彼女はその思いつきにくすくす笑いだして、露のおりた草の上に坐りこんだ。警官とはすでに会っていた。かりにオーティス・ドイルが彼女を信じたとしても、それでどうなるというのか？　百人もの興奮した群衆がキャリーを取りかこみ、武器を捨てて降参しろと呼びかける光景が心に浮かんだ。キャリーはおとなしく両手をあげて、自分の首を肩から引き抜く。それをドイル保安官にさしだすと、ドイルは検事側証拠物件Aと書かれた籠《かご》に、うやうやしく生首をいれる。

（そしてトミーは死んだ）

彼女は泣きだした。両手で顔をおおってさめざめと泣いた。微風が丘の頂きにある杜松《ねず》の茂みをそよがせた。また何台かの消防車がサイレンを鳴らして、赤い猟犬のように夜の六号線を通りすぎていった。

（町が焼け野原になりかかっている）

ざらついた浅い眠りとすすり泣きを繰りかえしながら、どれぐらいの時間そこに坐っていたことだろう。彼女は、ふだんあらためて考えなければ呼吸していることに気がつかないのと同じように、自分がキャリーを追ってザ・キャヴァリアーのほうに向かっていることにも気づいていなかった。そのころキャリーは重傷を負いながらも、ある重大な決意を心に抱いて歩みつつあった。道のないところを一直線に進んでも、ザ・キャヴァリアーまでは三マイルの距離があった。

スーはキャリーが小川に落ちて、寒さに震えながら岸を這いあがるのを

(見た？　それとも考えた？　そんなことはどうでもいい)

それでもなお歩きつづけているのは驚くべきことだった。だが、それはいうまでもなくママのためだった。ママは彼女が天使の炎の剣になることを、そして破壊することを望んだ——

(彼女はあの店も破壊しようとしている)

スーは立ちあがってよろめきながら走りだした。もはや血痕を辿るまでもなく、行先ははっきりしていた。

『あばかれた影』(一六四—一六五ページ)より

われわれがキャリー・ホワイト事件をどう考えるにしても、とにかくそれは終った。いまは将来に目を向けるべき時である。ディーン・マクガッフィンが、『科学

年鑑』収録のすぐれた論文のなかで指摘しているように、もしわれわれが将来に目を転じることを拒むならば、ほぼ確実にその代償を支払うことになるだろう――しかもその代償は高いものにつくおそれがある。

ここで難しい道徳上の問題が持ちあがる。科学界の大方の意見は（例えば『微生物学年報』――バークレー、一九八二年――に収録されたバーク、ハネガン共著の『TK遺伝子の分離に関する一見解およびその制御要因に関する勧告』参照）、やがて検査方法が確立されたあかつきには、学齢に達したすべての児童に、現在おこなわれているツベルクリン・テストのような形のテストを受けさせるという方向に傾いている。しかしTK遺伝子は病源菌ではない。それは保有者の目の色と同じように、彼の肉体の一部なのである。

もしも明白なTK能力が思春期に発現するものならば、そしてこの仮定のテストが小学校入学と同時におこなわれるならば、確かに予防策としては有効である。しかしこの場合、はたしてあらかじめ戒むるはあらかじめ備うるに等しいのであろうか？　ツベルクリン・テストが陽性であれば、児童はしかるべき治療を施され、あるいは隔離される。だがTKテストが陽性と出た場合、その児童の頭をピストルで撃つ以外に治療法はない。すべての壁を倒すほどの能力を持つ人間を隔離する方法など存在しないのである。

かりに隔離に成功したとしても、思春期にさしかかった女の子を両親のもとから引きはなして、一生銀行の地下金庫に閉じこめておくようなことを、はたしてアメリカ国民が許すであろうか？ わたしにははなはだ疑問である。ましてやホワイト委員会が、チェンバレンの悪夢は偶発事件以外の何物でもないと一般大衆に信じこませようとするにいたっては、なおのことそれは困難である。

かくてわれわれはまた振出しに戻ってしまったらしい……

メイン州調査委員会でおこなわれたスーザン・スネルの宣誓証言
(『ホワイト委員会報告』に収録)(三〇六―四七二ページ)より

問 さて、ミス・スネル、当委員会は、ザ・キャヴァリアーの駐車場で、キャリー・ホワイトと会ったというあなたの証言について検討したいのですが――
答 どうして同じ質問を何度も繰りかえすんですか？ そのことはもう二度も話したはずですけど。

問 われわれはあらゆる点で記録が正確であることを、再度確かめたいと――
答 つまり、わたしの証言から嘘《うそ》をほじくりだしたいってことなんでしょう？ わたしがほんとのことを話していないというんですね？
問 あなたはキャリーと――
答 それよりわたしの質問に答えてください。
問 ――五月二十八日の午前二時ごろに会ったと述べております。それは事実ですか？
答 わたしの質問に答えてくれなければ、もうどんな質問にも答えません。
問 ミス・スネル、あなたが憲法上の権利以外の理由で答を拒否した場合、当委員会は委員会侮辱であなたを訴えることもできるんですよ。
答 どうぞお好きなように。わたしは愛する人を失ったんです。わたしを刑務所にぶちこむといいわ。わたしはちっとも構わないから。わたしは――わたしは――ああ、もうたくさん。みんな大嫌い。あなたたちは……なんていったらいいか……わたしを苦しめようとしてるんだわ。もうほっといてよ！

（小　憩）

問　ミス・スネル、証言を続けられそうですか？
答　ええ。でもわたしをいじめようったって無駄ですわ、委員長さん。
問　むろんそんなつもりはありませんよ。だれもあなたをいじめようなどとは思っておりません。さて、あなたは二時ごろあの酒場の駐車場でキャリーと会ったそうですが、それは間違いありませんか？
答　はい。
問　時間ははっきりしているんですね？
答　いまはめているこの時計を持ってましたから。
問　念のためにうかがいます。あなたが母上の車を駐《と》めた場所からザ・キャヴァリアーまでは、六マイル以上もありますね？
答　道路を通ればそうでしょうけど、直線距離にすれば三マイルたらずです。
問　あなたはその距離を歩いて行ったのですか？
答　ええ。
問　あなたは前に、自分がキャリーに近づきつつあることが〝わかった〟といいましたね。そのことを説明していただけませんか？

答　説明できません。
問　あなたは彼女の匂《にお》いがわかるのですか？
答　ええ？
問　つまり彼女の匂いを辿ったのかということです。（傍聴席に笑い）
答　ふざけているんですか？
問　質問に答えてください。
答　いいえ。匂いを辿ったんじゃありません。
問　彼女の姿が見えましたか？
答　いいえ。
問　声が聞えましたか？
答　いいえ。
問　では、どうして彼女がそこにいるとわかったんですか？
答　トム・クィランはどうしてわかったんです？　コーラ・シマードは？　かわいそうなヴィク・ムーニーは？　みんなはどうしてわかったんですか？
問　質問しているのはわれわれなんですよ、ミス・スネル。自分の立場をわきまえなさい。

答　だって彼らも〝ぴんときた〟としかいってないんでしょう？　わたしはミセス・シマードの証言を新聞で読みました。それからひとりでに開いた消火栓のことはどうなんです？　ひとりでにロックがこわれてガソリンが流れだしたガソリン・ポンプは？　ひとりでに電柱から落ちてきた電線は？　それに——

問　ミス・スネル、待ちなさい——

答　それはみなこの委員会の記録にちゃんとのっています！

問　いま問題にしているのはそのことではありません。

答　じゃ、なにが問題なんですか？　あなたがたが捜しているのは真実なの、それともただの身替りの山羊《やぎ》なの？

問　あなたはキャリー・ホワイトの居場所を前もって知らなかったとおっしゃるんですね？

答　もちろん知らなかったわ。ばかばかしい。

問　ほう。なぜばかばかしいんです？

答　だって、もしもキャリーとわたしのあいだに、ある種の共謀関係があったというつもりなら、わたしがキャリーを発見したとき彼女が死にかけていたというのは、話の筋が通らないわ。わざわざそんな遠くまで死にに行くはずがないで

問　しょう？　前もって彼女の所在を知らなかったとしたら、どうして一直線に彼女のところへ行けたのですか？

答　まあ、あきれた！　いままでなにを聞いてたの？　キャリーがやったんだってことはだれでも知ってるわ！　だれだってその気になればキャリーを見つけられたのよ。

問　しかし、ほかの人たちはだれも彼女を見つけていません。見つけたのはあなただけですよ。ほかの人たちが磁石に引きつけられるやすり屑《くず》のように、キャリーのいる場所に引きつけられなかったわけを説明していただけますか？

答　彼女は急激に弱っていたんです。おそらく……彼女の影響力の及ぶ範囲がせばまっていたんだと思うわ。

問　それは比較的無知な仮定だと思いますが。

答　もちろんよ。キャリー・ホワイトに関しては、わたしたちみんなが比較的無知だといえるんじゃないかしら。

問　そう考えるのはあなたの自由ですがね、ミス・スネル。さて、話題を転じて……

はじめに、ヘンリー・ドレインの牧場とザ・キャヴァリアーの駐車場のあいだの土手を登るとき、彼女はキャリーがもう死んだものと考えていた。駐車場の中央に横たわったキャリーの体は、奇妙に縮んでしまって皺《しわ》だらけに見えた。彼女は九五号線でトラックやステーション・ワゴンに轢《ひ》かれた動物たち――マーモットやスカンクなど――の死骸《しがい》を連想した。

しかし、あの存在は依然として彼女の心のなかで震動しつづけ、キャリー・ホワイトのコール・サインを繰りかえしていた。それはいわばキャリーの本質《エッセンス》であり、ひとつの形態《ゲシュタルト》であった。いまは弱々しく、大声で名乗りをあげるような感じでこそなかったが、依然として一定の振幅をもって強弱をくりかえしていた。

意識を失っていたのだ。

彼女は火事の熱気を顔に感じながら、駐車場をとりまくガード・レールを乗り越えた。ザ・キャヴァリアーは木造建築で、ばりばり音をたてながら盛んに燃えている最中だった。黒焦《くろこ》げになった車の残骸が、裏口の右手の炎のなかに浮かんでいた。それもキャリーの仕業だった。彼女は近寄って、なかに人がいるかどうかのぞこうともしなかった。いまはそんなことはどうでもよかった。

彼女は横向きに倒れているキャリーのほうへ歩いていった。激しく燃えさかる火の音で、自分の足音すら聞えなかった。彼女はうつろな、苦痛にみちた憐《あわ》れみの目で、キャリーの縮こまった体を見おろした。ナイフの柄が痛々しく肩に突っ立ち、キャリーは小さな血溜《ちだま》りのなかに横たわっていた――血の一部は彼女の口から流れでたものだった。ちょうどあおむけになろうとしてもがいている最中に意識を失ったものらしかった。頭のなかで考えるだけで火事をおこし、電線を落下させ、人を殺すことのできるキャリーが、いまは寝返りをうつこともできずに横たわっている。

スーはひざまずいて彼女の片腕と、怪我《けが》していないほうの肩に手をかけ、あおむけにしてやった。

キャリーは低く呻《うめ》いて目《ま》ばたきした。あたかも心に浮かぶ映像のピントが合うように、スーの心のなかのキャリーに関する知覚が鋭さを増した。

(だれなの)

そしてスーも、無意識のうちに、相手と同じように心のなかで話しかけていた。

(わたし　スー・スネルよ)

ただし自分の名前を考える必要はなかった。彼女自身を彼女自身として考えることは、言葉でもイメージでもなかった。突然その認識がすべてを身近に、現実として感じさせ、キャリーへの憐れみがショックで麻痺《まひ》した気持のなかを突き抜けた。

そしてキャリーが、遠くから聞えてくるような、無言の非難をこめて、

(あなたたちはみんなでわたしを騙《だま》したんだわ)

(キャリー　わたしはなにがあったか知らないのよ　トミーは)

(みんなでわたしを騙したのよ　いたずら　いたずら　いたずら　卑劣ないたずらよ)

イメージと感情の混合はめくるめくばかりで、形容を絶するものだった。血。悲しみ。恐怖。長いあいだの卑劣ないたずらの仕上げとなる最後の卑劣ないたずら。それらは目のくらむような速さで走馬燈のように通りすぎて、スーの心を絶望的によろめかせた。二人は完全無欠な知識の恐るべき総和を共有した。

(キャリー　やめて　わたしを苦しめないで)

生理用ナプキンを投げつけ、声を揃《そろ》えて嘲《あざけ》り、笑う女の子たち、スーの顔が彼女自身の心の鏡に映った。醜く、滑稽《こっけい》な、大口あいた、残酷な美しさを持った顔。

(卑劣ないたずら　わたしの一生そのものが長い卑劣ないたずらだった)

(見てよキャリー　わたしの心のなかを見て)

キャリーは彼女の心のなかをのぞいた。

それは慄然《りつぜん》とするような感覚だった。彼女の心と神経組織は図書室と化していた。だれかが必要に迫られて、必死に彼女の内部を走りまわり、本棚を指で軽くなぞっては何冊かの本を抜きとり、ざっとページに目を通してはまた棚に戻していた。なかには棚に戻すときに床に落ちて、記憶の風に

(ちらちら見えるのはわたしの子供のころの姿　パパなんか嫌い　おおママ　唇が腫《は》れちゃった　歯が　ボビーが押したの　おお膝小僧《ひざこぞう》が　車に乗りたい　セシリーおばさんに会いに行くのよ　ママ早くきて　おしっこしちゃった)

激しくページを煽《あお》られている本もあった。その人はなおも捜しまわり、ついに**トミー**と書かれ、**舞踏会**と副題のついた棚を捜し当てた。ページが開かれたままの本、一瞬ちらと目に映る体験、ロゼッタ・ストーンよりも複雑な感情の神聖文字で書かれた余白の書きこみ。

心のなかをのぞく。スー自身が思いもかけなかったほど多くのものを発見する——トミーへの愛、嫉妬《しっと》、利己心、キャリーをプロムに誘うことに関して、彼を自分の意志に従わせたいという欲求、キャリーへの嫌悪《けんお》

(もっときれいにしておけばいいのに　まるでいやらしい**ひきがえる**みたいだわ)

ミス・デジャルダンへの憎しみ、自分自身への憎しみ。

だがキャリーそのものへの悪意、彼女を人前に引っぱりだして破滅させる意図はなかった。

やがて心のなかの最も奥深い秘密の通路に、土足で踏みこまれるような熱っぽい感覚が、しだいに薄れはじめた。キャリーが疲労の極に達して、彼女のなかから出てゆくらしかった。

(なぜわたしをそっとしておいてくれないの？)

(キャリー　わたしは)

(ママは生きていたかったのよ　なのにわたしが殺してしまった　ママにいて欲しいおお　胸と肩がひどく痛む　おお　おお　ママにいて欲しい)

(キャリー　わたしは)

そしてその考えを完結させる方法も対象ももはや存在しなかった。スーは突然恐怖に圧倒された。それは名づけようがないだけにいっそう恐しい恐怖だった。油のしみこんだアスファルトの上に血を流しながら横たわる人間の変種が、その苦痛と臨終のなかで、突然無意味で恐しいものに見えだした。

(おお　ママ　わたしはこわい　ママ　**ママ**)

スーは後ずさって自分の心を解き放とうとした。せめてキャリーに死の瞬間のプライヴァシーを与えてやりたかったが、それも不可能だった。彼女自身の死期も迫っている、だが自分の死の予告編を見るのはいやだ、と彼女は思った。

(キャリー　わたしを**放して**)

(ママ　ママ　ママ　おおおおおおおおおおお　**おおおおおおおおお**)

心のなかの絶叫は信じがたいほどのクレッシェンドに達し、やがて急にぴたりとやんだ。一瞬スーは、長い暗黒のトンネルのなかへ猛スピードで消えてゆくろうそくの炎を眺めているような気がした。

(彼女は死ぬ　おお神さま　わたしは彼女が死にかけているのを感じる)

そのとき明りが消えて、最後の意識

(ママ　ごめんなさい　どこにいるの)

がとだえると、スーの受信機に入ってくるのは、死に絶えるまであと数時間はかかる神経末端の、空白で無意味な雑音だけとなった。

彼女は盲人のように両手を前にさしのべて、よろめきながら遠ざかり、駐車場のガード・レールのほうへ進んでいった。膝の高さのガード・レールにぶつかって前にのめり、土手を転がり落ちた。やがて立ちあがり、ふたたびよろめく足を踏みしめながら、地上低く白い神秘的な霧のたちこめた野原のほうへ歩きだした。コオロギが無心

に鳴き、一羽のヨタカが
（ヨタカだわ　だれかが死にかけている）

一声高く鳴いて真夜中の死の静寂をかき乱した。

彼女は激しく息をはずませながら走りだした。トミーからも、火事と爆発からも、キャリーからも――だがとりわけ最後の恐怖から、空白の、無意味で散文的な電気の雑音をあとに残して、永遠の暗黒のトンネルのなかに消えていったあの最後の意識から、一刻も早く逃げだしたかった。

残像はゆっくりと薄れていき、なにも知らない彼女の心に祝福された清涼な闇《やみ》を残した。彼女は速度をゆるめ、立ちどまり、そしてなにかがおこりはじめていたことに気がついた。彼女は霧に包まれた広い野原の真中に立って、その正体がわかるのを待った。

彼女の激しい息づかいがしだいに遅くなり、急にぴたりと止まった――

やがてそれは裏切られた悲痛な叫びとなって、一気に噴出した。

そのとき彼女は、黒い生理の血が、ゆっくりと太腿《ふともも》を伝って流れ落ちるのを感じた。

第三部　廃《はい》墟《きょ》

ウェストオーヴァー慈善病院／死亡診断書

氏　　　名　ホワイト，キャリエッタ・N　作成者　RM
住　　　所　47　カーリン・ストリート
　　　　　　チェンバレン，メイン　02249
病　　　室　なし　救急車　16号
処　　　置　なし　収容時死亡　×
　　　　　　　　　　　　　　有　無
死亡時刻　1979年5月28日─午前2時（推定）
死亡原因　出血，ショック，冠状動脈閉塞《へいそく》
　　　　　　および／または冠状動脈血栓（推定）
身許確認者　スーザン・D・スネル
　　　　　　19　バック・チェンバレン・ロード
　　　　　　チェンバレン，メイン　02249
最近親者　なし
遺体引渡先　メイン州
担当医師　Harold Kuebler, M.D.
病理解剖担当　FM

一九七九年六月五日金曜日発ナショナルAP電より

メイン州チェンバレン（AP）

州当局の発表によれば、チェンバレンの死者は四〇九名に達し、なお四九名が行方不明である。キャリエッタ・ホワイトおよびいわゆる〝TK〟現象に関する調査は、ホワイトを解剖した結果大脳および小脳の組織に異常が見られたという根強い噂《うわさ》のなかで、依然として続けられている。州知事はこの悲劇の全貌《ぜんぼう》を究明させる目的で、特別調査委員会を任命した。

六月五日最終電　０３０３Ｎ　ＡＰ

九月七日日曜日付《ルーイストン・デイリー・サン》（三ページ）より

ＴＫが残したもの

焦土と人心の荒廃

チェンバレン——舞踏会《プロム・ナイト》の夜はいまや歴史となった。何世紀もの昔から、賢者たちは時がすべての傷を癒《いや》すといいつづけてきたが、メイン州西部のこの田舎町の傷はおそらく命取りになるだろう。町のイースト・サイドには、樹齢二百年のみごとなオークに囲まれた住宅地がいまだに存在している。モーリン・ストリートやブリックヤード・ヒルのこぎれいな木造家屋や、ランチ・スタイルの住宅は、いまなおこぎれいなままで、なんの被害も受けていない。しかしこのニュー・イングランドの田園風景は、黒焦《くろこ》げの廃墟と化した中心地区の周辺にあり、それらの家の多くは前面の芝生に売家の札を立てている。まだ人の住んでいる家は、玄関のドアに飾られた黒い花輪でそれと知れる。あざやかな黄色のアライド運送のヴァンとユー・ホール社の大小さまざまのオレンジ色のレンタル・トレイラー・トラックが、近ごろチェンバレンのいたるところで目につく。

町の最大の産業であるチェンバレン製粉・織物工場は、五月の二日間に町の大半をなめつくした大火を免れて、現在も操業中である。しかし六月四日以降はワン・シフトに操短され、工場長のウィリアム・A・チャンブリスによれば、さらに操短がおこなわれる可能性が大だという。「注文はあるんです」と、チャンブリスは語った。「しかし人手がなくては工場は動きません。とにかく人手が足りないのです。

八月十五日以来、三十四人がやめていきました。いまわれわれにできることは、染色工場を閉鎖して、仕事を下請けに出すことだけです。工員を手放したくはないが、目下の急務はいかにして財政的に生きのびるかということなのです」

ロジャー・フィアスンは二十二年間チェンバレンに住み、うち十八年間工場で働いてきた。そのあいだに時給七十五セントの袋詰工から染色工場の職長に昇進した。しかしながら、彼は職を失う可能性を前にして、奇妙なことにさほど動揺しているとも見えない。「わたしはたいそう結構な給料をふいにすることになるでしょう」と、フィアスンは語った。「これは軽々しく決められることではありません。家内とわたしはそのことについて何度も話しあいました。家は売れるでしょう。優に二万ドルの値打ちはあるが、おそらくその半値も難しいでしょう。でもわたしたちは我慢するつもりです。それでも構わないんです。もうチェンバレンに住みたいとは思いません。なんといわれても構いません、とにかくわたしたちはチェンバレンに厭気《いやけ》がさしてしまったのです」

それは一人フィアスンだけではない。ケリー・フルーツという煙草《たばこ》屋兼ソーダ・ファウンテンを、舞踏会の夜《プロム・ナイト》に灰にしてしまうまで経営していたヒューバート・ケリーも、再建の計画を持っていない。「子供たちはいなくなってしまった」と、彼は肩をすくめて語った。「かりにふたたび店を開いたとしたら、店じゅうあちこちに幽霊が出て困るでしょう。わたしは保険金がおりたらセント・ピーターズバーグに引退しますよ」

一九五四年の大竜巻がウースターに死と破壊を撒《ま》き散らした一週間後には、再建の槌音《つちおと》と、新しい材木の香りと、楽天的な気分と、人間の適応性が空気中に満ちみちていた。この秋のチェンバレンにそういったものはひとつも見当らない。主要な通りはきちんと片づいているが、そのあたりがほぼ限界である。街で会う人々の顔は無気力な絶望に満ちている。男たちはサリヴァン・ストリートの角にあるフランクス・バーで黙々とビールを飲み、女たちは裏庭で悲しみと死者の思い出を語りあう。チェンバレンは災害地域に指定され、町がふたたびその足で立ちあがって商業地区の再建にとりかかるだけの資金には事欠かない。

しかし過去四か月間、チェンバレンにおける最大のビジネスは葬式であった。現在までに確認された死者の数は四百四十名に達し、そのうえ十八名はなお行方がわからない。死者のうち六十七名は、卒業を目前にしたユーイン・ハイスクールの最上級生であった。おそらくほかの何物にもまして、このことがチェンバレンの住民を無気力にした最大の原因だろう。

彼らは六月一日と二日に、三回に分けて埋葬された。翌三日には町の広場において合同告別式がとりおこなわれた。それは記者がこれまでに立会った最も感動的な儀式であった。参列者は数千におよび、五十六名から四十名たらずにへったスクール・バンドが校歌を演奏するあいだ、全員が微動だにしなかった。

その翌週、隣り町のモットン・アカデミーで悲しい卒業式がおこなわれたが、生き残った卒業生はわずか五十二名にすぎなかった。卒業生を代表して告別の辞を述べたヘンリー・スタンプルは、スピーチのなかばで泣きだしてしまい、その先を続けることができなかった。卒業式の夜のパーティはおこなわれず、卒業生は卒業証書を受けとるとみな家へ帰っていった。

それでもなお、夏が深まるにつれて、つぎつぎに新しい死体が発見され、霊柩車《れいきゅうしゃ》で運ばれていった。一部の住民にとって、それは毎日かさぶたをはがされ、傷口から新たに血を流すのに等しかった。

もしもあなたが先週チェンバレンを訪れた多くの物見高い見物人の一人だとしたら、心の末期癌《まっきがん》をわずらう町を見たはずである。茫然《ぼうぜん》自失した数人の人々が、A&Pスーパーマーケットの通路をさまよい歩く。カーリン・ストリートの組合教会は跡形もなく焼失したが、れんが造りのカソリック教会はいまもなおエルム・ストリートに残っているし、メイン・ストリートのはずれにある小さなメソディスト教会も、いくぶん焦げはしたものの、無事な姿を保っている。しかし教会へ行く人の数は少ない。老人たちはいまもコートハウス・スクエアのベンチに坐《すわ》っているが、チェスボードにも、世間話にさえもほとんど関心を示さない。

全体的な印象は死期を待つ町のそれである。このごろでは、チェンバレンは二度とふたたび同じ姿に戻らないだろう、というだけでは充分でない。チェンバレンは二度とふたたび存在しないだろうというほうが、より真実に近いかもしれない。

ヘンリー・グレイル校長からピーター・フィルポット教育長に宛《あ》てた六月十一日付書簡からの抜萃《ばっすい》

……このようなしだいで、もしわたしに先見の明があればこの悲劇を回避できたかもしれないと考えると、もはや現在の地位にとどまるに忍びない気がいたします。そこで、願わくば七月一日付をもってわたしの辞表を受理していただきたく……

体育教師リタ・デジャルダンからヘンリー・グレイル校長に宛てた六月十一日付の手紙からの抜萃

……わたしの契約書をお返しいたします。いまは、ふたたび教壇に立つようなことがあれば、その前に自殺したい気分です。毎日夜中になると、わたしは考えるのです。あの子にわたしが手をさしのべてさえいたらと……

ホワイト家の敷地跡の芝生で発見されたペンキの落書

キャリー・ホワイトはその罪の故《ゆえ》に焼かれている
イエスは決してあやまたない

ディーン・D・L・マクガッフィン著『テレキネシス―その分析と余波』（『科学年鑑』一九八一年版所収）より

終りに、わたしは当局がキャリー・ホワイト事件を官僚主義のマットの下に隠すことによって犯しつつある重大な危険を指摘したい――ここでわたしが言及しているのは、いわゆるホワイト委員会のことである。政治家のあいだでは、ＴＫをきわめてまれな例外的現象とみなしたがる傾向がきわめて強いように思われる。この態度は理解できなくはないが、とうてい受けいれがたいものである。遺伝学的見地からは、同種の事件は九十九パーセントまで再度おこりうる。従ってわれわれは将来に備えて……

ジョン・R・クームズ著『両親のための俗語辞典』（ニューヨーク、ライトハウス・プレス、一九八五年）（七三ページ）より

to rip off a Carrie (1)暴力または破壊行為、傷害罪、混乱などを惹《ひ》きおこす。(2)放火する（キャリー・ホワイト、一九六三—一九七九年から）

『あばかれた影』（二〇一ページ）より

本書のほかの部分に、キャリー・ホワイトのノートの一ページに、六〇年代の有名なロック詩人ボブ・ディランの一行が、まるで狂ったように何度も繰りかえして

書かれていたことを述べた個所がある。

本書を閉じるに当って、ボブ・ディランの別の曲から、キャリーの墓碑銘にふさわしいと思われる数行を引用するのも、見当違いではないだろう。

きみのために素朴なメロディを書きたい／それはきみを狂気から救うだろう／それはきみにくつろぎと落ちつきを与え／きみの無意味な知識の苦痛を終らせるだろう……

『わたしの名はスーザン・スネル』（九八ページ）より

この小さな本もいよいよおしまいです。わたしはこの本がたくさん売れることを願っています。そうすればわたしはだれも知る人のいない土地へ行けるのですから。わたしはもろもろの事柄を時間をかけてよく考えたあとで、これからわたしの命の灯があの長いトンネルに入って暗黒のなかに消えてゆくまでのあいだに、なにをなすべきかを決めたいと思います……

五月二十七日から二十八日にかけてメイン州チェンバレンでおきた事件に関するメイン州調査委員会の結論より

……従ってわれわれは、検死解剖の結果がある種の超能力の存在を示唆《しさ》する細胞の異常を示しているとしても、同じことが再度おこりうると考える理由はなにもないと結論せざるをえない……

テネシー州ロイヤル・ノッブに住むアメリア・ジェンクスから、ジョージア州メイコンに住むサンドラ・ジェンクスに宛てた、一九八八年五月三日付の手紙からの抜萃

……それからあんたの姪《めい》がまるで雑草のように逞《たくま》しく育っているわ。二歳にしてはすごく体が大きいのよ。目はパパゆずりのブルーで、髪はわたしと同じブロンドだけど、髪は大人になるとたぶん黒っぽくなるわ。とにかくとっても美人で、ときどき寝顔を見るたびに、わたしたちのママになんてよく似ているのかしらと思うわ。せんだってあの子が家のそばで泥んこになって遊んでいるときに、こっそり近づいていったら、とっても面白いものが見られたのよ。アニーがおにいちゃんのおは

じきで遊んでいたんだけど、そのおはじきがひとりでに動きまわっているの。アニーは大喜びでけらけら笑っていたけど、わたしは少しばかりこわくなったわ。おはじきが宙に浮いて、上下に揺れ動いているんだもの。わたしはとっさにおばあちゃんのことを思いだしたわ。いつか警察がピートを追ってきたとき、おまわりの手から拳銃《けんじゅう》が逃げだして、おばあちゃんが大笑いしたときのこと、あんたおぼえてる？それにおばあちゃんはよくだれも坐っていないロッキング・チェアを動かしてみせたじゃない。それを考えたらぞっとしたわ。あの子がおばあちゃんみたいな魔法使いにならないといいんだけど。

これからお洗濯なの。リッチによろしくね。それからついでのときに写真を送ってちょうだい。とにかくアニーはとっても美人で、ボタンのようにつぶらな瞳《ひとみ》を持っているのよ。きっとあの子はやがて世界を征服するわ。

愛をこめて

メリア

訳者あとがき

永井淳

一九七二年の冬に、メイン州に住む一人の主婦がくずかごに捨てられていた小説の原稿を拾いあげて読みはじめた。やがてハイスクールで英語を教えている夫が帰宅したとき、彼女は箸《はし》にも棒にもかからない駄作と思いこんで自信喪失していた夫を励まして、原稿を完成させた。今から考えれば嘘《うそ》のような話だが、ダブルデイ社がこの原稿をわずか二千五百ドルで買いとって、一九七四年に刊行したのが、今をときめくベストセラー作家スティーヴン・キングの処女作、すなわちこの『キャリー』である。

スティーヴン・キングは一九四七年に彼の多くの作品の舞台となっているメイン州で生まれた。エレクトロラックス電気掃除機のセールスマンだった父親が、スティーヴンの二歳のときに、二つ年上の兄デーヴィッドと母親を残して蒸発してしまったので、一家は身寄りを頼って転々とする生活を余儀なくされた。父親とはそれっきり二度と会うことがなく、生死も不明だという。キング自身がプレイボーイ・インタビューで語っているところによれば、不幸な家庭環境に加えて、太りすぎでスポーツはまったくだめという神経質で内向的な少年だった。やがてメイン大学に進み、一九七一年に在学中に知りあったタバサ夫人と結婚したが、卒業しても希望する教職に空きがなく、仕方なしにガソリン・スタンドやランドリーで働いたが、それでも二人の子供を養うには足りなくて、タバサがダンキン・ドーナツでアルバイトをして家計を助けなくてはならなかった。その当時のみじめな記憶が頭にこびりついていて、キングは今でもドーナツが大嫌いだという。その後ようやく待望のハイスクール教師の職に就くことができたが、収入増は知れていて、あいかわらずの生活苦と作家になれるかどうかという先行きの不安から酒びたりになった時期もあった。深酒と将来の不安、この二つが揃《そろ》えば当然のごとく夫婦間の危機が訪れる。そんなときにタイミングよく緊張状態を打開してくれたのが『キャリー』の出版だった。

そうなればあとは一瀉《しゃ》千里、十二歳のときから作家たらんとして習作をはじめていたキングは、長い不遇の時代をバネとして憑《つ》かれたように書きまくり、ほぼ一年に一作の割で精力的に長編を発表しはじめる。第二作以降を順を追って記すとつぎのようになる。

『呪《のろ》われた町』Salem's Lot 1975（永井淳訳　集英社文庫）
『シャイニング』Shining 1977（深町眞理子訳　文春文庫）
『ナイト・シフト』Night Shift 1978（短編集　未訳）（編集部注：その後高畠文夫訳『ナイトシフト1　深夜勤務』扶桑社ミステリー文庫）
『ザ・スタンド』The Stand 1978（未訳）（編集部注：その後深町眞理子訳　文春文庫）
『デッド・ゾーン』Dead Zone 1979（吉野美恵子訳　新潮文庫）
『ファイアスターター』Firestarter 1980（深町訳　新潮文庫）
『クージョ』Cujo 1981（永井訳　新潮文庫）
『死の舞踏』Dance Macabre 1981（評論集　未訳）（編集部注：その後安野玲訳　福武文庫、バジリコ）
『スタンド・バイ・ミー』Different Seasons 1982より（中編集　山田順子訳　新潮文庫）
『クリスティーン』Christine 1983（深町訳　新潮文庫）
『ペット・セマタリー』Pet Sematary 1984（未訳）（編集部注：その後深町眞理子訳　文春文庫）
『タリスマン』Talisman 1984（ピーター・ストラウブと共著　矢野浩三郎訳　新潮文庫）

処女作の発表以来ほぼ十年間でスティーヴン・キングの全作品の部数は総計五千万部に迫る勢いだという。これは驚くべき数字である。従来限られた熱心な読者はいても一般的な拡《ひろ》がりを持たなかった恐怖小説という特殊な分野で、なぜキングの作品がかくも多くの人々に読まれるのだろうか。ふたたびプレイボーイ・インタビューによってその秘密を探ってみることにしよう。

キングは大人になり、作家として成功した現在でも日常もろもろの不安に取りかこまれて暮しているという。たとえば夜、真暗な部屋では寝られない。夏でも毛布で足をすっぽりくるまないと眠れない。足を出して寝るとブーギー（おばけ）に冷たい手でさわられるのがこわいからである。こういう幼年時代から持ちつづけている鋭敏すぎる感受性に加えて、いつか自分が発狂するのではないか（身内に分裂病患者が何人かいた）、心臓発作に見舞われるのではないか、子供たちが怪我《けが》や病気をするのではないか、やがて小説が書けなくなるのではないかといった日常的なさまざまの不安。彼はそれらの不安から逃れるために書く。これらはかつての高踏的で耽美《たんび》的な恐怖小説がそなえていた要素とは異質の、現代人のだれしもが心の底に秘めているたぐいの不安である。キングの作品のテーマそのものは決して日常的とはいえない。しかしTK能力を持つ少女によるすさまじい破壊（『キャリー』）、現代によみがえった吸血鬼

(『呪われた町』)、古い建物にとりついた悪霊《あくりょう》(『シャイニング』)、未来予知能力を持った青年の悲劇(『デッド・ゾーン』)、念力放火能力を持つ少女の悲劇(『ファイアスターター』)、意思を持つ自動車(『クリスティーン』)、死者のよみがえり(『ペット・セマタリー』)というように、擬似科学的に説明がつくSFの領域から超自然の領域まで多岐にわたっているが、いずれの場合にも彼の目ざすところは現代人の心のなかにある普遍的な不安を強く喚起することであり、そのためにあくまで日常的な風景を丹念に描いている。そこに「モダン・ホラーの旗手」と呼ばれる彼の人気の秘密を解く鍵《かぎ》があるように思える。

『キャリー』は二十六歳という若書きらしく、手法上の実験意欲がやや先走っているような感じもなくはないが、恐怖小説と青春小説を結びつけるという離れ業を成功させ、一種の抒情性《じょじょうせい》すらたたえている点が注目に値する。アカデミー主演女優賞の演技派シシー・スペイセクと無名時代のジョン・トラボルタを起用した才人ブライアン・デ・パルマによる映画化もみごとな出来ばえだった。キング自身もこれまで映画化された作品(『呪われた町』、『シャイニング』、『ファイアスターター』、『クリスティーン』、『クージョ』)のなかではこの『キャリー』がいちばん気に入っているらしい。

(一九八四年十二月)

解説

風間賢二

1 デビュー長編『キャリー』に至る道

まず、いまや伝説と化しているエピソードをひとつ紹介しておく。

「かなりてごわかった」男は湯船にゆっくりと浸《つ》かると、ため息混じりにつぶやいた。

「なにしろ相手は女だ。一筋縄ではいかない。でも、始末してやった。ゴミ箱にポイってなもんだ」

男は湯船に浸かったままビールを飲み、タバコをふかし、好きなレッド・ソックスの試合をラジオで聞いていた。一戦を交わしたあとはリラックスする必要がある。そして目を閉じた。

不意にラジオの音声が切れた。目を開ける。眼前に女が立っていて、くしゃくしゃになった紙の束をしきりに振っている。

「続けなさいよ」女は薄笑いを浮かべた。「これ、いいわ」

男の名はスティーヴン・キング。女は愛妻のタビサ。彼女は夫のキングがボツにした原稿をクズ籠《かご》から拾い上げて読んだのだ。

「いや、でもさあ、女性のことはよくわからないし、ましてや相手が思春期の女の子となったらこの世の神秘だよ。女子高生のロッカールームのことも知らないし、メンスについては論外だ」

「わたしが女だってこと忘れてない？　なんでも聞いて。教えてあげる」ついでタビサはこう言った。「これ、長編にしたほうがいい」

実は、その廃棄物は雑誌向けの短編として執筆された作品だった。だが、タビサは確かな鑑識眼を持った理想的な読者だった。キングが大学時代にタビサに魅了された理由のひとつだ。

かくてキングは、思春期の女の子たちの言動や彼女たちの更衣室の様子や初潮体験と向き合うことになった。やがて、いじめられっ子が相手に復讐《ふくしゅう》する（純真無垢《むく》で弱々しくおとなしい奴《やつ》ほどブチ切れると怖い）といった、当初は単純なストーリーの短編が一人の少女の成長の儀式の物語として中編にふくらんだ。

その超自然的な話にリアリティを与えるために、雑誌や新聞記事、自伝、調査委員会報告、目撃談と言った現実世界の記録文書を付け加えて長編に仕上げた。それが本書『キャリー』Carrie (1974) である。一九七三年のことだった。

当時のキングの生活状況はひどかった。妻（お腹《なか》には新たな生命を宿していた）と長女を養うために、昼間は薄給の高校教師を務め、夜は狭いレンタル・トレイラーハウスのボイラー室で短編を創作しつづけていた。子供が病気にかかっても薬も買えず、料金滞納で電話を切られる始末。完成した長編原稿を出版社に送っても不採用通知ばかり。一家の大黒柱である夫としても作家志望の青年としてもプレッシャーがかかりストレスは溜《た》まるばかりだ。当然、飲酒にのめりこむ日々。アルコール依存症の一歩手前にまで陥った。後年、キングは彼のインタビュー集『悪夢の種子』（リブロポート）で、およそ次のようなことを語っている。

「妻はぼくの飲酒のことで激怒する。あんたは、一人前の作家にはぜったいになれないと思ってるから大酒をくらうんでしょ！　てな具合だ。実にそのとおり。妻はこちらの痛いところを的確に突いてくる。プレッシャーがひどくなってきて、妻子を愛していたけど、アンビヴァレントな感情が芽生えだした。家族を養い守ることが一番大切なんだと思いつつも、妻子に対して恨み、怒り、憎悪を抱き、ときには暴力を奮いたくなったこともある。凍《い》てついた冬の朝三時に、幼い我が子を抱っこして、シャツをよだれでグショグショにされながら、トレイラーハウスの狭くて薄汚れたリビングを行ったり来たりしたものさ。なんで俺はこんな精神病院にいるんだと自問したね。そして、自分は作家になろうなんてバカげた夢を追っているだけなんじゃないかと思った」

そんなボンビー地獄にあったキングを救ったのが、長編デビュー作『キャリー』である。一九七三年三月、ダブルデイ社より単行本出版が決定。契約金は二五〇〇ドルだった。当時の新人作家に支払われる金額としてはマシな部類だ。

先に『キャリー』を〝長編デビュー作〟と称したのは、キングはそれまでに短編ならいくつか雑誌に掲載され、とりあえず作家デビューを果たしていたからだ。ちなみに、それらの作品は現在、七八年に刊行された第一短編集『深夜勤務』（邦訳版は『深夜勤務』と『トウモロコシ畑の子供たち』の二分冊　扶桑社ミステリー）で読むことができる。

また、『キャリー』を処女長編と呼ばなかったのは、すでにキングは長編を五本創作していたからである。年代順に言えば、『キャリー』はキングの第六長編にあたる。

もちろん、『キャリー』以前の長編は編集者に不採用通知を書かせるだけの結果に終わったが。

しかし、そうした机の引き出しの肥やしとなりかけていた原稿は、後年、キング自身の手が加えられて陽の目を見ている。ただし、リチャード・バックマン名義として。すなわち、『ハイスクール・パニック』(77)、『死のロングウォーク』(79)、『バトルランナー』(82 以上の三作品は扶桑社ミステリー)、*BLAZE* (07 未訳)の四点、これらに加えて *SWORD IN THE DARKNESS* (70)があるが、これはこれまでのところ、そしてこれからも刊行予定はない。それほどのクズである、とはキング自身の弁(実際にタイプ原稿を読んだ人に言わせれば、失敗作だがそれほどヒドクはないとのこと)。

なお、リチャード・バックマン名義には他にも、『最後の抵抗』(81 扶桑社ミステリー)、『痩《や》せゆく男』(84 文春文庫)、『レギュレイターズ』(96 新潮文庫)があるが、すべて『キャリー』執筆以降の長編である。

つまり、今日では単行本の初版が一〇〇万部、ペーパーバックなら三〇〇万部と言われる超ベストセラー作家であり、モダンホラーのブランド・ネームと称されるスティーヴン・キングも作家として花開くまで厳しい下積み時代があったということだ。

現代の語り部、物語を紡《つむ》ぐ天才と称されることのあるキングだが、実はよく読みよく書くということを続けている努力の人なのだ。

表向きは処女長編デビュー作、実は完成された長編としては六作目の『キャリー』は、出版契約が結ばれてから約一年後の七四年四月に店頭に並んだ。初版は三万部。半分ほどしか売れなかったらしい。

だが、キングはさほど気にしなかった。というのも、ダブルデイ社との契約を済ませた一年前の翌月、再びキングは幸運に見舞われたからだ。単行本の契約金二五〇〇ドル(高校教師の年俸三分の一)のおかげでレンタル・トレイラーハウスから人並みのアパートに引越ししたキングのもとに朗報が届いた。ニュー・アメリカン・ライブラリー社にペーパーバック権が売れたのだ。なんと四〇万ドルで! キングの取り分はその半分だが、それでも高校教師の年俸三十年分だ!

もちろん教職を辞し、キングは専業作家に。『キャリー』が刊行されるまでの一年あまりに『呪《のろ》われた町』(75 集英社文庫)と『最後の抵抗』を完成させている。ダブルデイ社は新人の長編第二作として前者の吸血鬼ものを採用。巷《ちまた》ではホラーに人気が出始めていたからである。いや正確には、この時点ではオカルト・ブームに火が点《つ》き始めたというべきか。

六七年のアイラ・レヴィン『ローズマリーの赤ちゃん』（ハヤカワ文庫NV）に始まって、六九年のフレッド・スチュワート『悪魔のワルツ』（角川ホラー文庫）、七一年のウィリアム・ピーター・ブラッティ『エクソシスト』（創元推理文庫）とトマス・トライオン『悪を呼ぶ少年』（角川文庫）、リチャード・マシスン『地獄の家』（ハヤカワ文庫NV）、七三年のロバート・マラスコ『家』（ハヤカワ文庫NV）やジェフリイ・コンヴィッツ『悪魔の見張り』（ハヤカワ文庫NV）など、出版界ではホラー小説／オカルト小説がベストセラーになるといった、かつてない現象が生じていた。そしてそれらの作品はみな映画化されて大ヒットを記録している。

このオカルト・ブームは七六年十月に公開されたリチャード・ドナー監督『オーメン』で最盛期を迎える。この翌月のことである。ブライアン・デ・パルマ監督『キャリー』が封切られたのは。映画は大ヒット、おかげでキング原作のペーパーバック版は一〇〇万部を超えるベストセラーになった。

ただし、すでに本書をお読みになった方ならおわかりのように、『キャリー』は『エクソシスト』タイプの神学的オカルト小説ではない。正確には超心理学（パラサイコロジー）ホラー、ないしはサイキック・ホラーである。

当時は、カリフォルニア発でユリ・ゲラーが話題になり始めた時期だった。超能力ブームである。『キャリー』は超能力者を題材にした最初のモダンホラーだったと言ってよい。この流れは七六年のジョン・ファリス『フューリー』（三笠書房）に受け継がれ、またキング自身、七九年の『デッド・ゾーン』と八〇年の『ファイアスターター』（いずれも新潮文庫）でさらに同テーマを深化させている。ちなみに、オカルトとパラサイコロジーを融合させたキングの初期の傑作が七七年の『シャイニング』（文春文庫）である。

　余談だが、当時のオカルト小説・映画（ことに悪魔に憑依《ひょうい》される子供もの）ブームの背景には、六〇年代の急進的な若者たち（ヒッピー）に対する保守的な大人たちの恐れと嫌悪の情がある。髪や髭《ひげ》をだらしなく伸ばし、薄汚いジーンズとよれよれのTシャツ姿で、ドラッグでふっ飛び、フリーセックスにふける自分の子供を見て、古きよき時代の価値基準で生きる両親が思ったことはただひとつ。「うちの子は悪魔に取《と》り憑《つ》かれてしまった！」

『ローズマリーの赤ちゃん』（68 ロマン・ポランスキー監督）で悪魔の宿した子が誕生し、その『悪魔の赤ちゃん』（74 ラリー・コーエン監督）が町を徘徊《はいかい》する。そして成長すると、『エクソシスト』（73 ウィリアム・フリードキン監督）の少女のように、あるいは『オーメン』（76 リチャード・ドナー監督）の少年のようになる。彼らが集団で行動すれば、『ザ・チャイルド』（76　ナルシソ・イバニエス・セラドール監督）の世界である。

面白いのは、そうした〈恐るべき子供たち〉＝ヒッピー＝ベビーブーマーたちは若者に成長すると、大人の反撃を受けて（七〇年代後半から）、逆に殺戮《さつりく》されまくることだ。そうした大人の処刑人はたいがいマスクを被《かぶ》っている。ジョン・カーペンター監督『ハロウィン』（78）のマイケル・マイヤーズ、ショーン・S・カニンガム『13日の金曜日』（80）のジェイソン、ウェス・クレイブン監督『エルム街の悪夢』（84）のフレディなど。それらに登場する超人的な殺人鬼の鼻祖は、トビー・フーパー監督『悪魔のいけにえ』（74）のレザーフェイスである。

閑話休題。ともあれ、この脱線によって七〇年代のオカルト・ブームから八〇年代の本格的ホラー・ブームへの流れを読み取っていただけたかと思う。キングはそうした時流に乗り、というかむしろモダンホラーの旗頭として同志を導き、着実にベストセラーを放つことでブームを盛り上げ、八六年には今日のホラーの金字塔と称される大作『ＩＴ』（文春文庫）で名実共に恐怖小説の王者の地位についた。

アメリカン・モダンホラーのブランド・ネームにして稀代《きたい》のベストセラー作家に至る道の記念すべき第一歩が『キャリー』だったわけだが、キングはどのような意図でこの物語を創作したのだろうか。

キング自身はこう語っている。

「女性の自意識を象徴的に描いた物語だと思っている。女性を語った本なんだ。道義的な勇気だの、倫理的な行為について頭を悩ませるのは女性だけだからね」(『悪夢の種子』)

同時に、子供時代の最大の恐怖をも描いてもいる。すなわち、除《の》け者にされること——ボッチの恐怖。キングは自伝的ホラー文化論『死の舞踏』(81 バジリコ)に次のように記している。

「『キャリー』が描こうとするのは、孤独に苛《さいな》まれたひとりの少女が、自分をとりまく仲間社会に溶け込もうと必死に努力したあげく失敗する姿だ。現代版〈性愛の曲がり角〉を意図したこの小説からなにか読みとれるとすれば、それは、ハイスクールというのが保守主義と偏狭さが幅をきかせた場所だということだろう。ここに通うティーンエイジャーは、自分の属すカーストからはみ出すことを禁じられたヒンズー教徒と同じで、〝自分の位置〟から背伸びしようとしてはならないのだ」

今時の言葉で表せば、『キャリー』はスクールカーストというアリ地獄を真正面からとらえようとした作品である。ただし、キャリーはハイスクールという無慈悲なカースト制度が支配するアリの巣でイジメにあう単なる悲惨な犠牲者にとどまらない。

〝女〟としての自分の力に目覚め、理不尽な格差社会を破壊する女戦士と化す。その力がテレキネシスとして象徴的に語られている。
「その〝制御不能の力〟を使って、キャリーは腐りきった社会全体をぶっこわすのだ。このストーリーが小説でも映画でも成功を収めた理由は、ひとつにはそこにあるのではないだろうか。つまりキャリーの復讐は、体育の時間に体操着のパンツを引っ張りおろされたり、自習時間にメガネを指紋でべたべたにされたりした経験のある男子生徒ならだれでも共感できるものであり、キャリーが体育館を破壊するシーン（そして、映画では予算の関係でカットされてしまったが、家に向かうキャリーがおこなうさまざまな破壊のシーン）はそのまま、社会に踏みにじられた者たちが夢見る革命の姿なのだ」（『死の舞踏』）
ちなみに、キングは二度にわたってハイスクール生活を体験している。一度目は自ら学生として、二度目は教師として。学生の頃は仲間はずれにされることへの恐怖に脅《おび》え、教師の頃は除け者にされて虐待される少女の悲惨を身近で目にしている。そう、キャリーには実在のモデルがふたりいる。詳細を知りたい読者には、キングの自叙伝的文章読本『小説作法』（00　アーティストハウス。のち『書くことについて』として小学館文庫）の「生い立ち」の章の一読を薦める。

2 『キャリー』のサブテクストを読む

さて、ここからは『キャリー』について作者自身のキングが表明していないサブテクストを読み解いてみたい。

すでに本書をお読みになった方は、最初のうちはなんだか読みづらいと思われたかもしれない。おそらくそれは、キャリー・ホワイトの受難についての伝統的な三人称の語りと〈キャリー事件〉に関するドキュメントとの二重構造のナラティヴのせいだろう。超常現象の物語を擬似科学の言説を頻繁に挿入することで、現実と非現実との皮膜をあやうくし、リアリティある蓋然性《がいぜんせい》の世界を創造するための巧みな小説作法だ。

『キャリー』がアメリカン・ゴシックの伝統に連なる極めて現代的な作品として評価されるとしたら、まずもってこの語り口に求められる。ゴシック小説（あるいは怪奇幻想小説）愛好家なら、『キャリー』のページをパラパラめくって見ただけで、ブラム・ストーカーのヴィクトリアン・ゴシックの傑作『吸血鬼ドラキュラ』（1897 創元推理文庫）との語り口の親近性に気づくことだろう。

発見された手記・日誌・手紙・記録文書といったテクストの断片から構成されるゴシック的語りは、もちろん当時の廃墟趣味（ゴシック奇譚《きたん》の重要な舞台背景でもある）に連なるものだが、『キャリー』でもラストで壮絶（サブライム）な廃墟が産出される。また、いじめられっ子のキャリーはゴシック・ロマンスのストック・キャラである〈虐待される乙女〉の現代版だ。英文学者クリス・ボルディックによれば、ゴシックとは、時間的には過去の継承に対する不安、空間的には閉じられた場所の恐怖である。すなわち、血筋と腐敗した建物――テレキネシスと狂信の家。

『キャリー』は物語の表層だけを読むと、そのゴシック性は見えにくいかもしれない。だが、『呪われた町』や『シャイニング』といったキングの本領が発揮された初期傑作を手にすれば、彼が現代アメリカン・ゴシックの最先鋒《さいせんぽう》であることは明白だろう。ただし、逆にそうした作品を例に挙げられて、「キングにはオリジナリティがない」と評されたりもする。なるほど、『呪われた町』はブラム・ストーカー『吸血鬼ドラキュラ』の現代版であり、『シャイニング』は伝統的な幽霊屋敷ものである。

しかしポストモダン文化現象を通過した昨今、ロマン派が生み出したオリジナル神話に拘泥《こうでい》すること自体がもはやお笑《わら》い種《ぐさ》。今や素材の順列組み合わせがあるのみ。内容より形式。どのように語るかが問題なのだ。

したがって、キングの作品は神話や伝説、昔話、あるいはジャンル小説の定型物語のパロディやパスティーシュ、変種であることが多い。『キャリー』も例外ではなく、この場合、多くの論者（チェルシー・クィン・ヤーブロやジョゼフ・リーノ、ヘイディ・ストレンゲルなど）が指摘しているのがシンデレラ物語だ。大人のための暗黒童話版「シンデレラ」。それが『キャリー』である。

キャリーがシンデレラ、母親のマーガレットは性悪な継母《ままはは》、いじわるな義理の姉たちはクラスメイトのクリスとその彼氏のビリー、キャリーに同情的なスーは善き妖精の代母、そのスーの恋人のトミーは王子、女教師のミス・デジャルダンは亡《な》き母の生まれ変わりたる小動物たち、そして宮殿での舞踏会は体育館での卒業記念ダンス・パーティだ。

ここまでは「シンデレラ」を高校生版アメリカン・ドリームに置き換えた物語としても読むことができる。が、そこから先はアメリカン・ナイトメア（悪夢）と転じる。一気にゴシック・メルヘンとなり、伝統的な昔話の転覆が行なわれる。ちなみに、シンデレラ物語における性的な意味（血まみれのガラスの靴！）についてはブルーノ・ベッテルハイム『昔話の魔力』（評論社）が、女同士の闘争についてはマリーナ・ウォーナ『野獣から美女へ』（河出書房新社）が参考になる。

いま『キャリー』の主要登場人物たちを「シンデレラ」のそれに当てはめてみたが、キングがあるインタビューで、愛読書として神話学者ジョゼフ・キャンベル『千の顔をもつ英雄』（人文書院）と精神分析学者C・G・ユングの著作をあげていることに注目した文芸評論家がいる。グレッグ・ウェラーである。彼は『キャリー』のキャラクターにシンデレラ物語よりむしろユング派の元型分析を適用する。

ウェラーはまず、女性像のふたつの元型を紹介する。〈基本原理〉と〈変容させる力〉である。それらはそれぞれ肯定・否定双方の局面を有している。

〈基本原理〉における肯定的局面は〈善母〉であり、イシス女神や聖母マリアとして表象される。否定的局面は〈恐母〉であり、妖女ゴルゴンやカーリー女神として出現する。

〈変容させる力〉もまた、その肯定的局面はソフィアやミューズのような叡智《えいち》や霊感として表象され、否定的局面はリリスやキルケーといった酩酊《めいてい》や狂気のイメージとして語られる。

そしてこれらの両極は母と娘、あるいは処女と娼婦《しょうふ》の闘争としてドラマ化され、最終的には融合されて完全体としての女性が誕生する。

こうした女性像の元型を『キャリー』のキャラクターに当てはめてみよう。まず、

〈基本原理〉としての女性像の元型として、教師のミス・デジャルダンは〈善母〉。キャリーの守護神だ。当然、対極にある狂信的な母親マーガレットは〈恐母〉。肉切り包丁を研いで娘の帰りを待ち構える鬼婆《おにばば》のイメージ。

ついで〈変容させる力〉の肯定的な女性像はスー・スネル。彼女はキャリーを変えてやろうとすることで、自分自身をも変容する。実際に、彼女は〈死と再生〉(キャリーの死を自分の死として体験する)を通して叡智を得る。そしてクリス・ハーゲンセンは否定的な局面を表す。彼女は性的な魅力で男たちを手下に、ときには野獣に変えて操る(有能な弁護士である父親でさえ言いなりになってしまう)。だが、彼女は否定的な力によって自ら破滅する。

ヒロインのキャリー・ホワイトは、その名が語っているようにアイデンティティの定まらない〝白紙状態〟にある。成長過程にある自意識はしばしば元型に魅せられるばかりか、最悪の場合はそれに支配されてしまうことがある。その結果、本来の自己を見失い、もはや元型の肯定的・否定的双方の局面の差異を見極めることができなくなる。そして錯乱状態に陥り、秩序に混沌《こんとん》をもたらすことになる。

つまり、『キャリー』は、少女から大人の女性へと変化しつつある不安定な思春期の途上でアイデンティティを探索する無垢な乙女が女性像の元型に翻弄《ほんろう》され苛まれて狂気に陥っていく悲劇を描いた作品なのである。

ところで、キャリー・ホワイトの姓は〝白紙状態〟を意味する（もちろん、純真無垢や虚無をも意味する）と述べたが、では名のキャリーは？　それはマーサ・キャリアに由来するという説がある。有名なセイラムの魔女裁判（1692）の犠牲者である。アメリカの歴史は、ある意味、迫害・イジメの歴史である。ネイティブ・アメリカンに始まり、黒人（マイノリティー）や女性（魔女）を経て、共産主義やイラクに至る。キャリーは、アメリカのこうした不当な暴力の犠牲者——贖罪《しょくざい》の山羊《やぎ》（スケープゴート）の歴史を体現している。文化人類学者の山口昌男は「犠牲の論理」（中公文庫『歴史・祝祭・神話』所収）で次のように語る。

人間は、悪の形象なしに、自分の内なる統合感覚を得ることはできない。つまり、それは価値の両極化とでもいい表わすことができるものである。「中心」をつくり出し、できるだけ象徴的にこの「中心」近くに身を置き、「中心」の対極概念である「周辺」を遠ざけなければならない。しかしながら「中心」が維持されるためには、絶えずあるいは周期的に「周辺」を眼に見えるものにしておかなければならない。

（中略）

こういった「周辺的」な事物による「中心」の境域への侵入、それによって生ずる混沌とした感情、ついで「周辺的」な事物の排除による蘇《よみがえ》り、この継起が「罪の贖い」と理解されるものである。

いまではおなじみのこの〈中心と周辺〉の概念、つまりは秩序と混沌、合理と非合理、意識と無意識、制度化されたものと制度化されざるものとの対立は、そのまま〈中心〉たるクラスメイトVS〈周辺〉であるキャリーという図式に当てはまる。超能力を有する異人＝魔女キャリーは、正常人であるクラスメイトたちが自分たち集団内の親和性と絆《きずな》を強化するための、いわば外在的な脅威・境界として措定《そてい》されている。

ここで、『キャリー』をとりわけ有名な作品にしている物語冒頭のシャワールームのエピソードが俄然《がぜん》重要性を帯びてくる。おぞましく忌《い》まわしいもののメタファーのひとつとしての月経。

実際、『キャリー』は上から下に流れる血が物語の展開にかかせないイメージとして機能している。それは三箇所《かしょ》ある。ひとつは先に述べた冒頭シーン。ついでプロムの晴れの舞台で頭上から浴びせられる豚の血。そして最後に、キャリーの死を内的に体験したときに流れるスーの経血。

経血や排泄物《はいせつぶつ》、体液などの不浄なもの、穢《けが》れたものを排除する行為をアブジェクシオンと言う。フランスの精神分析学者・哲学者のジュリア・クリステヴァはこのアブジェクシオンを、「同一性、体系、秩序を擾乱《じょうらん》し、境界や地位や規範を重んじないこどもである。つまり、どっちつかずのもの、両義的なもの、混ぜ合わせ」と述べている。すなわち、〈中心〉に対する〈周辺〉であり、モンスターや異人、スケープゴートと言い換えることができる。

となると、スケープゴートであるキャリーは遅い初潮を迎え、「キャリー・ホワイトはうんこを食べる」と落書きされる〝不浄なもの、汚れたもの〟として排除・棄却されるべきおぞましく忌まわしいもの――アブジェクシオンなのだ。クリステヴァは、排泄物とメンスの不浄性についてこう述べている。

「排泄物およびその同等物（腐敗、感染、病気、死体など）はアイデンティティに対する外からの危険を象徴する。非自我は自我の、外界は社会の、死は生の脅威となる。逆に、月経の血は（社会的ないし性的）アイデンティティの内から発する危険を象徴し、社会集団の男と女の関係を脅《おびや》かし、ひいては内在化することで性差にかかわりなくそれぞれのアイデンティティを脅かすのである」（『恐怖の権力』法政大学出版局）

『キャリー』は、ホラー小説としてはもちろん、月経小説の系譜（そんなのがあるのか？）における傑作、マキシーン・ホン・キングストン『チャイナタウンの女武者』（晶文社）と比較して読むのも一興かもしれない。

といったところで、解説として割り当てられた紙数をとうに超過しているので、これまで述べてきたサブテクスト解読のさらなる詳細を知りたい方は、拙著『スティーヴン・キング恐怖の愉しみ』（筑摩書房）を手に取られることを薦める。

3　映画化作品について

『キャリー』はこれまでに三度映像化されている。一番目は、すでに述べたブライアン・デ・パルマ監督『キャリー』（76）。この映画化作品のおかげで、キングは一躍ベストセラー作家の仲間入りを果たした。今回、改めてじっくり鑑賞したが、おかげで、『キャリー』は『サイコ』であることがわかった。デ・パルマの映像作品はもちろんのこと、原作自体がそうだと感じた。というより、『サイコ』のモデルになったエド・ゲイン事件との類似点（ことに親子関係）が『キャリー』に読みとれる。キャリー・ホワイトは少女版エド・ゲインだ！

二番目は、カット・シーア監督『キャリー2』(99)。評価はものすごく悪いが、先入観抜きで見れば、それなりの学園ホラーとして楽しめる。物語は、前作で生き残ったスーが成長してスクールカウンセラーになっている高校を舞台にして、『キャリー』と同じようなストーリーが展開される。前作よりかなりSFXが進化しているぶんアクション・シーンがハデでよい。

三番目は、TV映画として製作された『キャリー』(02)。ほとんど評判にならなかった作品。ラストも原作とちがう。ドラマ・シリーズ化を目論《もくろ》んだためだろう。評判が最悪だった作品にミュージカル版『キャリー』(88)がある。「ブロードウエイ史上最大の失敗作」として記録されているほど。八〇〇万ドルほどの制作費をかけて、なんと五回の公演で打ち切られた。

そして三七年ぶりのリメイク版『キャリー』(13)が、この十月に全米で(日本では十一月)公開される。監督はキンバリー・ピアース。九九年の『ボーイズ・ドント・クライ』で最優秀新人監督賞を受賞している。二作目の『ストップ・ロス／戦火の逃亡者』(08)も批評家から高評価を得た。女性監督であるだけに、『キャリー』における いわば母系社会内闘争をどのように描いているのか、いやがうえにも期待が高まる。さらには、可哀想《かわいそう》なヒロインのキャリーを人気沸騰中のクロエ・モレッツが演じているというのも話題のひとつ。しかし、美少女すぎるのが、この映画に関しては不安な要素でもある。母親役はジュリアン・ムーア。まあ、こちらはどんな迫真の狂気を披露してくれるかが楽しみ。個人的な最大の関心事は、ラストで町をどこまで壮大に破壊してくれるかだ。

（二〇一三年八月、文芸評論家）

この作品は昭和五十年五月新潮社より刊行された。

J・アーチャー
永井淳訳
百万ドルをとり返せ！
株式詐欺にあって無一文になった四人の男たちが、オクスフォード大学の天才的数学教授を中心に、頭脳の限りを尽す絶妙の奪回作戦。

J・アーチャー
永井淳訳
ケインとアベル（上・下）
私生児のホテル王と名門出の大銀行家。典型的なふたりのアメリカ人の、皮肉な出会いと成功とを通して描く〈小説アメリカ現代史〉。

J・アーチャー
戸田裕之訳
15のわけあり小説
面白いのには〝わけ〟がある――。時にはくすっと笑い、騙され、涙する。巨匠が腕によりをかけた、ウィットに富んだ極上短編集。

J・アーチャー
戸田裕之訳
嘘ばっかり
人生は、逆転だらけのゲーム――巨万の富を摑むか、破滅に転げ落ちるか。最後の一行まで油断できない、スリリングすぎる短篇集！

J・アーチャー
戸田裕之訳
運命のコイン（上・下）
表なら米国、裏なら英国へ。非情国家に追い詰められた母子は運命を一枚の硬貨に委ねた。奇抜なスタイルで人生の不思議を描く長篇。

J・アーチャー
戸田裕之訳
レンブラントをとり返せ
―ロンドン警視庁美術骨董捜査班―
大物名画窃盗犯を追え！　新・警察小説始動!!　手に汗握る美術ミステリーは、緊迫の法廷劇へ。名ストーリーテラーの快作！

P・オースター
柴田元幸訳
幽霊たち
探偵ブルーが、ホワイトから依頼された、ブラックという男の、奇妙な見張り。探偵小説？哲学小説？　'80年代アメリカ文学の代表作。

P・オースター
柴田元幸訳
孤独の発明
父が遺した夥しい写真に導かれ、私は曖昧な記憶を探り始めた。見えない父の実像を求めて……。父子関係をめぐる著者の原点的作品。

P・オースター
柴田元幸訳
ムーン・パレス
日本翻訳大賞受賞
世界との絆を失った僕は、人生から転落しはじめた……。奇想天外な物語が躍動し、月のイメージが深い余韻を残す絶品の青春小説。

P・オースター
柴田元幸訳
リヴァイアサン
全米各地の自由の女神を爆破したテロリストは、何に絶望し何を破壊したかったのか。そして彼が追い続けた怪物リヴァイアサンとは。

P・オースター
柴田元幸訳
写字室の旅／闇の中の男
私の記憶は誰の記憶なのだろうか。闇の中から現れる物語が伝える真実。円熟の極みの中編二作を合本し、新たな物語が起動する。

P・オースター
柴田元幸訳
冬の日誌／内面からの報告書
人生の冬にさしかかった著者が、身体と精神の古層を掘り起こし、自らに、あるいは読者に語りかけるように綴った幻想的な回想録。

T・ハリス
高見浩訳
羊たちの沈黙（上・下）
FBI訓練生クラリスは、連続女性誘拐殺人犯を特定すべく稀代の連続殺人犯レクター博士に助言を請う。歴史に輝く〝悪の金字塔〟。

T・ハリス
高見浩訳
ハンニバル（上・下）
怪物は「沈黙」を破る……。血みどろの逃亡劇から7年。FBI特別捜査官となったクラリスとレクター博士の運命が凄絶に交錯する！

T・ハリス
高見浩訳
ハンニバル・ライジング（上・下）
稀代の怪物はいかにして誕生したのか——。第二次大戦の東部戦線からフランスを舞台に展開する、若きハンニバルの壮絶な愛と復讐。

H.P.ラヴクラフト
南條竹則編訳
インスマスの影
—クトゥルー神話傑作選—
頽廃した港町インスマスを訪れた私は魚類を思わせる人々の容貌の秘密を知る——。暗黒神話の開祖ラヴクラフトの傑作が全一冊に！

H.P.ラヴクラフト
南條竹則編訳
狂気の山脈にて
—クトゥルー神話傑作選—
古き墓所で、凍てつく南極大陸で、時空の狭間で、彼らが遭遇した恐るべきものとは。闇の巨匠ラヴクラフトの遺した傑作暗黒神話。

H.P.ラヴクラフト
南條竹則編訳
アウトサイダー
—クトゥルー神話傑作選—
廃墟のような古城に、魔都アーカムに、この世ならざる者どもが蠢いていた——。作家ラヴクラフトの真髄、漆黒の十五編を収録。

G・グリーン
上岡伸雄訳

情事の終り

「私」は嫉妬心を秘め、別れた人妻サラを探偵に監視させる。自らを翻弄した女の謎に近づくため――。究極の愛と神の存在を問う傑作。

K・グリムウッド
杉山高之訳

世界幻想文学大賞受賞

リプレイ

ジェフは43歳で死んだ。気がつくと彼は18歳――人生をもう一度やり直せたら、という窮極の夢を実現した男の、意外な、意外な人生。

フリーマントル
稲葉明雄訳

消されかけた男

KGBの大物カレーニン将軍が、西側に亡命を希望しているという情報が英国情報部に入った！ ニュータイプのエスピオナージュ。

S・シン
E・エルンスト
青木 薫訳

代替医療解剖

鍼、カイロ、ホメオパシー等に医学的効果はあるのか？ 二〇〇〇年代以降、科学的検証が進む代替医療の真実をドラマチックに描く。

S・モーム
金原瑞人訳

英国諜報員 アシェンデン

国際社会を舞台に暗躍するスパイが愛と裏切りと革命の果てに立ち現れる人間の真実を目撃する。文豪による古典エンターテイメント。

H・ロフティング
福岡伸一訳

ドリトル先生航海記

すべての子どもが出会うべき大人、ドリトル先生と冒険の旅へ――スタビンズ少年になりたかったという生物学者による念願の新訳！

新潮文庫最新刊

今野敏著
探花
―隠蔽捜査9―
横須賀基地付近で殺人事件が発生。神奈川県警刑事部長・竜崎伸也は、県警と米海軍犯罪捜査局による合同捜査の指揮を執ることに。

七月隆文著
ケーキ王子の名推理《スペシャリテ》7
その恋はいつしか愛へ――。未羽の受験に、颯人の世界大会。最後に二人が迎える最高の結末は?! 胸キュン青春ストーリー最終巻!

燃え殻著
これはただの夏
僕の日常は、嘘とままならないことで埋めつくされている。『ボクたちはみんな大人になれなかった』の燃え殻、待望の小説第2弾。

紺野天龍著
狐の嫁入り
幽世《かくりよ》の薬剤師
極楽街の花嫁を襲う「狐」と、怪火現象・狐の嫁入り……その真相は? 現役薬剤師が描く異世界×医療×ファンタジー、新章開幕!

安部公房著
死に急ぐ鯨たち・もぐら日記
果たして安部公房は何を考えていたのか。エッセイ、インタビュー、日記などを通して明らかとなる世界的作家、思想の根幹。

三川みり著
龍ノ国幻想7
神問いの応《いらえ》
日織《ひおり》は、二つの三国同盟の成立と、龍ノ原《たつはら》奪還を図る。だが、原因不明の体調悪化に苛まれ……。神に背いた罰ゆえに、命尽きるのか。

キャリー

新潮文庫　キ - 3 - 4

昭和六十年一月二十五日　発行
平成二十五年九月三十日　三十四刷改版
令和　六　年九月十日　三十七刷

訳者　永《なが》井《い》淳《じゅん》

発行者　佐藤隆信

発行所　株式会社 新潮社
郵便番号　一六二―八七一一
東京都新宿区矢来町七一
電話　編集部(〇三)三二六六―五四四〇
　　　読者係(〇三)三二六六―五一一一
https://www.shinchosha.co.jp

価格はカバーに表示してあります。

乱丁・落丁本は、ご面倒ですが小社読者係宛ご送付ください。送料小社負担にてお取替えいたします。

印刷・錦明印刷株式会社　製本・株式会社大進堂

ISBN978-4-10-219304-4 C0197